Pour des raisons qui tiennent de la difficulté du sujet aussi bien que du simple désintérêt des auteurs qui ont traité jusqu'à présent de l'architecture québécoise, on a passé sous silence l'évolution de cet art, que Georges Gauthier-Larouche a le grand mérite d'aborder ici dans une perspective nouvelle. En situant la maison française de style médiéval dans le milieu naturel de la Nouvelle-France où le rythme climatique saisonnier viendra se fondre dans le grand rythme séculaire de son évolution historique, il révèle en filigrane les linéaments d'une géographie et d'une histoire culturelle québécoises.

Georges GAUTHIER-LAROUCHE, docteur ès-lettres de l'université Laval, fut d'abord professeur de géographie. En 1970, il s'occupa des programmes d'histoire et de géographie au ministère de l'Éducation du Québec et, un an plus tard, il devint archiviste aux Archives nationales du Québec. Professeur d'ethnographie à l'université Laval depuis 1973, il remplit en même temps la fonction d'historien de l'architecture au ministère des Affaires culturelles depuis avril 1974. Il prépare pour 1975 la publication de la copie du premier registre de la Prévôté de Québec (1666–1668) et une étude sur l'architecture à Québec vers le mileu du dix-septième siècle.

Évolution de la
maison rurale traditionnelle
dans la région de Québec

LES ARCHIVES DE FOLKLORE

15

Évolution de la maison rurale traditionnelle dans la région de Québec

(ÉTUDE ETHNOGRAPHIQUE)

par

Georges Gauthier-Larouche

LES PRESSES DE L'UNIVERSITÉ LAVAL
QUÉBEC
1974

La publication de cet ouvrage a été possible grâce à une subvention du Conseil canadien de recherche sur les humanités et provenant de fonds fournis par le Conseil des arts du Canada.

Dépôt légal (Québec), quatrième trimestre 1974

Dans nos contrées, la maison de l'homme s'est fixée dans un certain type qui varie avec le paysage, le caractère du pays, la fonction qu'elle a à remplir ; on peut inventer de nouvelles formes, voire des formes absurdes, mais même ceux qui s'y complaisent ne peuvent s'empêcher d'aimer les « vieilles maisons », parce qu'ils y voient une adéquation de la substance et de la forme réalisée par des structures de la plus grande généralité et de la plus grande simplicité possible.

(Ernest ANSERMET)

PRÉFACE

Voici enfin un livre sérieux sur l'évolution de la maison traditionnelle dans la région de Québec. À la différence de ces constructions hâtives qui affichent des prétentions encyclopédiques, il a été mûri avec patience et reflète les qualités mêmes qui ont fait la maîtrise des artisans bâtisseurs de nos plus beaux exemples d'architecture domestique ancienne. L'auteur s'est préparé de longue main à l'entreprendre puisque sa démarche initiale remonte à une quinzaine d'années. Il veut bien rappeler dans son avant-propos que c'est à une de mes suggestions qu'il doit l'orientation de sa recherche. De mon côté, il me semble opportun de préciser en quelles circonstances fortuites cela se produisit.

Les années 1960–1961 furent, plusieurs s'en souviennent, des années fastes et fébriles pour le folklore à Québec. Nous préparions alors le quatorzième congrès de la Société internationale de musique folklorique qui s'est tenu à l'université Laval du vingt-huit août au trois septembre 1961, sous la présidence canadienne de Marius Barbeau. Le huitième volume des Archives de Folklore venait tout juste de paraître. Nora Dawson y décrivait la Vie traditionnelle à Saint-Pierre (Île d'Orléans). J'habitais précisément à Saint-Pierre une agréable vieille maison, qui était devenue le lieu fréquent de rencontres entre folkloristes et ethnographes pour discuter librement, non seulement de musique folklorique et de littérature orale, mais aussi des multiples aspects de la culture matérielle que la discipline comporte.

Pour rejoindre ce groupe, Georges Gauthier-Larouche, originaire de Saint-Grégoire de Montmorency, étudiant en géographie et, de surcroît, maître dominical de chapelle à Sainte-Pétronille, n'eut, au sens propre comme *au figuré, qu'un pont étroit à traverser. Ses goûts le portaient principalement vers la branche dite humaine de la géographie que Pierre Deffontaines s'était efforcé d'implanter à Laval depuis les débuts de l'Institut d'histoire et de géographie, insistant bien sur le fait que «la marque la plus visible de la présence de l'homme à la surface de la terre est la maison».*

Une autre coïncidence favorable fut l'acquisition que je fis, à Beaumont, d'une vieille maison du début du XVIIIe siècle, déjà remarquée par Ramsay Traquair dans The Old Architecture of Quebec, *et par Pierre-Georges Roy dans* Vieux Manoirs, Vieilles Maisons. *Sa restauration, à l'été de 1962, d'après les conseils de l'architecte Sylvio Brassard et par la main experte de Robert Lamontagne, maître-menuisier qui avait, comme on dit, tous les anciens métiers dans le sang, fut une expérience des plus enrichissantes pour celui qui s'apprêtait à redécouvrir les secrets de la charpenterie traditionnelle au cours des siècles. Elle sera mise à profit avec d'autres expériences analogues à Château-Richer, à Beauport, à Boischatel et ailleurs, notamment au chapitre VII sur «la charpente de la maison de pierre».*

Bref, pendant les années qui suivirent, après quelques hésitations sur la forme et les limites que prendrait sa recherche, mais sans perdre de vue son objectif principal, Georges Gauthier-Larouche acquit, comme enquêteur sur le terrain, comme dessinateur et comme archiviste, la triple expertise qui devait l'amener à réaliser la présente étude. Il s'en explique assez clairement pour qu'il ne me soit pas nécessaire d'insister davantage.

Ce qu'il faut bien souligner toutefois, c'est que, interrogeant la maison traditionnelle en toutes ses parties, de la cave au pignon, il n'essaie pas de contourner les difficultés pour les éviter, ni de les camoufler dans un verbiage intempestif. Les questions techniques qu'il lui pose sont souvent celles auxquelles les études antérieures n'avaient su répondre. Et les réponses qu'il lui arrache sont précises et bien ordonnées. En outre, aucune arrière-pensée de propagande utilitaire ne vient le distraire de son ardent désir de connaître.

Limitée à la région de Québec au sens le plus étendu, son enquête de caractère scientifique acquiert en profondeur ce que d'autres perdent en superficialité et en dispersion. Elle forme en tout cas une base solide de comparaison pour des études ultérieures sur les problèmes similaires que les types de maisons d'autres régions du Canada français pourraient présenter. Aussi les Archives de Folklore sont-elles fières d'accueillir aujourd'hui dans leur collection un ouvrage qui, à brève échéance, deviendra un guide indispensable et autorisé pour tous ceux qui, à quelque point de vue que ce soit, s'intéressent à la maison traditionnelle et à son histoire.

Luc LACOURCIÈRE
Directeur des Archives de Folklore

AVANT-PROPOS

À la suite d'une suggestion du professeur Luc Lacourcière, j'ai procédé, durant l'été 1960, au relevé des caves à légumes des côtes de Beauport et de Beaupré en vue d'en faire une brève analyse architecturale.

Une fois ce travail accompli, j'ai commencé à dessiner des maisons, des granges, des outils et divers autres objets sans trop savoir où cela me conduirait.

Comme je ne possédais aucune notion d'architecture et que j'avais besoin de définir les assemblages de charpente, j'ai dû consulter les grands dictionnaires de Viollet-le-Duc et de Cloquet que l'architecte Sylvio Brassard m'avait aimablement prêtés. Fort de ces deux instruments indispensables, j'ai continué de rechercher de « vieilles » maisons en ruine ou en démolition et, peu à peu, j'ai accumulé un certain nombre de dossiers qui forment la base de ma documentation architecturale et ethnographique.

Un an après cette première expérience sur le terrain, j'ai restreint le territoire de mes recherches à la seule paroisse de Château-Richer, où j'ai expérimenté un questionnaire fondé sur le traitement mécanographique. La conception de ce questionnaire, son utilisation et ses résultats forment la matière de ma thèse de maîtrise en géographie intitulée : « Enquête mécanographique sur l'habitat rural à Château-Richer » (université Laval, 1964).

J'ai poursuivi ensuite une troisième forme de recherche dans les bibliothèques et les archives notariales. Ces sources s'avèrent essentielles pour l'étude de la maison traditionnelle ; mais, avant 1967, je n'en avais pas encore saisi l'importance. Cette année-là, j'ai pu étudier sérieusement de nombreux documents concernant la seigneurie de Beauport. Je fus même tenté d'oublier mes premières enquêtes et de traiter d'un sujet aussi difficile que l'habitat rural à Beauport durant le Régime français.

Après une période de tergiversations et d'interrogations restées sans réponses, je suis revenu à une de mes premières idées des annnées 1962-1963, enrichi, il va sans dire, par une réflexion constante, un contact précieux avec les archives et les livres pour suivre de près l'évolution de la maison traditionnelle dans la région de Québec.

Ce travail doit beaucoup aux nombreux informateurs rencontrés particulièrement sur les côtes de Beauport, Beaupré et Beaumont ; au sous-ministre adjoint des Affaires culturelles, monsieur Raymond Gariépy, aux bibliothécaires, paléographes, archivistes et généalogistes des Archives nationales à Québec qui m'ont aidé sans compter durant mes recherches et, enfin, au professeur Luc Lacourcière, directeur-fondateur des Archives de Folklore de l'Université Laval, qui n'a cessé de me guider et de m'encourager depuis mes premières enquêtes.

G. G. L.

INTRODUCTION

Bien que dans le passé l'intérêt pour la civilisation matérielle apparaisse, de façon sporadique, chez quelques individus isolés, ce n'est qu'en 1925, avec Marius Barbeau, que commencèrent les recherches sérieuses sur l'architecture traditionnelle au Canada français.

Dans un de ses premiers essais — « Le pays des gourganes » — présenté à la Société royale du Canada, à Ottawa, en 1917, il posa pour la première fois le problème de l'étude systématique de la civilisation ancienne, en opposant celle-ci à la civilisation moderne qu'il fustigeait, déjà, en termes très agressifs. Il fit cette comparaison essentielle, au moment où la population urbaine allait dépasser la population rurale au Québec; son diagnostic arrivait donc à point. Dans cette étude portant sur le langage, les traditions populaires, les anecdotes et les procédés technologiques du comté de Charlevoix, Marius Barbeau confesse la profonde ignorance de notre architecture et il s'arrête, un peu, aux bâtiments d'allure assez particulière que sont les granges et les remises à encorbellement, appelées abat-vent dans cette région.

Quelques années après cet essai, il se rendit à l'île d'Orléans afin de commencer des études plus poussées sur l'architecture traditionnelle. Mais n'ayant de préparation, ni en architecture ni en sculpture, il invita Ramsay Traquair, architecte écossais et professeur à l'Université McGill, à venir travailler avec lui.

Dans son cours intitulé « En quête de connaissances anthropologiques et folkloriques dans l'Amérique du Nord depuis 1911 », Archives de Folklore, université Laval, 1945 (texte miméographié), il précise :

L'étude de l'architecture et de la statuaire entreprise en 1925 en collaboration du professeur Traquair constitue le début des études de ce genre au pays. Jamais un architecte canadien de langue française n'a encore contribué le moindre travail sur notre ancienne architecture (p. 26).

Certes, un siècle avant lui, l'abbé Jérôme Demers s'était intéressé à l'architecture, mais très peu à celle qui se faisait autour de lui. Lorsqu'il regardait nos constructions, ce n'était que pour les juger en référence aux ordres grecs et aux lignes de l'architecture classique. C'est ainsi qu'il faut comprendre le chapitre intitulé « Des abus en architecture », dans son *Précis d'architecture pour servir de suite au Traité élémentaire de physique à l'usage du Séminaire de Québec* (Manuscrit, ASQ, 1828). Mais l'abbé Demers était trop engagé dans cette civilisation traditionnelle pour en reconnaître les caractéristiques originales, alors que Marius Barbeau, un siècle plus tard, possédait, à la fois, la science et le juste recul nécessaires pour apprécier toutes les richesses de cette civilisation, mais aussi pour reconnaître les dangers qui la menaçaient.

La collaboration de notre anthropologue avec **Ramsay Traquair** nous donna, en 1926 et 1929, les premiers écrits scientifiques sur l'architecture religieuse traditionnelle des quatre principales églises de l'île d'Orléans, soit Saint-Pierre, Sainte-Famille, Saint-François et Saint-Jean. La publication de ces monographies, plus révélatrices du style de Traquair que du style de Barbeau, procura à ces deux savants l'expérience initiale nécessaire et leur permit de poursuivre, chacun de son côté, d'autres objectifs : Barbeau, dans le vaste domaine de l'anthropologie, et Traquair en architecture.

Marius Barbeau ne revint à l'architecture traditionnelle qu'une dizaine d'années plus tard, avec trois courts articles, dans lesquels on reconnaît maintenant le style du savant polygraphe. « Notre ancienne architecture » (Québec, 1940), « Nos bâtisseurs » (Montréal, 1941) et « Types de maisons canadiennes » (Montréal, 1941) décrivent, tour à tour et en termes généraux, les traits principaux de notre architecture d'autrefois, « l'Abitation » de Champlain et les types de maisons de bois les plus marquants de la vallée du Saint-Laurent. Bien que très intéressé par ce sujet, Marius Barbeau, comme on le voit, ne l'a qu'effleuré ; mais il le fit à des moments privilégiés, soit en 1925, pour lancer le mouvement des recherches sérieuses, soit au commencement des années 40, lors de l'effervescence provoquée par le concours provincial d'architecture.

Cependant, il ne fut pas suivi par ses contemporains. Presque tous les auteurs canadiens-français ont abordé ce sujet avec émotivité et, parfois même, sentimentalisme et sensiblerie, la rigueur scientifique cédant sans cesse le pas à l'amour de l'objet étudié. Cette réaction était toutefois normale chez les poètes, les romanciers, les auteurs du terroir, les illustrateurs, les peintres et les photographes, qu'ils soient antérieurs ou non à Marius Barbeau, car leur intention était moins d'expliquer l'objet que de le faire aimer.

Les poèmes de Nérée Beauchemin *(l'Âme de la maison, la Maison solitaire, la Maison vide et Vieille Maison)* ou de Blanche Lamontagne *(Village natal, Hymne à la vieille demeure)*, tout comme ceux d'Albert Lozeau *(la Maison du passé)*, d'Émile Coderre *(les Vieilles Demeures)* ou de Pamphile Lemay *(la Maison paternelle)* chantent tous, avec des accents nostalgiques et touchants, l'harmonie et la beauté formelle de la maison, le silence et le mystère qui l'entourent, le souvenir des morts et des anciens qui l'ont habitée et les vrais bonheurs de l'ancien temps.

Nous pouvons dire la même chose des romans, en particulier, ceux de Philippe Aubert de Gaspé et de Félix-Antoine Savard qui font de la maison le cadre privilégié des aventures qu'ils racontent ; des textes du terroir de Sylva Clapin *(la Maison de l'habitant)*, de Mᵍʳ Camille Roy *(le Vieux Hangar)* et d'Adjutor Rivard *(la Maison condamnée)* et même de ceux de l'abbé V. P. Jutras, auteur de deux monographies lexicologiques importantes, rédigées en 1906 et 1912, concernant la grange et la maison ; des gravures du xIxᵉ siècle et des photographies (collection Livernois) qui contiennent les principales images de notre ancienne vie urbaine et rurale ; enfin des illustrations et des tableaux de nos artistes du terroir, tels Cornelius Krieghoff, J. Edmond Massicotte, Herbert Raine, Léonce Cuvelier, Horatio Walker, Clarence Gagnon, Marc-Aurèle Fortin, Rodolphe Duguay et, plus près de nous, Iacurto et Albert Rousseau qui ont perpétué cette tradition profondément enracinée dans l'âme québécoise.

Parallèlement à ce courant purement poétique, nous trouvons, disions-nous, les tendances vulgarisatrice et historique, caractérisées par un ton émotif, dont l'importance est inversement proportionnelle à la préoccupation scientifique des auteurs. Il est assez curieux de noter, à ce sujet, que notre premier vulgarisateur, Raymond Préfontaine, ait toutefois peu cédé à l'émotivité. Son attitude, au moment où Marius Barbeau n'avait même pas encore commencé ses études à l'île d'Orléans, fut plutôt celle d'un scientifique. Il a, en effet, aperçu, dans son court article, « L'architecture canadienne » (Montréal, 1918), l'influence des conditions climatiques sur nos anciennes maisons et il se plaignit de l'abandon de notre tradition, à une époque où l'architecture ancienne n'intéressait presque personne. Il fut même assez clairvoyant pour mettre en garde les architectes contre la tentation de copier servilement nos anciennes architectures canadiennes !

La première réaction émotive aux travaux de Marius Barbeau fut celle de l'archiviste P.-G. Roy. Dès 1925, tout au début des recherches entreprises par Marius Barbeau, l'archiviste « compila, avec l'aide du photographe Gariépy de Montréal, la photographie d'églises, de manoirs et de maisons et les publia à la hâte », selon les mots mêmes de Barbeau. C'est, en effet, une sorte d'émulation incontrôlée qui explique la compilation des deux répertoires de P.-G. Roy : *les Vieilles Églises de la province de Québec* (Québec 1925) et *Vieux Manoirs, Vieilles Maisons* (Québec 1927), dont la valeur documentaire reste, certes, incontestable car les photographies sont toutes utiles quand il s'agit de comparer l'état actuel d'un spécimen à un état antérieur ; mais on n'y trouve pas les analyses que P.-G. Roy aurait pu faire en utilisant les archives où il travaillait.

Peu de temps après la publication des deux répertoires de P.-G. Roy, l'abbé Georges Côté, confrère de classe de Marius Barbeau, céda aux invitations de ce dernier et publia, à peu près dans les mêmes formes que les premières études de notre anthropologue, *la Vieille Église de Saint-Charles Borromée sur la rivière Boyer.*

Puis, en 1930, Antoine Roy, fils de P.-G. Roy, publiait à Paris une thèse de doctorat intitulée *les Lettres, les sciences et les arts au Canada sous le régime français. Essai de contribution à l'histoire de la civilisation canadienne.* Bien que trop théorique, cet ouvrage faisait le point des connaissances en architecture et dans divers autres domaines, artistiques et littéraires, dans un Québec qui s'urbanisait lentement. Comme Marius Barbeau, Antoine Roy n'a fait qu'effleurer le domaine architectural. Ce n'est d'ailleurs que dix-sept ans plus tard qu'il y est revenu, dans un court article intitulé « L'architecture du Canada autrefois » (Montréal, 1947). Cet article n'était d'ailleurs qu'un résumé d'un chapitre écrit en 1930, et sera lui-même remanié encore en 1960, dans « Bois et Pierre » (Montréal, 1960). L'auteur y décrit, en termes généraux, des charpentes et quelques types d'architecture du Canada français.

Au début des années 40, l'architecte Sylvio Brassard, de son côté, s'occupait de faire renaître la forme architecturale ancienne. Dans « L'avenir de notre architecture » (Québec 1940), il confesse que « le professeur Traquair lui fit désirer ardemment de revenir à la tradition de nos ancêtres ». C'est d'ailleurs ce qu'il fit, dans plusieurs de ses plans d'architecture domestique et religieuse. Dans toutes ses conférences publiées ou inédites, il ne cessera de témoigner de son attachement à l'architecture traditionnelle, et, malgré l'impasse où se trouvait alors cet art, il restait optimiste.

Peu de temps après lui, Maurice Hébert publia, en 1944, dans les *Mémoires de la Société royale du Canada,* « L'habitation canadienne-française : une véritable expression de civilisation distincte et personnelle ». Il était le premier à signaler le caractère maritime de la maison de la Côte-du-Sud, entre l'Islet et Mont-Joli.

Dans cette veine vulgarisatrice, il faut retenir aussi le nom de Paul Gouin. Ses articles intitulés « Nos monuments historiques » (Montréal, 1956) et « Notre héritage architectural » (Montréal, 1956) ainsi que ses conférences radiophoniques (Radio-Canada, 1966), en tant que responsable de la Commission des monuments historiques, au ministère des Affaires culturelles, témoignent d'un grand souci de conservation et de promotion de notre culture.

Signalons, enfin, les derniers ouvrages de vulgarisation dont la parution coïncide avec un renouveau de l'architecture traditionnelle.

Dans *l'Évolution de la maison rurale laurentienne* (Québec, 1967), un petit livre-album, nous montrons le fondement de ce phénomène et nous donnons une explication affective à ce retour aux sources de la forme architecturale.

Dans *Maisons et Églises du Québec, XVIIᵉ, XVIIIᵉ, XIXᵉ siècles* (Québec, 1971), Hélène Bédard diffuse les idées maîtresses de Gérard Morisset, tandis que Michel Lessard et Huguette Marquis publient, dans la revue *Forces* (Montréal, 1972), « Une maison qui se souvient », résumé de leur *Encyclopédie de la maison québécoise — 3 siècles d'habitations* (sic), (Montréal, 1972). Cet ouvrage n'est qu'une compilation erronée de tous les travaux existants. Malgré la collaboration d'un architecte et d'un photographe, et la qualité de plusieurs photographies, plans et dessins, le livre reste empreint d'émotivité, voire de sensiblerie, et la réflexion fait défaut. Cette sorte d'« encyclopédie » publiée à la hâte peut connaître un succès rapide, mais elle ne résite pas au temps ; et les gens qui désirent comprendre un phénomène, n'y trouvent pas leur compte.

Contrairement à la tendance vulgarisatrice, la tendance historique se manifesta beaucoup plus tard à Québec ; soit, en 1941, avec *Coup d'œil sur les arts en Nouvelle-France,* et, en 1949, avec *l'Architecture en Nouvelle-France,* deux publications du savant érudit Gérard Morisset. Notaire de son métier, il avait lui aussi commencé à s'intéresser à notre culture vers 1925, en faisant des dessins à caractère champêtre, dont plusieurs furent publiés dans *l'Almanach de l'Action catholique*. Dans son principal livre, *l'Architecture en Nouvelle-France* (1949), il étudie non seulement la maison de Québec, mais aussi celle de Montréal, et il introduit des notions d'architecture religieuse, civile et militaire. Cet ouvrage constitue, d'une certaine manière, une approche de l'évolution de l'architecture québécoise, mais à cause de l'étendue du champ géographique couvert, elle ne peut être qu'un survol. Il a rédigé un article, un seul d'ailleurs, qui touche de près notre sujet: « Quebec. The Country House — La Maison rurale » (Ottawa, 1958), mais qui n'ajoute rien de neuf à son premier essai de 1941: *Coup d'œil sur les arts en Nouvelle-France*.

Toujours dans la décennie 40, les deux archivistes E.-Z. Massicotte, à Montréal, et l'abbé Honorius Provost, à Québec, ont commencé à exploiter des documents d'archives pour montrer l'évolution d'une maison et d'une propriété urbaines. Leur méthode perceptible dans les textes intitulés « Quelques Maisons du vieux Montréal » (Montréal, 1945) et *Vieilles Maisons de Québec* (Québec, 1947) fut reprise, une vingtaine d'années plus tard seulement, dans les études de Michel Gaumond: *la Maison Fornel* (Québec, 1965), *la Première Église de Saint-Joachim, 1685–1759* (Québec, 1966) et *la Place Royale. Ses maisons, ses habitants* (Québec, 1971); dans celle de Michel Lafrenière et François Gagnon intitulée *À la découverte du passé. Fouilles à la Place Royale* (Québec, 1971); dans la première partie de *Trois Siècles d'architecture au Canada* (Ottawa, 1971) écrite par Pierre Mayrand et, enfin, dans l'ouvrage de Luc Noppen et J.-R. Porter, *les Églises de Charlesbourg et l'Architecture religieuse du Québec* (Québec, 1972).

Ces études font toutes largement appel aux documents d'archives et aux techniques archéologiques pour expliquer l'architecture conventuelle, religieuse et urbaine. Cet intérêt devait conduire le ministère des Affaires culturelles du Québec aussi bien que le ministère du Nord et des Affaires indiennes à Ottawa à restaurer de vieux quartiers urbains ou des maisons rurales, dites « historiques ».

Parmi les auteurs canadiens-français, c'est Robert-Lionel Séguin qui a le plus exploité les documents d'archives dans son œuvre ethnographique. Trente-sept ans après Antoine Roy, il publiait sa thèse de doctorat intitulée *la Civilisation traditionnelle de « l'habitant » aux XVIIe et XVIIIe siècles* (Montréal, 1967) dont un chapitre concernait l'habitation et un autre l'aménagement intérieur de la maison. Son œuvre contient de nombreuses descriptions tirées de documents d'archives, en particulier de contrats de concession, de marchés de construction, de partages et inventaires après décès. Elle peut, dès lors, être considérée comme une source ethnographique de second degré, pour les chercheurs. Pas plus que ses prédécesseurs, R.-L. Séguin ne se préoccupe de l'évolution de la maison rurale dans *la Maison en Nouvelle-France* (Ottawa, 1968). Il y aborde une foule de sujets dont l'unité n'apparaîtra qu'à celui qui connaît déjà l'ethnographie.

À la différence des auteurs canadiens-français, ceux de culture anglo-canadienne présentent une œuvre moins diversifiée, généralement mieux composée, mieux présentée. Le ton avait été donné par Traquair dès 1925. Il publia avec Barbeau les quatre études que l'on connaît, puis, avec E. R. Adair, en 1927, une monographie intitulée *The Church of the Visitation Sault-au-Récollet, Québec* (Montréal, 1927), trois études sur l'architecture religieuse et conventuelle, et cinq études personnelles, entre autres, *The Old Architecture of the Province of Quebec* (Montréal, 1925) et *The Cottages of Quebec* (Montréal, 1926) qui décrivent certaines caractéristiques générales de l'architecture rurale.

Durant les années 30, Traquair publia encore cinq études personnelles dont *The Old Architecture of French Canada* (Montréal, 1932) qui résume ses deux textes précédents sur la maison rurale. Il collabora, soit avec E. R. Adair, soit avec G. A. Neilson, à six autres études concernant toutes l'architecture religieuse, conventuelle et urbaine. Quelques années plus tard, il faisait paraître *The Old Architecture of Quebec. A study of the buildings erected in New France from the earliest explorers to the middle of the nineteenth century* (Montréal, 1947), une sorte de condensé de toutes ses études antérieures. L'œuvre de Traquair consacrée à l'architecture rurale est aussi mince que celle de Barbeau, mais pour des raisons différentes. Alors que Barbeau a choisi d'étudier les productions esthétiques des ruraux et des Indiens autochtones, Traquair s'est plutôt consacré à l'analyse de l'architecture urbaine. On retrouve le choix de Traquair, qui ne peut être qu'un choix éthique, chez presque tous ses collaborateurs : G. A. Neilson, E. R. Adair, Percy Nobbs, William Carless et G. R. Gardiner, puis chez ses successeurs jusqu'à A.-J. H. Richardson.

Même Alan Gowans, une autorité dans le domaine de l'architecture canadienne, auteur d'une œuvre dense et importante, n'a parlé de la maison rurale que pour la comparer à la maison urbaine. Mais ce qui distingue Gowans de Traquair c'est sa tendance à réduire les dimensions de notre architecture postérieure à 1867. Cette vision, celle d'un Canadien anglais de Vancouver, apparaît en filigrane dans *Building Canada* et ressort très nettement dans « The Canadian National Style » (Montréal, 1968).

Avant Alan Gowans, Philip Turner avait esquissé cette vision dans *The Development of Architecture in the Province of Quebec since Confederation* (Montréal, 1927). Elle devint ensuite un leitmotiv chez Thomas Ritchie, dans *Canada Builds 1867–1967* (Toronto, 1967) et, plus récemment, dans les travaux de John Bland et de R. H. Hubbard.

Somme toute, hormis Caldwell Ross Anderson de Québec, intéressé à la restauration, et Melvin Charney, qui se préoccupe surtout de l'aspect social de l'architecture dans son beau texte intitulé « Pour une définition de l'architecture au Québec » (Montréal, 1931), tous les auteurs canadiens anglais, architectes de profession, se sont pratiquement désintéressés de l'architecture rurale. Il se sont consacrés à l'architecture urbaine de Québec, Montréal et Trois-Rivières puis à celle des capitales provinciales.

En vérité, le thème de l'évolution de la maison rurale traditionnelle n'a pratiquement pas été traité. Les architectes André Robitaille, dans « Évolution de l'habitat au Canada français » (Montréal, 1966), Michel Borcelo dans « Habitat collectif » (Montréal, 1966) et Jean-Luc Poulin dans « L'habitat — Retour aux sources » (Montréal, 1966) l'ont abordé, mais seul le géographe français Pierre Deffontaines en a suffisamment traité dans « Évolution du type d'habitation rurale au Canada français » (Québec, 1967). Toutefois cet article, où Deffontaines perfectionne le chapitre qu'il avait consacré à l'habitation dans *l'Homme et l'Hiver au Canada* (Québec, 1957), dix années auparavant, n'a aucun rapport avec la méthode ethnographique employée dans notre présent travail.

Dès lors, devant cette carence d'ouvrages sur l'évolution de la maison rurale traditionnelle, il a fallu nous tourner vers les maisons elles-mêmes, sources les plus valables et les plus accessibles. Il a aussi fallu élaborer une méthode d'analyse qui tienne compte à la fois de la nature matérielle de ces « artefacts » et de celle des documents notariaux si nécessaires à l'étude de la maison ancienne. Nous nous demanderons donc maintenant comment procéder pour retrouver la date de construction d'une maison et nous ferons, par le fait même, la critique de nos sources : nous montrerons quels en sont les avantages, les inconvénients et les limites.

LES MÉTHODES D'ENQUÊTE

A) La maison

Nous classerons les maisons en trois catégories : la maison habitée, la maison en ruine ou en démolition, la maison restaurée.

La maison habitée. Les maisons rurales ne sont pas datées ; ce fait est bien connu. Il est en effet très exceptionnel qu'on puisse lire l'année de construction sur une plaque incrustée au-dessus d'un linteau de porte. Certaines le sont, au début du xixe siècle dans des modèles venus de l'extérieur ou chez des gens plus nantis que les habitants. Le moyen apparemment le plus sûr pour rechercher cette date, même approximative, dont nous avons besoin consisterait à interroger les inventaires après décès. Choisissons un exemple dans nos recherches personnelles afin de voir ce que ce type de documents peut apporter.

Le vingt-cinq juillet 1960, je m'étais rendu au Petit Cap, chez Joseph Bilodeau. Je datais approximativement sa maison de la première moitié du xviiie siècle. Mais en 1970 j'appris de monsieur Raymond Gariépy, spécialiste du régime foncier de la seigneurie de Beaupré, que les deux seules terres octroyées par les seigneurs ecclésiastiques du Séminaire, entre la Petite et la Grande Ferme du Séminaire de Québec, étaient celles de Julien Fortin dit Bellefontaine et de Paul Cartier. Aucun des deux inventaires relatifs à la terre de Joseph Fortin, l'un de 1704 [1], l'autre de 1710 [2] ne décrivaient la maison que j'avais visitée en 1960. Par contre, l'inventaire des biens d'Agnès Cloutier, veuve de Paul Cartier fils et de Joseph Fortin, effectué le deux février 1747 par le notaire C.-H. Dulaurent, contenait un indice intéressant [3].

Comme d'habitude, le notaire décrit la maison en trois lignes, mais, dans ce cas précis, il ajoute qu'il y a un « bas-côté » adossé au corps principal. Or, la maison de Joseph Bilodeau se caractérisait précisément par l'existence, au coin nord-est du mur latéral, d'une laiterie qui ressemblait à un bas-côté à cause de son toit à pente unique. Si ce bas-côté correspond bien à la laiterie, cela signifie que la maison de Joseph Bilodeau serait antérieure à 1747. Mais elle serait en même temps postérieure à 1727, puisque l'inventaire fait cette année-là ne contenait aucun indice relatif à la maison Bilodeau elle-même. Il y a donc là une approximation de vingt ans. D'autre part, il est possible qu'elle ait été abîmée par les Anglais en 1759, et qu'on l'ait reconstruite sur les mêmes murs.

Comme on le voit, la recherche d'une simple date de construction de maison au moyen des inventaires est une entreprise laborieuse : consultation de recensements, d'aveux et dénombrements de seigneuries pour connaître les noms des premiers censitaires puis, au moyen de ces noms, consultation des greffes des notaires ou, mieux encore, de l'inventaire des inventaires après décès qui contiennent ici la liste des documents communiqués par monsieur Gariépy... De surcroît, le résultat est toujours approximatif.

---

[1] *Inventaire des biens de Agnès Cloutier et Joseph Fortin,* 12 juillet 1704, E. Jacob, ANQ.
[2] *Inventaire de Geneviève Gamache Vve de Julien Fortin,* 28 juillet 1710, E. Jacob, ANQ.
[3] *Inventaire des biens de Agnès Cloutier Vve de Joseph Fortin,* 2 février 1747, C. Dulaurent, ANQ.

On peut aussi faire la démarche inverse. Au lieu d'aller de la maison à l'inventaire, on peut partir d'un marché de construction pour aboutir à un spécimen actuel. Cette manière de procéder donne de meilleurs résultats que dans le cas précédent, à condition de bien aboutir au spécimen. Sans aller très loin dans l'explication, disons que la difficulté majeure consiste à établir le lien entre le marché de construction et la maison actuelle, à laquelle on n'arrive d'ailleurs jamais sans de multiples tâtonnements. Parfois le spécimen actuel apparaît même si différent de l'image qu'on s'en est fait que le chercheur est porté à nier que ce soit bel et bien le logis originel !

De toute manière, ces deux démarches sont très hasardeuses et un chercheur ne peut espérer s'y engager qu'après une pratique assidue des documents d'archives. Deux autres moyens, du reste fort appréciables, peuvent être proposés pour retrouver la date de construction d'une maison. Par exemple, l'âge de la seigneurie et le site de la maison dans un rang peuvent du moins indiquer qu'une construction est postérieure à telle année, en l'occurrence l'année d'installation. Cette recherche vaut évidemment pour presque tous les rangs sauf le premier ; pour une maison du premier rang, le problème reste entier, puisqu'on y retrouve presque tous les modèles architecturaux.

Dans cette démarche comme dans les deux premières, le chercheur doit être initié à la consultation des archives. S'il tient pour acquis que l'information orale est aussi valable que l'information écrite, il n'a pas besoin de consulter les documents notariaux. Si je demande, par exemple, à un propriétaire l'âge de sa maison, j'obtiendrai souvent la réponse suivante : « Trois cents ans ! » C'est un nombre folklorique. L'informateur reviendra souvent sur ses paroles et dira : «Quand j'étais tout jeune, j'ai entendu de mon grand-père que cette maison avait toujours été là où elle est présentement. » En calculant l'âge de l'informateur et en remontant à la prime enfance de son grand-père, on peut arriver à dater approximativement la construction.

En définitive, déterminer la date de construction d'une maison est un travail difficile qui donne des résultats toujours approximatifs et incomplets. Il faut dire, par ailleurs, que l'ethnographe ne s'attarde pas à l'histoire de chaque maison, sauf lorsqu'il prépare une monographie.

La maison en ruine ou en démolition. Dans les maisons habitées, on peut certes visiter les diverses pièces, monter au grenier, par exemple, pour dessiner des relevés de charpente, mais la plus grande difficulté réside dans l'impossibilité de voir à découvert les détails de construction. Cette difficulté est toutefois compensée par l'étude des ruines et des démolitions, documents de première valeur ethnographique. Dans des ruines, en effet, l'on peut faire des coupes de murs, dessiner l'intérieur d'un âtre et, surtout, vérifier le contact bois-pierre au niveau de la sablière ; en bref, on y découvre tous les détails de construction.

À peu près tous les dessins de construction que contient cet ouvrage furent faits dans des ruines et dans des démolitions entre 1960 et 1970. Il faut avouer, cependant, que ces documents ont eux aussi leurs limites, puisqu'il n'y a personne pour nous informer de l'âge approximatif de la maison — surtout si l'état de ruine est avancé — ou pour expliquer l'importance d'un détail qui passerait inaperçu à des yeux peu avertis. Il n'y a personne non plus pour montrer les endroits qui auraient déjà subi des réparations. L'ethnographe est seul avec lui-même, et, s'il est novice en ce domaine, il n'a qu'une chose à faire : relever le plus de détails possible, décrire, dessiner et prendre quantité de photographies, afin que la ruine lui apparaisse, avec le recul du temps, comme un document complet.

La maison restaurée. Celle-là nous livre, en principe, moins de détails que les ruines ; toutefois elle combine les avantages de la maison habitée et, en partie, ceux des ruines, le restaurateur pouvant expliquer l'évolution récente de sa maison. Le chercheur profite du dégagement des cloisons, des plafonds ou de toutes autres réparations pour repérer des détails de construction.

B) Les documents notariaux

Les deux sources principales de détails architecturaux que nous fournissent les documents notariaux sont les contrats de construction et les inventaires après décès ; parfois certains procès-verbaux de construction et quelques partages en contiennent aussi, mais ordinairement les détails sont moins nombreux que dans les documents précédents.

Nous ne nous attarderons pas ici sur les contrats de construction puisque nous y reviendrons. Notons seulement qu'ils n'étaient accompagnés d'aucun croquis ou plan, et que nous ne disposions que du texte pour représenter l'extérieur de la construction. Or, les contrats ne mentionnent ni l'angle du toit, ni le profil de l'avant-couverture, ni le nombre de fenêtres, et, lorsque leur nombre est mentionné, rien n'indique leur localisation précise : l'on dit seulement que les fenêtres seront à « l'endroit où le propriétaire le jugera à propos ». Malgré ces lacunes, les marchés de construction restent des documents de première valeur. Les contrats de maisons paysannes sont plus courts et les détails souvent moins bien choisis que ceux des maisons urbaines.

Un acte court coûtait moins cher et les habitants en tenaient certainement compte.

Il n'entre pas non plus dans notre propos d'analyser ici les inventaires après décès, qui sont d'une grande valeur ethnographique — nous en citerons un en appendice —; il s'agit seulement de nous arrêter aux données architecturales qu'ils contiennent. La description suivante provenant d'un inventaire de 1717 en milieu rural :

> une maison de trente Six pieds de long et dix huict de largeur de Colombage
> déjà vieille couverte en bardeau [4]

nous permet de noter trois détails de construction : les dimensions, le type architectonique, la couverture en bardeaux, auxquels s'ajoute une remarque concernant l'état de la maison.

Ce sont, en général, les seuls détails architecturaux contenus dans les inventaires. Pour se faire une idée du plan, il faut lire au moins la moitié de l'inventaire ; le notaire avait en effet l'habitude de commencer ainsi l'énuméra-tion des objets :

> dans la cuisine sest trouvé...
> dans la chambre sest trouvé...
> dans le grenier sest trouvé...
> dans la cave sest trouvé...

On peut alors reconstituer le plan, mais aucune mesure intérieure n'est donnée. Contrairement à ce que l'on pourrait penser, les inventaires ne constituent pas la plus importante source pour l'étude de l'architecture. Dans ces conditions, comment peut-on procéder à l'étude de la maison ? Faire les recherches sur le terrain d'abord, continuer dans les archives et tenter d'établir un lien entre les spécimens et les inventaires. Lorsque l'on a réussi à établir ce lien, la perspective change du tout au tout.

Prenons le cas de la maison de Noël Giroux, du village Saint-Michel, à Beauport. Un inventaire de 1750 en fait la description suivante :

> une chambre construit en masonnerie de vingt pié de lon Sure vingt Sept de
> Large Couverte en Planches, Planche au et bast une chemine dans la cuisine
> non estime Sy pour memoire [5].

---

[4] *Inventaire des biens de la communauté qui a été entre francoys Racine et Dorothée Paré*, 2 juin 1717, Barthélemy Verreau, ANQ.
[5] *Inventaire des biens de Noël Giroux et Françoise Gallien*, 27 août 1750, Pierre Parant, ANQ.

Ces quelques lignes de l'inventaire prendraient une importance beaucoup plus grande si nous pouvions comparer l'état actuel de la maison à celui de 1750 et faire d'autres recherches dans les documents afin de découvrir les transformations intermédiaires.

Toutes ces difficultés expliquent que l'architecture du Québec ait été si peu étudiée. S'il avait fallu fonder notre recherche sur les travaux traitant de l'évolution de la maison rurale, cet ouvrage n'aurait pas vu le jour. C'est surtout Pierre Deffontaines, comme nous l'avons déjà dit, qui a traité le sujet et, encore, à la manière d'un géographe faisant des rapprochements entre notre maison et celle des pays tropicaux de l'Amérique latine et anglo-saxonne[6].

Avant Deffontaines, Ramsay Traquair avait pressenti la difficulté de datation d'une maison rurale. Dans *The Old Architecture of Quebec*[7], il conseille de se méfier de la date parfois indiquée au linteau d'une porte, car ce peut être celle de la maison antérieure qu'on a attribuée à la nouvelle. Ce genre de piège, l'a conduit à se fier plutôt aux marchés de construction et aux livres de comptes des grandes communautés, datés et bien identifiés.

Pour sa part, Alan Gowans est allé un peu plus loin que Traquair dans *Images of American Living* en déclarant : « What is indubitable and significant, is that these forms were evolved, not designed — the product of generations of family living in both Old and New Worlds. This is peasant building[8]. » Il est vrai que cette évolution de la maison rurale est significative. Cependant, aucun de ces trois auteurs importants n'a abordé le sujet de front ou élaboré une méthode applicable à ce domaine de la culture québécoise ; à plus forte raison ne trouverons-nous pas d'énoncés de principes chez les auteurs canadiens-français ou anglais qui ont simplement repris les idées de Traquair, sans les approfondir.

[6] Pierre DEFFONTAINES, « Évolution du type d'habitation rurale au Canada français », *Cahiers de géographie de Québec*, no 24, déc. 1947, p. 56.
[7] P. 56.
[8] P. 30 (Traduction) : « Ce qui est incontestable et significatif, est que ces formes ont évolué, elles ne furent pas dessinées. C'est le produit de générations vivant à la fois dans le Vieux et Nouveau Monde. C'est une maison paysanne. »

Délimitation du sujet

A) Le conditionnement physique

Toute maison est un objet économique prenant forme dans un milieu physique donné. Ce principe vaut pour tous les types de maisons d'hier et d'aujourd'hui dans n'importe quel pays. Ainsi, par sa fonction agricole, notre maison rurale traditionnelle a été une cellule de l'habitation en constante relation avec les divers bâtiments de ferme. Cette relation a naturellement persisté tout le temps qu'a duré le mode de vie agraire collectif, et elle persiste encore chez les cultivateurs d'aujourd'hui qui perpétuent ce mode de vie. C'est en effet le mode de vie qui crée la fonction agricole et détermine corollairement la nature de la maison, et ce rapport nous l'appelons le déterminant économique. Comme il serait trop long d'en parler de façon exhaustive, nous retenons, toutefois, certains détails de l'architecture qui sont commandés par l'économie, et nous écartons l'évolution particulière des bâtiments de ferme et l'influence des instruments aratoires et de la présence des animaux sur l'organisation générale de l'habitation.

Notre intérêt, ici, se porte principalement sur la maison française originelle, immergée dans le milieu physique laurentien. Ce milieu physique comprend sept facteurs : la végétation, la faune, les sols, l'eau, le relief, le sous-sol et le climat. Il constitue ce qu'on peut appeler le fondement externe de l'être humain et de ses œuvres géographiques, tandis que l'homme lui-même est le fondement interne, puisqu'il est contenu dans ce milieu physique [9]. Nous ne nous attarderons pas sur l'homme. Nous étudierons plutôt son œuvre architecturale tout en continuant de penser qu'il existe une relation très étroite, une conformité entre le mode de vie de l'homme et cette œuvre. Nous considérons à la fois le conditionnement des sept facteurs physiques sur la maison française importée dans le milieu laurentien et la réponse spontanée et empirique de l'homme d'ici à travers son œuvre architecturale.

Nous étudions d'abord le passage de la forme architecturale française à la forme canadienne (chapitres I et II), puis le conditionnement des facteurs physiques, à l'exception du climat (chapitre III). La plus grande partie de l'ouvrage porte ensuite sur le conditionnement climatique (chapitres IV à IX) alors que les chapitres IV à VIII concernent l'adaptation de la maison à l'hiver et le chapitre IX l'adoption de cette saison. Nous considérons tour à tour l'hiver en tant que pôle répulsif puis attractif. Nous avons vu dans cette analyse de

---

[9] Jean GOTTMAN, « French Geography in War Time », *The Geographical Review*, janvier 1946, p. 7.

type écologique [10] le seul moyen de mettre à jour le phénomène de l'évolution de la maison rurale. C'est pour cette raison fondamentale que les chapitres V, VII, VIII et IX traitent des divers sujets dans l'optique d'un changement et que le chapitre X fait une synthèse de l'évolution des formes. Le dernier chapitre évoque enfin la renaissance de la forme traditionnelle après 1942.

En montrant comment s'est manifestée l'influence du milieu physique sur la maison, notre étude comblera donc une sérieuse lacune.

B) La maison rurale traditionnelle

La maison française implantée dans la vallée du Saint-Laurent a, dès les premières décennies de la colonie, suivi deux voies : l'une urbaine, l'autre rurale. Les hommes qui remplissaient des tâches beaucoup plus diversifiées à la ville qu'à la campagne, avaient un « style » de vie suffisamment différent pour que l'architecture prît une orientation propre dès le XVIIe siècle. Il n'est pas nécessaire d'aller chercher les exemples bien loin pour le prouver. Dans le plan de Québec attribué à J. Baptiste Louis Franquelin, vers 1690 [11], l'on distingue clairement dans la basse ville plusieurs mansardes dont l'une, de trois étages, appartenait au richissime commerçant Charles Aubert de la Chenaye et une au commerçant François Hazeur [12] (Fig. A). Dans ces deux cas, ce sont des gens riches qui peuvent se payer le luxe d'un style académique du XVIIe siècle français.

L'autre exemple important concerne l'église des Jésuites, à la haute ville. Il s'agit d'une copie de la maison mère de Rome, dessinée par Michel-Ange lui-même, et implantée ici par cette communauté de la Contre-Réforme ; Alan Gowans qualifie ce style de baroque, par opposition au style médiéval représenté par le pignon aigu [13].

Il est vrai que Québec n'a pas connu que les styles académiques. Les Jésuites eux-mêmes ont donné à leur collège un comble médiéval. De plus, de vastes constructions, telles le Château-St-Louis, le monastère des Ursulines, le

---

[10] J. MICHÉA, « La technologie culturelle », *Ethnologie générale,* Paris, Gallimard, 1968, p. 736, (Encyclopédie de la Pléiade). Ce type d'analyse commence à se faire jour dans le monde anglo-saxon depuis quelques années (voir *House Forms and Culture,* d'Amos RAPOPORT, Foundations of Cultural Geography Series, Prentice-Hall, Englewood, Cliffs, N. J. 1968). C'est dans ce nouveau type d'analyse que se trouve, à mon avis, l'avenir de la géographie, non seulement en ce qui concerne la recherche désintéressée, mais aussi la géographie prospective. L'Université York (Ont.) a même inscrit un programme de maîtrise intitulé « Environmental Studies », à partir de 1970–1971 ; c'est dire l'importance de ce type d'analyse.

[11] *Plan de la ville de Québec, c.* 1690, Archives nationales du Québec.

[12] Michel GAUMOND, *la Place royale,* Québec, 1971, p. 26.

[13] Alan GOWANS, *Building Canada. An architectural history of canadian life,* p. 19.

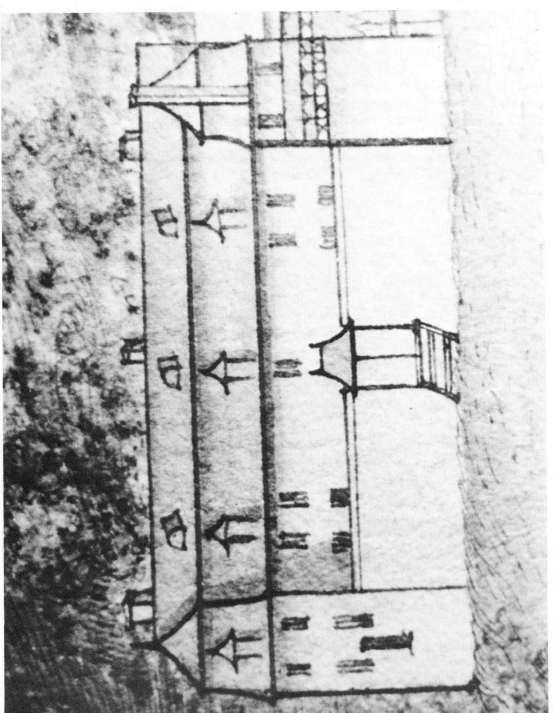

Figure A Mansarde à trois étages

Québec, 1679 (détail d'un dessin de Jean-Baptiste-Louis Franquelin)

Cet immense magasin de trois étages appartenant au richissime commerçant Charles Aubert de la Chenaye avait cent vingt-cinq pieds de long et deux ailes de cinquante pieds dont l'une était munie d'une haute cheminée ; ce serait la première mansarde construite à Québec, mais non la seule ; la demeure de ce même commerçant était aussi une mansarde, plus petite, appelée « La Blanche » ; un autre personnage en vue, François Hazeur, habitait aussi une mansarde.

D'autres constructions importantes étaient coiffées d'un comble mansarde telles le Palais de l'Intendant et une aile de l'Hôtel-Dieu de

Séminaire de Québec, l'Hôpital Général et, bien sûr, l'Abitation de Champlain érigée en 1608, eurent des combles médiévaux. Toutefois il n'est pas douteux que, dès la fin du XVIIe siècle, le toit médiéval ait été doublé par des styles académiques, en particulier la mansarde, apportés par des gens bien nantis. Ces styles constituent le point de départ de l'évolution architecturale de l'espace urbain. C'est à leur étude que Alan Gowans, Ramsay Traquair et les autres architectographes se sont consacrés, négligeant du même coup l'évolution de l'architecture rurale.

Le mode de vie citadin, les fonctions différentes des maisons urbaines et les divers types d'hommes qui les ont construites, font que l'architecture de la ville, plus exposée aux influences étrangères, a changé chaotiquement et plus rapidement que la maison rurale. Cette dernière a évolué sans arrêt, au moins jusqu'à la fin du régime seigneurial, soit au milieu du XIXe siècle. Comme l'ensemble de la société passa du mode de vie rural au mode de vie urbain, cette évolution est incontestablement significative du développement de l'architecture québécoise et, même, de l'évolution culturelle générale du Québec. Des deux principaux types de toit apportés de France au XVIIe siècle, soit celui à quatre pentes et celui à deux, nous n'étudions que le dernier parce que son évolution est plus claire et plus apparente que le premier.

C) La région de Québec

La géographie culturelle québécoise comprend deux grands espaces organisés, correspondant chacun à un type particulier de structure agraire. Sur les deux rives du Saint-Laurent, sur celles du Richelieu, de la Chaudière et autour de trois lacs dans le Bas-Saint-Laurent, s'étend l'aire seigneuriale dont la caractéristique principale est d'être un espace continu, à l'exception de quelques seigneuries à l'extrême est. Dans cette aire il n'y a pas de régions différenciées si ce n'est un îlot de « villages en étoile » au nord de Québec. Tout le reste obéit au puissant conditionnement qu'est le réseau hydrographique de la vallée laurentienne. Au nord et au sud de l'aire seigneuriale, se trouvent les « townships », ou l'aire cantonale, dont l'espace discontinu a été colonisé à partir du début du XIXe siècle.

Nous étudierons de manière exhaustive la partie de l'aire seigneuriale comprise entre Neuville et la Malbaie sur la rive nord, puis l'île d'Orléans et la région située au sud de cette île (Fig. B). Mais la continuité de l'aire seigneuriale nous empêche de tracer des frontières verticales qui sépareraient, par exemple, la région de Québec de celle de Trois-Rivières ou de Montréal

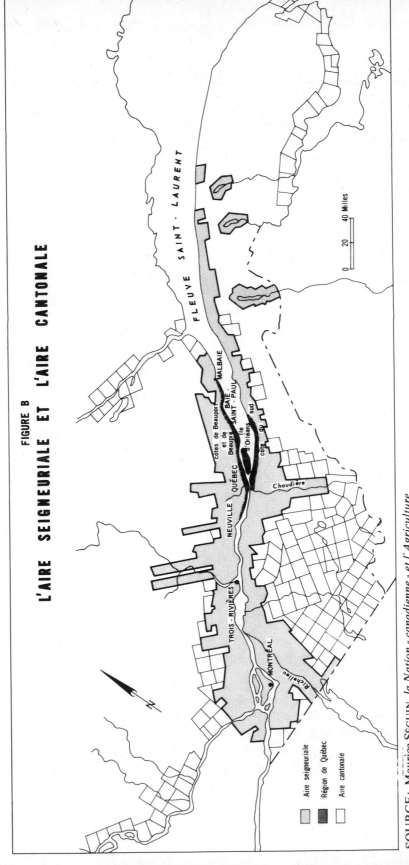

FIGURE B

L'AIRE SEIGNEURIALE ET L'AIRE CANTONALE

FLEUVE SAINT-LAURENT

côtes de Beauport
et de
Beaupré

MAL·BAIE

BAIE-
SAINT-PAUL

île
d'Orléans

côte du sud

Chaudière

QUÉBEC

NEUVILLE

TROIS-RIVIÈRES

MONTRÉAL

Richelieu

N

0   20   40 Milles

Aire seigneuriale

Région de Québec

Aire cantonale

SOURCE: Maurice SÉGUIN, *la Nation « canadienne »* et *l'Agriculture*

comme on le faisait dans l'administration. Elle suggère plutôt une unité foncière à laquelle correspond le type français d'architecture rurale. Voilà pourquoi le phénomène décrit dans cet ouvrage peut servir de point de référence à d'autres « régions » de l'aire seigneuriale.

PREMIÈRE PARTIE

L'ORIGINE DE LA FORME ARCHITECTURALE

CHAPITRE PREMIER

LA FORME MÉDIÉVALE IMPORTÉE AU CANADA

La Mulotière en Normandie

Transportons-nous au Perche, en Normandie, au XVIᵉ siècle et examinons la forme d'une maison, afin d'y découvrir une paternité à celle qui évoluera dans le contexte physique de la vallée du Saint-Laurent. Cette maison antérieure à 1598, année où l'a acquise Mathurin Mauduit, porte le nom de « La Mulotière » et elle est décrite dans l'ouvrage de madame Pierre Montagne sur Tourouvre et les Juchereau [1].

Cette construction paraît trop considérable pour un paysan de l'époque. Comme madame Montagne, nous croyons qu'elle a pu être conçue et habitée par des gentilshommes qui s'y retiraient durant la saison estivale [2]. Il est même possible que Robert Giffard, cousin de Mathurin Mauduit, ait pu y séjourner avant son départ pour la Nouvelle-France. Cette maison est donc très proche de nous, puisque Robert Giffard est le seigneur qui a défriché Beauport, deuxième seigneurie de la vallée laurentienne concédée en 1634 et la première habitée à partir de 1637.

Mais ce n'est pas là le seul aspect important à examiner. Le plus remarquable, c'est la ressemblance de La Mulotière avec les plus anciennes maisons de la région de Québec. Remarquons d'abord, parmi ses principales caractéristiques, l'angle du pignon du corps principal par rapport à l'angle de l'appentis, dont la présence même est remarquable (Fig. 1–1), un peu plus faible que celui du corps principal et qui atteint au moins soixante degrés.

[1] *Tourouvre et les Juchereau...*, pp. 96–104.
[2] *Ibid.*, p. 97.

Figure 1–1 La Mulotière : la grande maison et le fournil

Tourouvre, XVIᵉ siècle (façade devant la ferme, vue prise en venant de Mortagne)

La propriété de La Mulotière est passée d'Eléazard du Bois, sieur de la Tempestière qui la possédait encore le 4 décembre 1597 — archives du notaire de Tourouvre — à noble homme Mathurin Mauduit, sieur de la Resnière, qui s'y réfugie l'été 1598 « pour cause de la contagion étant de présent à Mortagne ». Mortagne est sa demeure en raison de ses fonctions de « receveur du domaine du Perche », c'est-à-dire fonctionnaire assez élevé dans la branche des percepteurs d'impôts. La Mulotière est sa demeure des champs : il s'y retire à la fin de sa vie et il a près de lui le jeune Louis Guimond qui s'engage envers Jean Juchereau à partir pour le Canada le 18 février 1647. Les deux fils de Jean Juchereau ayant épousé deux filles de Giffard, cousin de Mathurin Mauduit, la relation s'établit aisément à cause à effet.

Cette différence de pente peut simplement signifier que l'appentis est postérieur au corps de logis. L'acuité de la pente du toit est un détail majeur, car lorsque nous comparerons nos premières maisons avec La Mulotière, nous verrons qu'il s'agit d'un trait spécifique de la forme évolutionnaire au Canada.

Le deuxième détail à noter concerne la chute du toit qui se termine, ici, par une avant-couverture de quelques pouces environ, tant sur l'appentis que sur le corps principal : ce détail se retrouve aussi dans le fournil, voisin de La Mulotière (Fig. 1–2). Seul le toit du cellier — notons qu'il est en croupe — excède les murs de plusieurs pouces. Les lucarnes (Fig. 1–3) sont situées tout près de la chute du toit, et celle du fournil (Fig. 1–2), visiblement encadrée par deux chevrons, se trouve au niveau même de l'assiette du mur. Quant aux deux têtes de cheminée du corps principal et à celle du fournil, elles sont toutes trois décentrées, du moins depuis leurs réparations.

De cette analyse, forcément succincte puisqu'elle est faite d'après une photographie, retenons la forme de la maison, particulièrement la forte pente du pignon et l'absence d'avant-couverture, et comparons-la avec une maison canadienne du XVIIe siècle.

La maison des Sœurs de la Congrégation à Beauport

En 1641, six ans après la concession de la seigneurie de Beauport, l'arpenteur Jean Bourdon[3] indique sur une carte l'emplacement de sept constructions, comprenant un moulin et le premier manoir de Robert Giffard près de la rivière Beauport. Ces constructions n'existent plus aujourd'hui. Cependant, quelques décennies plus tard, une forme proche de La Mulotière se construit au Bourg du Fargy, qui fut entouré d'une palissade en 1646 par le seigneur Robert Giffard[4].

Cette maison, actuelle propriété de la Congrégation des Sœurs de Notre-Dame, est sûrement postérieure à 1646. Comme Pierre-Georges Roy, nous croyons qu'elle est du XVIIe siècle ; selon lui, elle se trouverait sur le lot original de Michel Lecourt[5]. Est-il allé aux sources documentaires pour affirmer cela ? C'est probable ; mais comme le fonds de terre du Bourg du Fargy forme une mosaïque inextricable de petits lots, il est impossible, dans les limites de cet ouvrage, de montrer la mutation des propriétés du Bourg et de corroborer les

---

[3] *Carte depuis Kebek jusques au Cap Tourmente.* ASQ. On en trouve un fac-similé dans le premier volume du *Dictionnaire généalogique* de Cyprien Tanguay.
[4] Alfred CAMBRAY, *Robert Giffard premier seigneur de Beauport...*, p. 209.
[5] P.-G. ROY, *Vieux Manoirs, Vieilles Maisons*, p. 266.

Figure 1–2   La Mulotière : le fournil et la grande maison

Tourouvre, XVIe siècle (façade devant la ferme, vue prise en venant de Tourouvre)

Plusieurs détails importants de construction de La Mulotière se retrouveront dans la maison canadienne, tels le toit à deux versants, le toit à pavillon (Fig. 1–3), le toit à une seule pente et enfin le fronton rabattu de la lucarne.

Figure 1-3   La Mulotière : façade du côté de la route
Tourouvre, XVIe siècle

dires de P.-G. Roy, afin de déterminer avec certitude le lot et la date exacte de la construction.

Toutefois, ce qui importe le plus est de voir en cette maison une forme originelle, le point de départ de l'évolution du toit à deux pentes dans notre milieu rural (Fig. 1–4). La ressemblance avec La Mulotière, en effet, est des plus frappante. Sans doute est-elle moins haute avec ses trente-deux pieds jusqu'au faîte et moins grande — quarante pieds par vingt-six de dehors en dehors sans compter la longueur de la laiterie qui mesure onze pieds —, mais elle a un angle de soixante degrés comme dans La Mulotière et, détail curieux, la pente de la laiterie est plus faible que celle du logis, comme dans La Mulotière également (Fig. 1–5).

De l'extérieur rien ne prouve que la laiterie n'est pas de la même année que le corps de logis, sauf la séparation apparente entre les deux. Légèrement dissymétrique par rapport à l'axe vertical tombant du pignon, elle pose une espèce d'énigme en ce sens qu'elle est la seule, dans la seigneurie de Beauport, à être située au pignon ouest et, par surcroît, au coin sud. Les laiteries, en effet, sont presque toujours situées à l'arête nord-est, soit au mur pignon ou au mur nord. Quelques-unes seulement se trouvent à l'arête sud-est. De plus, cette laiterie ne possède pas une ou deux fenêtres, comme c'est souvent le cas ailleurs, mais une porte qui communique au sud (Fig. 1–6). Dans les laiteries généralement pourvues de fenêtres et attenantes au corps de logis, on communique, la plupart du temps, de l'intérieur.

Le second caractère apparenté à La Mulotière est l'absence de saillie du toit, tant sur les façades qu'aux pignons. Et même dans le cas de La Mulotière, l'extrémité du toit dépasse légèrement le mur, alors qu'ici il est à fleur du parement. Il n'est donc pas possible d'imaginer un toit et une toiture plus simples. Celle-ci d'ailleurs montre au dehors la structure interne de la charpente sans qu'aucun artifice n'intervienne dans le jeu simple des lignes du pignon et du carré. C'est ce qui explique la majesté de ce modèle que l'on peut voir encore dans les seigneuries les plus anciennes, soit à l'est de Québec, sur la Côte de Beaupré, à Charlesbourg, à Beaumont, soit à l'ouest, particulièrement à Neuville et à Deschambault.

Remarquons enfin les cheminées qui ne sont pas décentrées comme dans le cas de La Mulotière; elles prolongent en outre le parement des pignons, chose normale dans la forme primitive, étant donné que le toit n'excède pas le pignon.

Figure 1–4 Maison des Sœurs de la Congrégation de Notre-Dame
Beauport, XVIIᵉ siècle (façade nord et mur pignon ouest)

Observons les transformations opérées sur cette maison depuis quarante-trois ans.
En 1927, année de la publication de *Vieux Manoirs, Vieilles Maisons*, de P.-G. Roy, les deux cheminées de pierre étaient découvertes et celle de l'ouest portait un tuyau au centre. Deux lucarnes à fronton rabattu perçaient la toiture près de la gouttière, les fenêtres n'étaient pas bouchées et la fausse porte n'était pas là.
Quant à la façade sud, il est impossible de faire la comparaison, étant donné que la photographie ne fut prise que du nord.

Figure 1–5   Maison des Sœurs de la Congrégation de Notre-Dame
Beauport, XVIIᵉ siècle (pignon ouest et laiterie)
L'angle de soixante degrés, l'absence de larmier, la cheminée au pignon, la laiterie au coin sud et la proportion de deux à trois entre la hauteur de la toiture et celle de la façade, tels sont les détails à remarquer ici.

Les caractéristiques essentielles de la forme se résument donc ainsi :

1° les dimensions

la longueur du carré et de la toiture,

la largeur du carré,

la hauteur du pignon,

la hauteur proportionnelle du carré et de la toiture ;

Figure 1–6   Maison des Sœurs de la Congrégation de Notre-Dame
Beauport, XVIIᵉ siècle (façade sud et pignon ouest)

Ici le linteau de la porte n'est pas au même niveau que les fenêtres ; la façade originelle ne serait-elle pas alors au mur nord ? La question se pose.

Sur la photographie de 1927 (P.-G. ROY, *Vieux Manoirs, Vieilles Maisons*) le contour d'une ancienne baie de porte apparaît assez clairement ; en fait, elle a dû être bouchée un certain nombre d'années avant 1927, peut-être en même temps que le perçage de la porte au sud.

S'il en est ainsi, l'enfigurage du mur nord ne serait pas si énigmatique qu'il apparaît à première vue, car la succession : une fenêtre, une porte, deux fenêtres est courante sur un mur façade d'une maison traditionnelle ; les deux fenêtres forment le groupe de la chambre, la fenêtre et la porte, celui de la cuisine (Fig. 1–4).

Or, la disposition des baies de la façade sud actuelle est erronée, en ce sens que la porte n'est jamais si près des deux fenêtres comme ici. Nous serions donc en présence d'un changement de plan et d'orientation d'autant plus étonnant qu'il s'est produit du nord au sud plutôt que du sud au nord, comme il arrive plus souvent.

Enfin, le rehaussement du toit, visible à l'intérieur, et le gonflement au centre du faîte impliquent que la maison a été allongée lors de la transformation du plan.

2° l'angle du pignon ;
3° les avant-couvertures.

Nous pouvons présumer que nos maisons rurales du XVIIe siècle avaient un angle au pignon de soixante degrés, indice fondamental servant non seulement à restituer la forme de maisons dont nous n'avons que des descriptions contenues dans les marchés de construction, mais à servir de point de repère avec les autres modèles que nous verrons dans les chapitres suivants. Mais auparavant, examinons le processus qui préside à l'installation de la forme architecturale originelle dans un nouveau milieu physique.

CHAPITRE II

LE PROBLÈME DE L'ÉVOLUTION

Ce problème comprend, en fait, deux aspects d'une même réalité : le nombre de formes architecturales apportées de France et enracinées dans la vallée laurentienne, et le processus de ce phénomène.

Les types de toits importés au Canada

Jusqu'à maintenant, nos architectographes ont constamment répété, à la suite de R. Traquair, que la maison traditionnelle québécoise se divisait en deux types : la maison montréalaise « courte, massive, presque aussi profonde que large, flanquée de cheminées robustes et de coupe-feu », et la maison québécoise, « longue, peu profonde [...] d'une toiture très élancée et couverte en bardeau [1] », etc. Il n'est pas question de nier que la maison de Montréal soit plus grosse que la maison de Québec, mais cette caractéristique n'est qu'accidentelle. Seul le géographe Pierre Deffontaines a émis des doutes à ce sujet en affirmant que les diverses parties du Canada français n'ont pas de types d'habitations vraiment différenciés ; il ne peut y avoir, dit-il, une géographie régionale de l'habitat et, à cet égard, il a raison [2].

Se pourrait-il toutefois que nous ayons eu, non pas un seul type de toit — le comble médiéval aigu — mais un autre, à faible pente, dès l'origine ? Pour

[1] G. MORRISSET, l'Architecture en Nouvelle-France, p. 32.
[2] L'Homme et l'Hiver au Canada, p. 251.

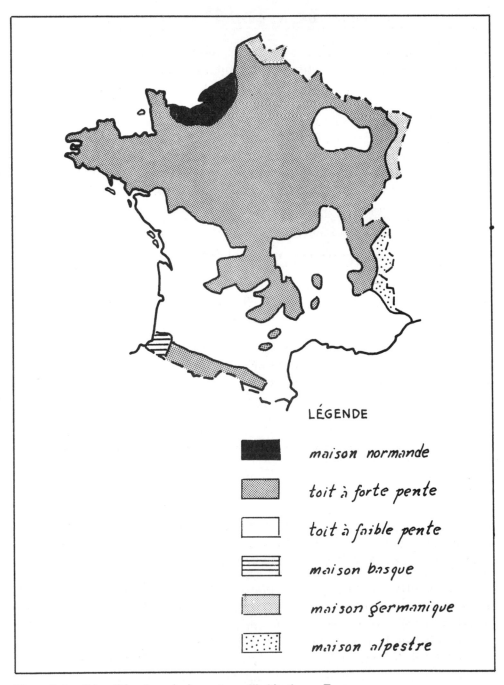

LÉGENDE

- maison normande
- toit à forte pente
- toit à faible pente
- maison basque
- maison germanique
- maison alpestre

Figure 2–1   Répartition des principaux types d'habitation en France
SOURCE: J. S. GAUTHIER, *les Maisons paysannes...*
Dessin : G. GAUTHIER-LAROUCHE

répondre à cette question, il importe de retourner en France afin de bien localiser les régions d'où partirent les premiers contingents d'immigrants. À la suite d'Albert Demangeon et A. Dauzat, Stany-Gauthier trace la limite des toits pointus et celle des toits inclinés à trente degrés, à deux ou à quatre pentes [3]. L'aire des toits à forte pente correspond à la Normandie, la Bretagne, l'Île-de-France, le Perche, la Beauce, le Maine, la Picardie et la Champagne, tandis que celle des toits à faible pente correspond à l'Anjou, la Touraine, le Poitou, l'Aunis, la Saintonge, l'Angoumois, le Limousin et le Périgord (Fig. 2–1). C'est là le point de départ de notre analyse.

Il ne fait aucun doute que la première aire nous a transmis son toit pointu de type nordique à deux ou quatre pentes. À ce propos, il convient de se demander d'où vient la distinction non fondée, entre le toit à deux pentes qui serait nécessairement la maison bretonne, et le toit à quatre pentes qui serait la maison normande? N'avons-nous pas vu que La Mulotière, riche maison de bourgeois, réunissait à la fois le toit à deux pentes dans le corps principal et le toit en croupe dans un appentis, maison bel et bien percheronne et voisine de la Normandie?

S'il y a une différence entre la maison bretonne et la maison normande, elle se trouve plutôt dans un détail fort important qui s'est enraciné dans la vallée laurentienne: le coupe-feu. En effet, affirme Stany-Gauthier:

> Le principal caractère de la construction finistérienne (extrême ouest de la Bretagne) est procuré par la disposition de la toiture, dont les deux pentes sont toujours comprises entre deux murs pignons... Ces murs pignons convenaient parfaitement bien aux toitures en chaume, qui étaient ainsi soigneusement maintenues latéralement [4].

Cette description importante nous explique l'origine du coupe-feu. Rural tout d'abord en France, il a été urbanisé à Québec avant de se répandre ensuite à la campagne, où on le voit débarrassé de son chaume originel.

Par contre, serait-il possible que les provinces du centre-ouest de la France nous aient transmis le toit à faible pente de type latin? La question n'a jamais été posée, sans doute parce qu'il était assez rare dans les seigneuries canadiennes ou n'existait que sur des constructions secondaires. Interrogeons la généalogie afin de connaître la contribution proportionnelle des provinces

---

[3] *Les Maisons paysannes des vieilles provinces de France*, p. 18.
[4] *Ibid.*, p. 159.

de France dans la colonisation du Canada ainsi que l'ascendance de la population à Québec et à Montréal, dans son ensemble, pour le XVIIᵉ siècle [5].

1) La Normandie aves ses 18½% a fourni près du cinquième des colons français au XVIIᵉ siècle.
2) Les provinces du centre-ouest : Poitou, Aunis Saintonge réunis ont donné 27.3% soit plus du quart. Leur émigration n'était pas aussi homogène que celle de la Normandie.
3) Paris et l'Île-de-France ont contribué pour 1/7 soit 14.7%. Ce contingent est considérable, surtout par son élément féminin.
   Si l'on excepte le Perche, dont l'émigration plus ancienne grandit l'importance, les autres provinces ont relativement peu contribué à la création de notre patrie. La Bretagne ne s'inscrit que pour 3½%, l'Anjou pour 3%, la Champagne pour 2.8%, la Picardie pour 2.2%.

Quant à l'ascendance, le savant généalogiste arrive aux résultats suivants pour le XVIIᵉ siècle :

	Québec	*Montréal*	*(Angle du toit)*	
Normandie	19.1%	14.5%	60°	
Île-de-France	12.8%	15.1%	60°	
Aunis	14.5%	17.7%		30°
Perche	14.5%	8.5%	60°	
Poitou	9.7%	6.6%		30°
Picardie	3.7%	4.9%	60°	
Saintonge	1.8%	5.4%		30°
Maine	3.4%	3.4%	60°	
Anjou	2.1%	4.4%		30°
Bretagne	3.1%	3.2%	60°	
Angoumois	2.4%	2.3%		30°
Champagne	1.1%	0.9%	60°	

Ajoutons au tableau du père Godbout les degrés d'angle des toits de nos maisons pour chacune des provinces qu'il mentionne ; mais il va sans dire que nous ne pouvons déduire de ces statistiques un nombre proportionnel de charpentiers par rapport à l'ensemble des contingents. Ce serait trop facile. Ces chiffres nous permettent seulement de grouper les provinces en deux catégories.

---

[5] Voir l'article d'Archange GODBOUT, « Nos hérédités provinciales françaises », *Les Archives de Folklore*, vol. I, pp. 26–40.

Selon ce tableau, l'Aunis et le Poitou situés dans l'aire des toits à faible pente avaient autant d'ascendance à Québec qu'à Montréal; la Saintonge, l'Anjou et l'Angoumois sont toutefois moins représentés à Québec. Normalement, nous devrions avoir le toit à faible pente à Québec; mais s'il fut déjà construit, il ne semble plus rester d'exemplaires de ce type originel au faîte court.

Dans la région de Montréal, c'est différent. Par exemple, sur les bords du Richelieu, on s'est demandé d'où viennent ces « vastes maisons carrées à deux ou trois étages couvertes de combles à faible inclinaison[6] »? Ne serait-ce pas précisément du centre-ouest français? C'est probable. Si tel est le cas, les charpentiers de cette région n'étaient pas moins habiles que ceux de Normandie, car les charpentes des toits en croupe, en particulier, sont de véritables chefs-d'œuvre de construction[7]. En fait, les toits à faible pente sont les seuls à avoir une forme architecturale différente dans toute l'aire seigneuriale. Ils n'entrent donc pas dans notre propos de les comprendre dans l'analyse qui suit puisque leur évolution, si jamais il y en eut une, aura suivi un itinéraire particulier.

Le processus de l'enracinement

Il est incontestable que les immigrants français du XVIIe siècle n'ont pu s'installer au Canada sans y apporter leur régime foncier, leurs formes architecturales, leurs meubles, leurs outils, leurs coutumes et leurs mœurs, bref, toute leur modalité d'être. Il y eut donc continuité entre la France et le Canada, mais en même temps, il se fit une coupure lorsqu'ils s'arrachèrent de leur milieu d'origine pour venir s'installer dans leur milieu physique d'adoption.

A l'origine, les habitants français installés en terre canadienne étaient certainement très près du milieu qu'ils ont laissé; nous l'avons vu en comparant la maison des Sœurs de la Congrégation à Beauport et La Mulotière au Perche. Mais la forme architecturale n'en reste pas là. Dès que la maison est plongée dans l'environnement physique canadien, une liaison étroite s'élabore avec les sept facteurs naturels. Cette relation se fait dans deux sens. De chaque facteur, vers la maison; c'est le conditionnement. De la maison vers chaque facteur, c'est la réponse au conditionnement (Fig. 2–2).

---

[6] R.-L. SÉGUIN, *la Maison en Nouvelle-France*, p. 8.
[7] Maison Louis Donat Lefebvre, Laprairie. Le toit de cette maison, à quatre pentes inclinées à trente degrés, comprend la structure compliquée suivante: panne de faîtage, deux aiguilles, un sous-faîte, quatre chevrons corniers, plus les Croix-de-Saint-André, les jambes de force et les liens.

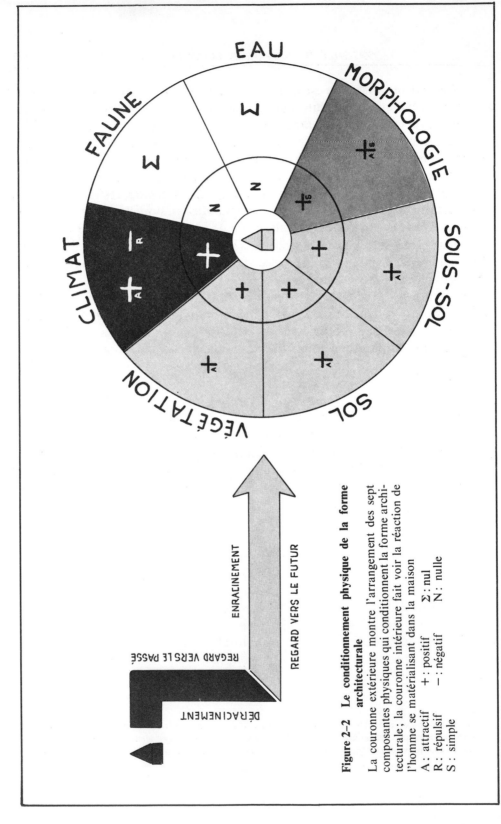

Figure 2-2 Le conditionnement physique de la forme architecturale

La couronne extérieure montre l'arrangement des sept composantes physiques qui conditionnent la forme architecturale; la couronne intérieure fait voir la réaction de l'homme se matérialisant dans la maison

A: attractif   +: positif   Σ: nul
R: répulsif   −: négatif   N: nulle
S: simple

Dessin : G. GAUTHIER-LAROUCHE

La maison originelle est une forme française, mais elle perdra peu à peu ses caractéristiques, à mesure que le conditionnement des sept facteurs agira sur elle, et deviendra canadienne, une fois qu'elle sera parfaitement adaptée au milieu physique canadien. On remarquera, d'une part, que la réponse de l'homme est, ou nulle, ou positive, mais jamais négative ; d'autre part, que le conditionnement est nul dans deux cas — faune et eau —, positif, simple et attractif dans le cas de la géomorphologie, positif et attractif dans le cas du sous-sol, du sol et de la végétation. Le climat est seul à émettre un conditionnement à la fois attractif et répulsif [8].

Que signifient enfin les mots « regard vers le passé, regard vers le futur » ? Le regard projeté vers le passé se pose sur du concret. Il nous ramène particulièrement à une forme médiévale caractéristique du nord de la France. Le regard projeté vers l'avenir, par contre, se pose sur de l'inexistant ou du devenir en puissance ; ce qui signifie que nous ne pouvons découvrir comment la forme évoluera qu'à condition de considérer le moment final de l'évolution comme son moment le plus privilégié.

En considérant la forme finale comme ce vers quoi tend la forme initiale, nous sommes déterministes. Nous disons que la forme initiale ne pouvait aboutir ailleurs qu'au moment final connu à posteriori. Par ailleurs, en n'oubliant pas que la forme se développe dans un milieu physique qui agit constamment sur elle, nous attribuons aux causes physiques une grande importance et nous sommes alors causalistes. Pour dire vrai, à chaque moment de l'évolution, l'aspect causal et l'aspect déterministe sont inexorablement liés. L'aspect déterministe ne fait que sous-tendre l'aspect causal.

---

[8] Insistons une fois encore ; nous voyons la maison et les six premiers conditionnements dans le chapitre III, le conditionnement climatique négatif des chapitres IV à VIII et le positif au chapitre IX. Les diverses formes de conditionement apparaissent dans le blanc et dans l'intensité variable du gris de la figure 2-2.

DEUXIÈME PARTIE

LA MAISON
ET LE CONDITIONNEMENT PHYSIQUE
(à l'exception du climat)

CHAPITRE III

LA MAISON ET LA GÉOMORPHOLOGIE, LA FAUNE, L'EAU, LE SOUS-SOL, LE SOL, LA VÉGÉTATION

La maison et la géomorphologie

Les formes simples du relief correspondant à l'aire seigneuriale dans la région de Québec sont inférieures à quatre cents pieds au-dessus du niveau de la mer [1]. Dès lors, elles n'ont pas causé de difficultés aux habitants dans la structuration de l'espace géographique et la construction architecturale.

Le conditionnement attractif du terrain auquel a répondu l'homme de façon positive et simple ne signifie pas toutefois que ce terrain n'a pas pu exercer une micro-influence sur le profil de certaines maisons à la faveur d'une pente faible, cas assez fréquent sur la côte de Beaupré, du côté sud du Chemin du roi. Les maisons ainsi affectées sont toutefois les modèles les plus récents de la période évolutionnaire car elles se situent à peu près toutes vers le milieu du XIXe siècle.

Notons, d'autre part, que le relief seul n'explique pas la double façade de la maison représentée à la figure 3-1. La route aussi a joué un rôle attractif sur le plan de la maison. Il faut dire en outre que le simple fait de construire plus grand a permis de faire deux façades de hauteur inégale.

Sur un relief de même pente que dans le cas précédent, la façade sud de la maison représentée à la figure 3-2 est presque de la même hauteur que la

---

[1] Noter que cette caractéristique varie très peu dans l'espace correspondant à la plaine du Saint-Laurent. Autour de Montréal, la plaine est même au niveau de la mer et offre encore moins de variété qu'à Québec.

façade nord. Voilà une autre preuve montrant qu'il n'y a pas que le relief qui intervient sur la hauteur des façades, mais aussi la route.

Pour montrer que cette dernière a eu de l'influence sur la maison de la figure 3–1, la maison de la figure 3–3 située du même côté n'a qu'une façade, au sud. En fait, dans le cas de la figure 3–3 la route n'avait pas encore commencé à influencer le plan du rez-de-chaussée au XVIIe siècle.

La figure 3–4 montre une maison du XVIIIe siècle située aussi du côté sud de la route ; le terrain est horizontal et les façades sont par conséquent de même hauteur.

En résumé, la réponse de l'homme fut positive et simple face au conditionnement géomorphologique et l'on peut affirmer qu'il en est encore ainsi dans toute l'étendue de l'ancienne aire seigneuriale.

La maison et les animaux domestiques

La faune sauvage n'a eu aucune influence sur quelque partie de la maison que ce soit, et il en fut à peu près de même des animaux domestiques. Toutefois, si nous donnions à la maison la même définition que celle d'Albert Demangeon[2], nous serions obligé de compter tous les bâtiments de ferme, car pour lui la maison rurale les comprend tous. Il n'y a rien d'étonnant à cela dans un pays comme la France où un grand nombre de maisons abritent à la fois les hommes, les animaux, les récoltes et les outils sous un même toit. C'est ce qu'on a appelé la maison-bloc ou maison globale en l'opposant à un second grand type appelé, lui, maison-cour. Cependant, ces distinctions des géographes français ne s'appliquent pas à la maison rurale québécoise, car elles ne correspondent pas à la réalité de la vallée du Saint-Laurent[3]. Il faut sans doute attribuer cette lacune de la maison-bloc au petit nombre de Bretons qui n'ont pu l'imposer ici[4].

---

[2] « Essai d'une classification des maisons rurales », *Problèmes de géographie humaine*, p. 230.

[3] Ici un lot habité était nommé « concession », « terre » et, le plus souvent, « habitation ». En voici un exemple : « une terre et habitation sise et scituée audit Beaupré paroisse Ste Anne contenant deux arpents deux perches de terre de largeur sur une lieue et demy de profondeur... » (*Inventaire des biens de Marguerite Gravelle et Noël Racine*, 19 et 20 août 1712, Sainte-Anne de Beaupré, E. Jacob.) Le mot *habitation* pour définir un lot habité est bien trouvé, car l'espace déterminé par les clôtures ne se comprend pas sans la présence de l'homme et ses bâtiments quelque part sur le lot. Toutefois, en arrêtant notre choix sur le mot *habitation* pour désigner l'ensemble des bâtiments, nous ne contredisons pas la définition notariale, puisque la présence des bâtiments ne va pas sans l'espace déterminé par les clôtures, et vice versa.

[4] La maison-bloc élémentaire était surtout bretonne ; voir A. DEMANGEON, *loco cit.*, pp. 230–235.

façade nord

Figure 3–1 La maison et la géomorphologie
Château-Richer, XIXᵉ siècle (maison Louis Gravel)
La géomorphologie si simple du terrain explique peu la double façade de cette maison : la route, l'époque et le volume sont encore plus importants que la géomorphologie pour expliquer ce modèle.

façade sud

Figure 3–2   La maison et la géomorphologie
Château-Richer, XVIIIᵉ siècle
(maison Philippe Verreault)
Façade sud et pignon est

Figure 3–3   La maison et la géomorphologie
Château-Richer, début XVIIIᵉ
siècle (maison Lorenzo Cloutier)
Façade sud et pignon est

Des raisons d'ordre économique d'un type différent ont prévalu dans la vallée du Saint-Laurent. On a multiplié les bâtiments en fonction des besoins. Quand par exemple un paysan obtenait des bêtes à cornes, il construisait une étable et, la plupart du temps, dans ce cas, il avait aussi une grange pour le fourrage. S'il avait des chevaux, il construisait une écurie; pour les moutons il fabriquait une bergerie, pour les cochons, une porcherie et, pour les poules, un poulailler; quant au bois, il le cordait dans un hangar et il rangeait ses instruments aratoires dans la grange ou une remise.

Comme chaque habitation était en voie de formation, elle n'était pas conçue une fois pour toutes, cela va sans dire. Le nombre et la disposition des bâtiments pouvaient varier d'une habitation à l'autre en fonction de la richesse de chaque exploitant. Par exemple, l'habitation de Charles Bélanger (Fig. 3–5), en 1746, comprenait en plus de la maison :

> une grange de quarante six pieds sur vingt quatre en bois de charpente couverte en paille.

> une écurie de pièce de quarante pied sur douze

Figure 3–4   La maison et la géomorphologie
Château-Richer, début XVIIIᵉ siècle (maison Charles-Léon Cauchon)
Façade sud et pignon ouest

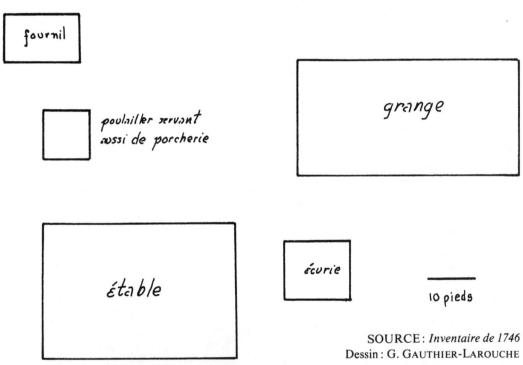

route fictive

maison, cave et grenier couverte en planches de bardeau

fournil

poulailler servant aussi de porcherie

grange

étable

écurie

10 pieds

SOURCE : *Inventaire de 1746*
Dessin : G. GAUTHIER-LAROUCHE

Figure 3–5 Habitation Charles Bélanger
Château-Richer, 1746

Comme un inventaire ne nous permet jamais de tracer le plan véritable d'une habitation parce que l'orientation, la distance et la place respective de chaque bâtiment ne sont pas données, des dizaines de plans sont possibles en combinant différemment les six cellules de cette habitation. Il nous reste le plan fictif.

Toutefois, il semble que le lien très lâche qui réunissait les bâtiments était commandé par une exigence de bon aloi, encore respectée dans les habitations qui nous restent ; la grange et l'étable — plus tard la grange-étable — sont les plus éloignées de la maison et les petites cellules sont à mi-chemin.

une étable en bois de quarante pied sur vingt huit couverte en paille

un poulailler pour les cochons aussi

et un fourni en poteau entouré de planches, une cheminée de pierre de saize pieds sur dix [5].

En 1717, chez François Racine, à Beaupré (Fig. 3–6), il y avait :

Une maison de trente Six pied de Long et dix huit de largeur de Collombage déjà vieille Couverte en bardeau

une grange de quarante pied de Long sur dix huit de large clauze de planche et couverte de paille

une étable de pièce sur pièce de vingt deux pied Sur Vingt Couverte de paille [6].

Ces deux exemples devraient suffire à montrer la différence bien nette que nous établissons entre la maison et l'habitation.

De la maison-bloc, qui aurait pu être le premier jalon d'une évolution bien différente de celle que nous avons eue, nous n'avons retrouvé qu'un seul exemple dans les papiers notariaux [7] provenant de la région de Québec, au XVIIe siècle, et, encore, ce n'est que « la plus humble et la plus pauvre » pour employer les mots d'Albert Demangeon [8]. En 1670, le notaire Auber la décrit ainsi :

Ung petitte maison consistante en Ung petitte salle ou cuisine avec Ung Estable à Ung bout estimé a cent vingt Livres

item une petite grange sans porte sans grain et sans etre fermée par les pignons estimée a cent quatre vingt Livres tournois [9].

Ses dimensions ne sont malheureusement pas données. N'importe ; qu'il suffise de comparer le prix des deux bâtiments pour apprécier leur valeur respective : la grange dont la construction n'était même pas achevée valait

[5] *Inventaire des biens de Charles Bélanger et Geneviève Gagnon*, 6 avril 1746, C-Hilarion Dulaurent. ANQ.

[6] *Inventaire de la communauté qui a été entre François Racine et Dorothée Paré*, 2 juin 1717, Barthélémy Verreau. ANQ.

[7] Dans *la Civilisation traditionnelle de « l'habitant » aux XVIIe et XVIIIe siècles*, p. 310, R.-L. Séguin n'a relevé que trois exemples de maison-bloc dans la région de Montréal entre 1694 et 1703.

[8] *Loco cit.*, p. 233.

[9] *Inventaire des biens meubles de feu Vincent Verdon et Geneviève Peltier*, 30 janvier 1670, Claude Auber. ANQ.

soixante livres de plus que la maison ! Un autre détail manque, celui-là relatif au plan ; il n'est pas dit expressément que la maison avait une cloison au centre, mais il en fallait absolument une pour séparer les animaux des articles et objets appartenant à Vincent Verdon qui, en l'occurrence, avait une fillette de cinq ans, du nom de Jeanne, en 1670[10].

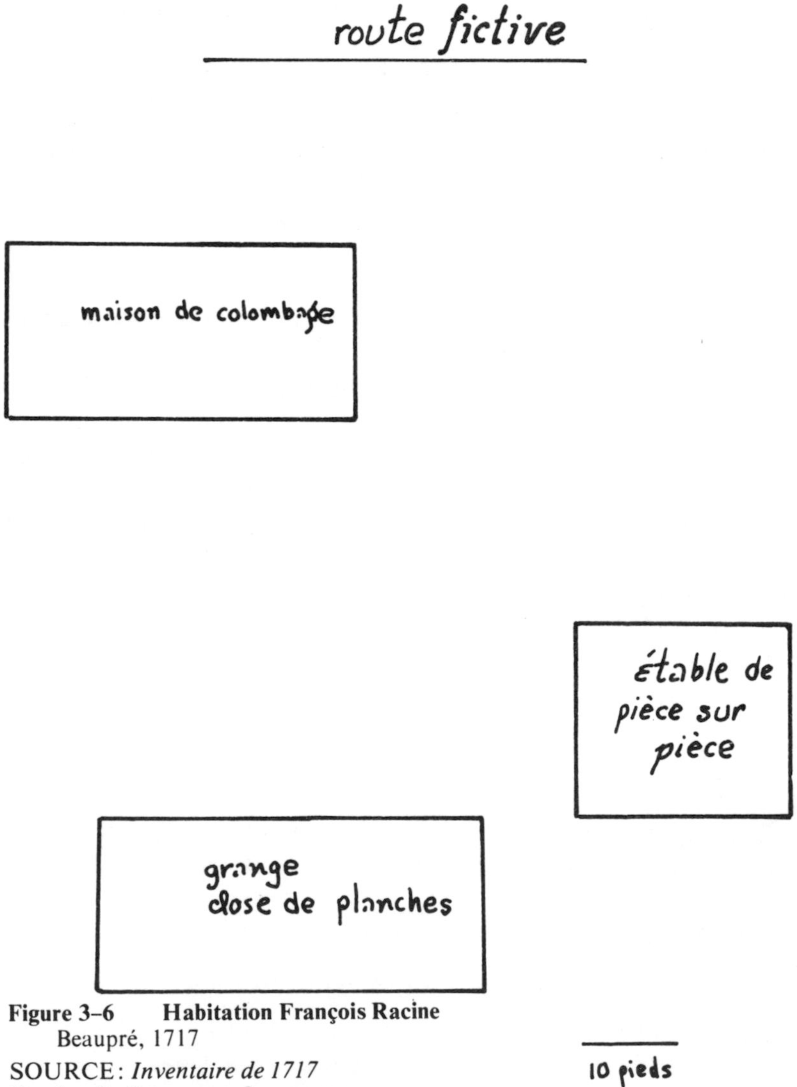

route fictive

maison de colombage

étable de pièce sur pièce

grange close de planches

Figure 3–6   Habitation François Racine
Beaupré, 1717
SOURCE : *Inventaire de 1717*
Dessin : G. GAUTHIER-LAROUCHE

10 pieds

[10] Cyprien TANGUAY, *Dictionnaire généalogique*, vol. I, p. 583.

La seule pièce habitée contenait :

    un fusil
    une vieille espée a garde sans fourreau

    les ustensiles
        deux marmites sans couvercle
        une petite cuillère de fer
        une chaudière et un seau ferré
        une poele à frire
        un gril de fer
        deux grands plats
        deux assiettes
        une petite tasse et six cuilleres d'étain
        un baril et cinq pots
        un plat de faience le tout estimé à la somme de trente et une livres

    le mobilier
        une armoire propre à mettre du laict

    la lingerie
        un chapeau neuf
        cinq chemises fines
        trois autres chemises de Meslis
        six cravates

    les instruments de travail
        deux faucilles
        trois haches
        deux houes
        un van
        une grande paire de ciseaux
        et une vieille paire de raquettes

    les animaux
        une vache et un veau
        une autre vache
        un veau de cette année
        trois cochons d'un an
        quatre autres petits cochons
        vingt pièces de volaille

Ces animaux logés dans la petite étable attenante à la cuisine valaient en tout 257 livres, un peu plus que deux fois le prix de la maison. Il y avait enfin :

vingt neuf minots de blé
deux peau dorignal
trois minots de bled non marchand

La seule indication concernant la forme de la maison se résume à « Ung Estable a Ung bout », ce qui signifie que les deux éléments constitutifs sont disposés en ligne. Ainsi la présence de l'étable n'influence pas du tout la forme pointue de la maison puisqu'une cloison intérieure devait séparer les deux parties. Seule la longueur, qui est un élément de la forme, en était légèrement touchée. L'important est qu'il y avait une continuité du comble, d'un pignon à l'autre, comme le montre la figure 3–7 Cette photographie prise par Marius Barbeau et publiée en 1940 est un document rare qui confirme la règle que nous avons énoncée au début du chapitre. En 1973, il reste encore quelques maisons de type élémentaire mais elles persistent dans plusieurs cas comme témoins d'une époque révolue plutôt que comme objets utilitaires[11].

La maison et l'eau

Le cycle de l'eau qui fait intervenir les précipitations constituera une des quatre sous-composantes réservées au chapitre portant sur le climat. La description du puissant conditionnement du fleuve Saint-Laurent sur la structure agraire et, par conséquent, sur le réseau routier et l'habitat de l'aire seigneuriale n'a pas sa place ici non plus. Ces trois éléments interdépendants sont, à toutes fins utiles, tributaires de l'axe hydrographique fluvial orienté sud-ouest nord-est. L'influence du fleuve se fait alors largement sentir sur le plan spatial. Notre étude ne portant pas sur la structure agraire mais plutôt sur la forme de la maison, nous n'avons pas à déterminer la variation de l'influence du réseau hydrographique dans l'ensemble de l'aire seigneuriale pour comprendre qu'un même facteur physique peut influencer différemment divers éléments organisés par l'homme.

Dans le cas de l'habitation, nous avons vu que c'est surtout la condition pratique et économique de chaque exploitant qui explique son plan. Toutefois les eaux souterraines qui courent dans le calcaire ont permis la construction des puits qui doivent être comptés comme un élément de l'habitation. Quant à son orientation, le fleuve n'intervient qu'indirectement par le fait qu'il a influencé l'orientation des lots, mais il n'a aucunement influencé sa forme.

---

[11] La maison élémentaire dont il est question ici est de style médiéval. Cependant, des modèles différents apportés par les immigrants anglo-saxons ont surgi au début du XIXe siècle, en particulier dans le comté de Montcalm et sa région avoisinante.

Figure 3–7   Une maison-bloc à Boischatel en 1940

En 1940, Marius Barbeau décrivait cette maison en ces termes : « Une ferme pittoresque près de la chute Montmorency dans la région de Québec. L'habitation du fermier fait partie du même corps de bâtiment que la grange. On se croirait dans certaines parties du nord de la France. » (*Revue du Québec industriel*, vol. V, n° 2, p. 6).

La maison, le sous-sol, le sol et la végétation

Parmi les sept conditionnements du milieu physique sur la forme architecturale, celui de la géomorphologie est positif et attractif et appelle, par le fait même, une réaction positive simple de la part du constructeur ; ceux des animaux domestiques et de l'eau sont neutres et l'homme ne peut y répondre que de façon positive. Ces trois conditionnements sont représentés par un gris foncé et du blanc dans la figure 2–2.

Le conditionnement animal n'a eu qu'une légère influence dans quelques cas connus de maison élémentaire et l'on peut affirmer qu'il est resté neutre jusqu'à maintenant — à moins que d'autres maisons élémentaires n'aient été construites, puis démolies sans que nous soyons en mesure de le prouver statistiquement — tout comme le conditionnement hydrologique. Tout conditionnement neutre est important en soi. Sa signification dans l'ensemble du contexte physique et humain provient justement de sa neutralité. La résultante des sept conditionnements est nécessairement marquée par la neutralité de quelques-uns d'entre eux. Toutefois, certains ont plus d'influence que d'autres et leur absence serait plus marquante.

La végétation, les sols et le sous-sol sont des composantes physiques attractives, au même titre que la géomorphologie. Mais, dans ces trois cas, la réaction du constructeur est beaucoup plus que positive et spontanée. Il s'y ajoute deux aspects que l'on ne retrouve pas dans la relation homme-géomorphologie :

1° l'appropriation des éléments physiques et

2° leur transformation plus ou moins importante,

variable en fonction de l'accessibilité des éléments, du degré d'avancement des techniques et du moment temporel. L'écart qui sépare les trois premiers conditionnements (géomorphologie, animaux, eau) des trois traités ici se trouve dans la relation elle-même qui se matérialise dans le cas présent par l'appropriation et la transformation. Par exemple, l'homme abat des arbres, les débite et les utilise d'une façon ou d'une autre en fonction de la destination de l'objet à construire ; il utilise le sable, l'argile, les mélange à d'autres éléments pour en faire du torchis ou du mortier ; il prend aussi de la pierre pour en faire divers bâtiments ; bref le contact physique et matériel de l'homme avec les éléments est direct, et c'est là le point essentiel à noter.

Dans un second mouvement, le constructeur transforme plus ou moins les éléments physiques, puis il leur procure une forme nouvelle ; en l'occurrence, la forme de la maison. Dans l'élaboration de cette forme, deux facteurs fondamentaux entrent en ligne de compte : les matériaux, facteur externe, et l'homme, facteur interne.

Les matériaux, dans une certaine mesure, influent sur la forme. Le bois, par exemple, se prête bien aux angles perpendiculaires, obtus ou aigus, dans la charpente ou dans la menuiserie. Quant à la pierre, elle impose elle aussi ses angles droits et il n'est pas possible de tout faire avec elle. Le constructeur se plie spontanément aux contraintes offertes par les matériaux. Mais ces derniers sont soumis dans une très large mesure à la créativité du constructeur qui les destine à telle forme de construction plutôt qu'à telle autre. Toutefois en aucun temps il n'imposera l'impossible aux matériaux.

La forme apparaît donc beaucoup plus près de l'homme que des matériaux, même dans le cas où ces derniers ont apparemment plus de poids que l'homme sur la forme. Celle-ci est néanmoins en état d'équilibre entre le conditionnement physique et l'homme. Elle est à la fois le reflet des composantes physiques et le prolongement de l'homme ou son expression.

Nous ne pouvons étudier pour eux-mêmes les éléments végétaux, pédologiques et géologiques, puisqu'ils prennent forme dans une maison et que leur utilisation peut varier d'un lieu à un autre et, surtout, d'une époque à une autre. Nous ne pouvons pas, non plus, séparer la forme du constructeur qui l'a édifiée. Nous allons nous permettre seulement d'énumérer les éléments principaux qui entrent dans la construction d'une maison, afin d'être en mesure de les apprécier lorsque nous étudierons la construction elle-même.

1) Éléments du sous-sol

Il y a d'abord ce qu'on appelle communément « la pierre des champs », sorte de roche granitique généralement très émoussée, laissée sur place par les glaciers quaternaires. On emploie aussi des grès ; mais la pierre la plus utilisée, c'est le calcaire ou « pierre-à-chaux ». Pierre Kalm [12] a vanté l'exceptionnelle qualité du grès de Québec, de Beauport et de Château-Richer. On utilise aussi de « l'ardoise », espèce de schiste très dur des terrains sédimentaires, pour des usages particuliers à l'intérieur même de la maison, par exemple comme dalle devant l'âtre. Notons enfin le granit de carrière qui est rarement employé à cause du travail coûteux pour l'extraire [13].

2) Éléments du sol

Ils se résument à bien peu de chose, mais ils sont d'excellente qualité : notons les argiles et les sables toujours nécessaires à la fabrication du mortier.

[12] *Voyages de P. Kalm en Amérique*, vol. II, p. 40.
[13] R.-L. SÉGUIN, *la Maison en Nouvelle-France*, p. 312.

3) Éléments de la végétation

La densité et la variété de la couverture végétale ont fait d'elle un conditionnement de première importance. Le bois était accessible dès le début de la colonie, et il est resté un élément essentiel de construction même lorsqu'on a édifié la maison de pierre. Les principales essences employées sont :

le pin	pour la planche
le cèdre	pour les poutres des caves et les soles
la pruche	pour les poutres des caves et les soles
l'épinette	pour bâtir
le sapin	pour bâtir
le bois blanc	pour la planche et le madrier
le bouleau	pour l'écorce
le merisier	pour la planche [14].

En somme, les six composantes naturelles que nous venons de passer en revue ont établi un ensemble d'interrelations beaucoup moins compliqué que pour le climat, composante majeure du milieu physique canadien.

---

[14] Voir à ce sujet l'œuvre de Pierre BOUCHER, *Histoire véritable et naturelle...*, pp. 41–50, et le Mémoire sur les plans des seigneuries de Gédéon de Catalogne fait en 1709, *Bulletin des recherches historiques*, vol. XXI, nº 9, sept. 1915, pp. 257–269.

LA MAISON
ET LE CONDITIONNEMENT CLIMATIQUE
(le pôle répulsif)

CHAPITRE IV

LE CLIMAT DE LA RÉGION DE QUÉBEC

Sur la sphère terrestre, la vallée du Saint-Laurent se situe à mi-chemin entre l'équateur et le pôle nord, dans un continent où, en hiver, les hautes pressions arctiques ont une nette prépondérance sur les hautes pressions tropicales. Ce phénomène se traduit par des températures basses et soutenues et d'abondantes précipitations que les Français n'avaient jamais connues dans leur pays d'origine pourtant situé aux mêmes latitudes.

Cette situation médiane de la vallée laurentienne et l'influence nordique divisent alors notre cycle climatique annuel en deux durées à peu près égales : une durée chaude de mai à octobre, et une froide de novembre à avril, chacune d'elles comprenant une phase transitoire : de mars à mai, le printemps, et de septembre à novembre, l'automne.

La température

Excluons de notre description la courbe de la température minimale et maximale absolue ; il suffira dans ces deux cas de lire le graphique des températures à la figure 4–1. Considérons seulement la température moyenne qui se situe à mi-chemin entre les deux. Commençant à 11 degrés F. en janvier, la température monte à 13.5 en février et s'élève à 67.5 degrés en juillet, après avoir été de 22.8 en mars, 36.1 en avril, 52.2 en mai et 60.7 en juin; l'amplitude thermique est donc de cinquante-six degrés. En août, la température descend à 64.6, à 56.1 en septembre, à 45 en octobre, à 31.4 en novembre et le cycle se termine par une température de 16.9 degrés.

Toute la température moyenne est entièrement supérieure à zéro, mais cinq mois sur douze, soit de novembre à mars, ont des températures inférieures à 32 degrés F. Par la température moyenne, l'hiver n'apparaît alors pas trop froid ni l'été trop chaud. Par contre, pour s'approcher du vécu climatique, il faut conjuguer les températures maximales et minimales absolues (Fig. 4–1 et 4–2).

Les précipitations

Le mois de juin est le plus arrosé avec ses 4.6 pouces d'eau; juillet, août, septembre le suivent de près avec 4.4 pouces, 4.2 et 4.2. Quant aux précipitations neigeuses (Fig. 4–3), elles commencent lentement en octobre avec 2.3 pouces, augmentent rapidement en novembre où elles atteignent 14 pouces; décembre en reçoit 24, tandis que janvier, sommet annuel des précipitations neigeuses, en compte 28.5. Février est plus neigeux que décembre avec ses 25 pouces; mars est respectable avec 19.5; avril ne reçoit en moyenne que 8.5 pouces tandis que mai est pratiquement épargné avec un pouce et demi. Et, à partir de juin, les précipitations pluvieuses l'emportent sur les précipitations neigeuses.

Telles sont les correspondances entre la courbe thermique et le cycle des précipitations. Aux températures chaudes de juin, juillet et août correspondent naturellement les sommets de précipitations pluvieuses, et aux températures froides de novembre à mars correspondent les précipitations neigeuses [1].

La structure climatique

La montée et la descente de la température se matérialisant sur un plan par une courbe sinusoïdale (Fig. 4–4) se répètent périodiquement d'année en

---

[1] Ces données sont compilées d'après les statistiques publiées dans le *Sommaire climatique de la région de Québec*, Québec, ministère de l'Industrie et du Commerce, 1961, pp. 115–126. La station choisie est Québec même (46°, 48' lat. nord, 71°, 13' long. ouest, 296' d'altitude) qui comprend des statistiques relatives à la température et aux précipitations depuis 1901. À propos de la vitesse maximale du vent et sa direction, nous n'avons que les douze années comprises entre 1947 et 1959; quant aux données relatives à l'humidité, nous n'en avons pas.

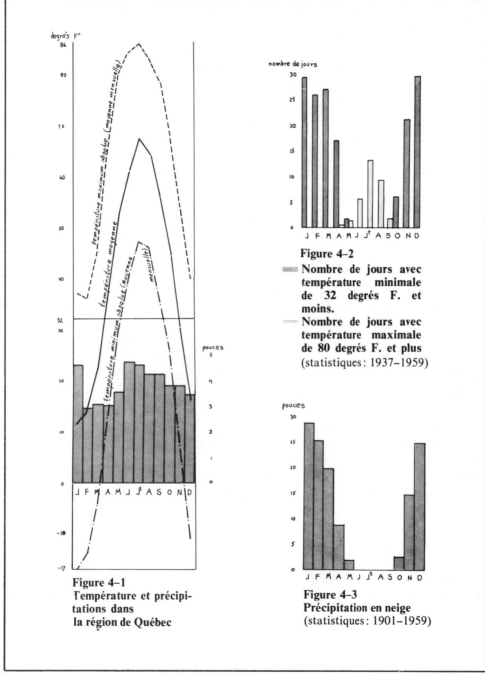

Figure 4–1
Température et précipi-
tations dans
la région de Québec

Figure 4–2
Nombre de jours avec
température minimale
de 32 degrés F. et
moins.
Nombre de jours avec
température maximale
de 80 degrés F. et plus
(statistiques: 1937–1959)

Figure 4–3
Précipitation en neige
(statistiques: 1901–1959)

SOURCE: *Sommaire climatique de la région de Québec*
Dessin: G. GAUTHIER-LAROUCHE

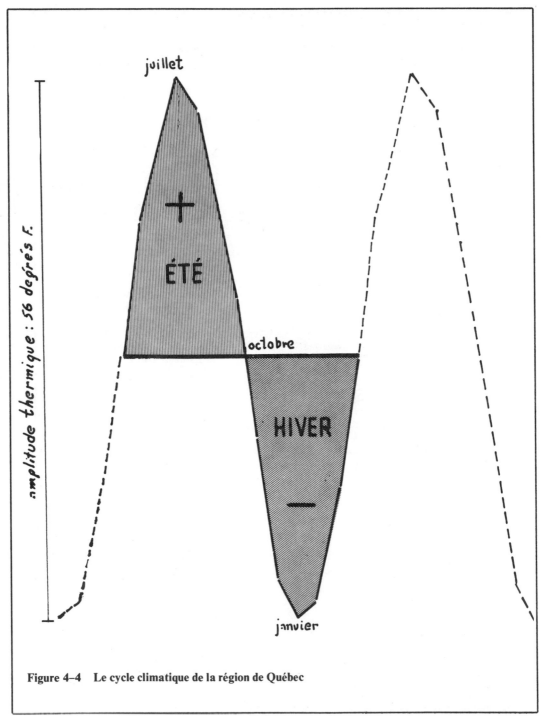

Figure 4–4   Le cycle climatique de la région de Québec

Dessin : G. Gauthier-Larouche

année et entraînent un cortège de précipitations pluvieuses et neigeuses, des vents dominants du nord-est et un degré d'humidité relative assez élevé, même en hiver.

D'une amplitude de cinquante-six degrés entre les extrêmes de la température moyenne, la période annuelle se divise donc en deux sections d'égale durée : une de la fin d'avril à la fin d'octobre, l'autre du début de novembre à la fin d'avril. Chacune est indispensable à l'autre. La saison chaude rompt, en effet, l'équilibre de la saison froide, et celle-ci appelle une compensation de la saison chaude. Voici ce que pense Ernest Ansermet de ce phénomène cadentiel :

> C'est ce double phénomène que nous appelons une cadence qui est donc à considérer comme un phénomène unitaire et global. L'apparition de la temporalité dans le monde procède de phénomènes analogues [...] la rotation de la terre autour du soleil est un phénomène cyclique comme la révolution cardiaque [...] ; l'alternance du jour et de la nuit est à nos yeux une cadence [...] Comme la cadence est une signification d'énergie, le mouvement cadentiel prend le sens d'un déploiement d'énergie et d'énergie cinétique [2].

En fait, le point fondamental à retenir est que notre cycle climatique se matérialise dans une structure cadentielle énergétique, douée d'une puissance telle qu'elle communique cette énergie aux autres structures du milieu physique qui se trouvent, dès lors, à participer de cette énergie. En effet, la végétation ralentit, les animaux sauvages émigrent ou hibernent, les sols et le relief sont recouverts d'une couche de neige épaisse, le réseau hydrographique est gelé et, par surcroît, avec ses tons bleus, violets, violet-rouge et blancs, l'atmosphère est froide, glaciale.

En répétant en cycles plus courts les conditions des époques glaciaires, nos hivers fournissent à notre espace habité un double pays, donc deux manières d'exister ; les pionniers français qui provenaient d'un milieu à hivers courts et doux trouvèrent ce phénomène fort impressionnant.

Le conditionnement climatique

Si la structure climatique, comme nous venons de le voir, peut diffuser son énergie aux autres structures, à plus forte raison joue-t-elle le même rôle

[2] « L'idée de logarithme », *les Fondements de la musique dans la conscience humaine*, t. II, p. 9.

par rapport à l'homme. Le conditionnement climatique est le seul de son espèce dans notre milieu physique. Sa relation avec l'homme est double ; la demi-période à température chaude est un conditionnement attractif, et l'autre demi-période à température froide est un conditionnement répulsif. En conséquence, la première est considérée et vécue par l'homme comme attractive et la seconde comme répulsive, bien que la réaction de l'homme soit essentiellement positive dans les deux cas.

Voyons ce que pensait du climat l'excellente narratrice Marie de l'Incarnation : « L'été est ici aussi chaud qu'en Italie [3] » écrivait-elle en 1640. La référence au climat méditerranéen peut-elle être plus claire ? Mais en parlant de l'hiver, le ton change : « Une nuit de cet hiver (1640) il y eut un froid si horrible que le serviteur de M. de Piscaux qui traversait un chemin, en mourut [4]. » Et encore : « En 1659, l'hiver a été extraordinaire en sorte que personne n'en avait encore jamais vu un semblable, tant en sa rigueur qu'en sa longueur. Nous ne pouvions nous échauffer ; nos habits nous semblaient légers comme des plumes, quelques-uns de nous étaient abandonnés à mourir de froid [5]. »

Ainsi, le conditionnement hivernal est répulsif et il l'était davantage à l'origine de la colonie, étant donné que l'écart entre l'hiver français et laurentien était considérable. De là la répulsion naturelle que les immigrants ont dû éprouver envers cette période du cycle annuel. Mais il y avait une autre raison, et celle-là fondamentale, pour laquelle l'hiver paraissait si répulsif à la religieuse. Elle dit textuellement : « Nous ne pouvions nous échauffer ». Elle donne là la raison de son inadéquation à l'hiver. Que veulent dire aussi les mots « extraordinaire » et « rigueur » pour des Québécois d'aujourd'hui ?

En janvier 1970, par exemple, la température s'est maintenue durant vingt jours entre zéro degré F. et vingt-cinq degrés sous zéro, et personne, semble-t-il, « n'était abandonné à mourir de froid ». Le Québécois s'est tellement accommodé à l'hiver que l'effet de la température froide sur lui est considérablement réduit par rapport à ce qu'il était au XVIIe siècle. L'écart entre notre relation au climat et celle de Mère Marie de l'Incarnation s'explique par la victoire progressive de l'homme sur le conditionnement climatique ; c'est ce que nous verrons précisément dans les chapitres suivants.

---

[3] *Lettres historiques,* Québec, l'Action sociale, 1927, p. 25.
[4] *Ibid.,* p. 27.
[5] *Ibid.,* p. 118.

CHAPITRE V

LA MAISON DE BOIS

La maison de bois du XVIIe au XIXe siècle : un aperçu

Les deux matériaux disponibles dans la vallée laurentienne, le bois et la pierre, furent employés aux XVIIe, XVIIIe et XIXe siècles, et l'on continue toujours d'employer le bois dans nos constructions modernes. Le plus difficile à préciser, c'est la proportion dans laquelle ces deux matériaux furent utilisés au cours de l'évolution.

La question est trop vaste pour la traiter à fond ici. On peut toutefois affirmer que les conditions économiques individuelles expliquent, dans une très large mesure, le choix de l'un ou de l'autre. La maison de pierre coûtait plus cher que la maison de bois puisqu'elle impliquait au moins trois corps de métiers importants, les maçons, les charpentiers et les menuisiers, tandis que pour construire une maison de bois, le gros de l'ouvrage était fait par les charpentiers et les menuisiers; les maçons n'intervenaient que pour la cheminée, le four et autres petits ouvrages.

Au XVIIe siècle, la maison était surtout en bois[1]. Cela s'explique facilement par le fait que les paysans utilisaient le produit immédiat du défrichement. Avant d'atteindre le calcaire, même s'il n'était pas loin, avant même de relever les roches granitiques dans le sol, il fallait abattre les arbres et les employer à toutes sortes d'œuvres, particulièrement à la maison.

---

[1] Antoine ROY, « Bois et pierre », *les Cahiers des Dix,* 1960, n° 25, p. 139.

Ajoutons à cette nécessité pratique, la mobilité des paysans qui se cherchaient une habitation pour établir rapidement leur famille, et l'on aura deux bonnes raisons qui expliquent pourquoi la maison du XVIIᵉ siècle était surtout en bois. Si au XVIIIᵉ siècle, certaines maisons de bois aux techniques primitives étaient encore construites, c'est que nous avions affaire à des paysans pauvres qui ne pouvaient encore se payer le luxe de la maison de pierre.

Le XVIIIᵉ siècle, par contre, est le siècle par excellence de la maison de pierre surtout à partir de 1725–1730, mais le bois n'en continue pas moins d'être largement utilisé dans les charpentes et les bâtiments de fermes.

Au XIXᵉ siècle, la maison de bois a proliféré, mais pour des raisons autres que celles du XVIIᵉ siècle. L'industrie forestière spécialisée dans la planche et le madrier, au tournant de la décennie 1840, a certainement influencé l'usage de ce matériau dans l'aire seigneuriale, mais surtout dans l'aire cantonale qui agrandissait son espace à même le front forestier [2].

Toutefois, il ne faut pas croire, comme le prétend Pierre Deffontaines [3], que c'est le poêle qui a créé la maison canadienne, c'est-à-dire la maison de bois du XIXᵉ siècle. Nous avons vu d'ailleurs que la maison de pierre du XVIIIᵉ siècle avait été précédée par la maison de bois, ce qui infirme la succession pierre-bois qu'il propose, alors que nous suggérons la succession bois-pierre-bois, basée sur les inventaires et sur de nombreux spécimens du paysage géographique.

Les types architectoniques

Entourés d'une végétation luxuriante, nos bâtisseurs ne pouvaient faire autrement qu'utiliser le bois pour la construction des maisons, des bâtiments de ferme, des clôtures, du mobilier, des instruments aratoires, des outils, des voitures, et même pour les trottoirs, au XIXᵉ siècle, et pour une foule d'objets d'usage courant, si bien que l'on peut qualifier la colonie agraire de la vallée laurentienne de « civilisation végétale » au plein sens du terme. Il ne faut pas oublier, en effet, que la maison de pierre constituait avec l'église, les moulins, les manoirs, les fourneaux, les quelques constructions de pierre importantes dans un paysage prolongeant sans discontinuité le substrat végétal, trait

[2] Noël VALLERAND, « Histoire des faits économiques de la vallée du Saint-Laurent (1760–1866) », *Économie québécoise*, Presses de l'Université du Québec, Montréal, 1969, p. 72.

[3] À ce sujet, voir son article intitulé « Évolution du type d'habitation rurale au Canada français », *les Cahiers de géographie de Québec*, déc. 1967, nᵒ 24, pp. 497–521.

encore plus accusé au XVIIe siècle, lorsque le front végétal se situait en bordure des habitations.

Par la forme, la maison de bois ne diffère pas de la maison de pierre ; son toit est à deux ou à quatre pentes comme cette dernière. Elle ne constitue pas un type architectural particulier. Elle ne se distingue de la maison de pierre que par les matériaux dont la disposition architectonique doit devenir le critère de classement. Notons :

1) la maison de pieu
   a) planté en terre
   b) sur sole
   c) en coulisse
2) la maison de colombage
3) la maison à empilement de pièces avec coulisses
   a) le pieu
   b) le madrier
   c) la pièce
4) la maison à empilement de pièces sans coulisse
   a) la pièce sur pièce à queue d'aronde
   b) le madrier sur le plat
   c) le madrier sur le champ
   d) revêtement et lambrissage
5) les types complexes

1) La maison de pieu

a) *planté en terre*

Comme pièce de construction qui devait reposer en terre, il fallait utiliser autant que possible l'essence la moins putrescible : surtout le cèdre ou la pruche, parfois l'épinette ou le sapin. La manière primitive consistait à tailler des pièces de bois d'au moins six pouces carrés, sur deux ou quatre faces, et à les poser verticalement [4] dans une tranchée d'à peu près vingt-quatre pouces de profondeur :

> Une cabane de pieux en terre, Couverte d'écorce avec son plancher de planches, sa cheminée, Sa porte fermant à Serrure de bois [5].

---

[4] T. RITCHIE, *Canada Builds 1867–1967*, p. 63.

[5] *Inventaire des biens meubles et Immeubles de deffunt Georges Alets*, 27 mai 1675, Bénigne Basset, AJM. Cité par R.-L. SÉGUIN, dans *la Civilisation traditionnelle*, p. 334.

Après le saccage des Anglais en 1759, les habitants de Beaupré, démunis, se trouvaient dans la même situation économique que les pionniers qui construisirent des maisons de pieu. Chez Jean Gagnon [6], se trouvait :

> Une cabane servant de chambre construite dans une vieille mazure plancher haut et bas en partie en planches et eclat ou pieux couverte en paille de vingt par vingt.
>
> Une autre petite cabane construite en pieux couverte en paille de dix pieds en quarré servant de cuisine
>
> Un hangar servant de grange
>
> Onze pieux en bois d'épinette et sapin équarris sur deux faces rendus sur le lieu [7]
>
> Onze pieux en bois de sapin et d'épinette et équarris sur deux faces dans le bois
>
> Douze pieux en bois de sapin et d'épinette et équarris pour sciage.

On peut ainsi constater que le pieu était largement utilisé dans les situations économiques précaires, comme ce fut le cas entre 1759 et 1765. D'après le dictionnaire Trévoux, l'extrémité du pieu était effilée. De toute manière, les poteaux devaient être retenus par des liens horizontaux embrevés, et le mur, solidifié par la sablière qui faisait le tour du carré.

Si la sablière des deux murs façades n'avait que six pouces, comme l'épaisseur du mur, la charpente devait être claire, simple et fragile. Si elle avait neuf pouces — trois pouces de surplus vers l'intérieur —, la pesanteur des fermes pouvait provoquer un déversement vers le dedans. Reste alors la possibilité suivante : une sablière de neuf pouces gisant sur des poteaux de neuf pouces de largeur sur quatre ou cinq d'épaisseur ; mais, jusqu'à ce jour, aucun marché de construction ne nous a apporté de réponse certaine à ce sujet.

La précarité de la maison de pieu en terre dépendait moins du niveau de la sablière que de la base facilement putrescible : l'eau d'infiltration, l'humidité, le gel et le dégel ont porté un dur coup à cette technique de construction bon marché et accessible à toutes les bourses. Comme pour se donner une maison plus solide, on associait parfois le pieu au colombage :

> Une vieille maison et chambre de colombage et les costé de pieux de quarante pied de Long sur vingt de Large [8],

---

[6] *Inventaire des biens de Jean Gagnon,* 19 déc. 1760, F. Emmanuel Moreau, ANQ.

[7] Ce détail peut nous laisser croire que l'équarrissage n'était pas achevé ; mais il est plutôt probable que les pieux n'étaient équarris que sur deux faces latérales, les deux autres faces formant des murs d'écorce.

[8] *Inventaire des biens de François Trépagny et Anne Lefrançois,* 30 juin 1741, Jacob fils, ANQ.

mais la combinaison de deux techniques ne prolongeait pas nécessairement l'existence de la maison de pieu en terre.

b) *sur sole*

Aussi pour protéger la base des poteaux, on fut amené à poser une sole [9] assise sur un sommier de roches calcaires, ou simplement enterrée (Fig. 5–1). Les quatre pans de mur étaient alors compris entre deux pièces horizontales, la sablière en haut et la sole en bas, au milieu desquelles une rainure était pratiquée afin de recevoir les tenons des pieux. Il est toutefois possible que les pieux aient été retenus par des liens horizontaux, posés en haut et en bas du mur comme dans le cas des pieux plantés en terre. Ceux-ci, posés sur sole, forment une classe particulière parce qu'ils sont posés d'aplomb, c'est-à-dire verticalement.

c) *en coulisse*

Quant au pieu en coulisse, il est très rare. Robert-Lionel Séguin n'en mentionne qu'un exemple pour l'année 1697 à l'île Sainte-Thérèse [10]. Contrairement aux deux premières manières, il est posé horizontalement entre des poteaux de coin et intermédiaires allégés d'une rainure centrale pour recevoir le tenon des pieux ; une sole et une sablière forment dans ce cas aussi la base et l'assiette des murs. Cette technique ressemble fort à la pièce sur pièce en coulisse, à la seule différence que le pieu était plus mince que la pièce. Elle nous amène à analyser le type architectonique très important qu'est le colombage.

2) La maison de colombage

Ce type architectonique est aussi ancien que la colonie elle-même ; à preuve ce rapport de charpenterie de la maison de Guillaume Hébert, fils de Louis, premier cultivateur de la Nouvelle-France :

Lan mil six cent trente neuf le douze. jour de Novembre avant midy par devant Nous Martial Piraube Commis au greffe et tabellionnage de Québecq en la Nouvelle France et en la presence des tesmoingts cy apres nommez sont comparus Nicolas et pierre Pelletier charpentier et Jehan Eger macon demeurants a present aud. Quebecq Lesquels nous ont dit juré et affirmé Que lordonnance de Monsieur le Gouverneur et a la requeste de

---

[9] R.-L. SÉGUIN, *op. cit.*, p. 308.
[10] *Ibid*.

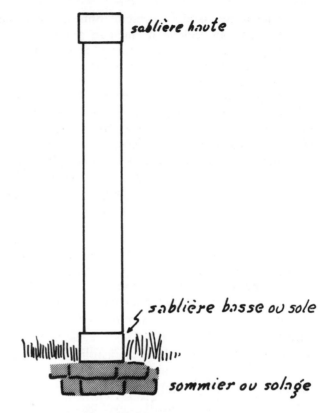

Figure 5–1   Pieu sur sole

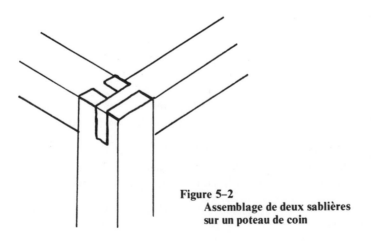

Figure 5–2
Assemblage de deux sablières
sur un poteau de coin

Guillaume Couillard habitant demeurant aussy aud Québecq au nom et comme tuteur des enfants mineurs de feu Guillaume Hebert vivant habitant dud. lieu Ils se seroient transportez led jour en un estre de Maison scituée proche celle dud. Couillard estant de la succession dud. deffunt Hebert led. estre de maison contenant trente huit pieds de long sur dix neuf de large Lequel apres lavoir exactement veu et visitté et touttes ses parties ils lont dung Commung accord trouvé et jugé estre inhabitable et non manable parse quil fond en Ruyne de tous Costez et que la moistye du bastiment estant dassemblage de Charpenterye Il ny a plus que trois fermes qui le tiennent sans aucune liaison q ne puisse plus faire subsister debout et estre, les sabliers et poteaux sont tous pouris par bas et ce qui reste est soutenu par estayes Comme aussy les deux bouts de muraille autrefois de chacun vingt huit piedz de long estans au bout du bastiment de charpente portant une sablier sur quoy sont portez les pieds des chevrons lun est bien debout Mais lautre est tombé a moictye depuis longtemps et a este recles de planches et tous les deux battent en ruyne et sont estayez de costé et dautre semblablement Le demy pignon ql y avoit avec une cheminee sont tombez par terre et les planches en sont toutes brisees et pourris partant de Commung accord ont Jugé que les Réparations dycelluy estre de Maison cousteront plus a faire qu'a bastir un Logis de neuf Ce quils certiffient et font ce que dessus estre veritable dont led. Guillaume Couillard Nous a requis acte Ce q luy avons octroyé pour luy servir et valloir en temps et lieu ce q de raison ce fut faict et passé au Fort Sainct Louis de Québecq les jour mois et an cy devant derniers dicts En la presence de Jehan du Gallé dict bellestat et Esechiel deschamps demeurants aud. Quebecq tesmoings et ont lesd. pierre pelletier et Couillard declaré ne scavoir escrire ny signer de se enquis Mais led. pierre pelletier a faict sa marque accoustumé et lesd. Nicolas pelletier, jehan Eger et tesmoings ont signé la presente dont &ca[11].

> *nicolas pelletier*
> *ihan eger*
> *Deschamps*
> *Jean Dugalley*
> *marque dud. Couillard*
> *marque dud. Pelletier*
> *m. Piraube. N. R.*

Il s'agit donc d'une maison de colombage avec pignons de pieux ; serait-ce la maison de Louis Hébert, construite avant 1626 — sa terre fut octroyée en 1623 — dont on aurait déterré le solage en 1866 dans la cour du Séminaire de

---

[11] *Rapport de charpenterie pour la maison de Guillaume Hébert*, par Nicolas Pelletier, Jean Eger, 12 novembre 1639, M. Piraube, ANQ.

Québec, maison habitée ensuite par son fils Guillaume [12]? C'est **probable**; et alors cette construction aurait eu treize ans seulement, ce qui est sans doute suffisant pour faire pourrir les soles et les poteaux.

Voyons maintenant les termes d'un marché de construction en date du 15 janvier 1642 entre Martin Grouvel et Guillaume Couillard.

> [...] une maison manable au lieu de longue pointe de cinquante pieds de long sur Vingt pieds de Large sans aucuns solliveaux le tout de bon bois propre aud. bastiment hors le bois blanc et rendu lad. maison faicte parfaicte **dedans la fin du mois de Juillet de lannée prochaine** gbɪᶜ quarante trois ce présent marché faict a la charge que led. Couillard donnera et livrera aud. Grouvel dedans le mois de septembre prochain venant deux tauraux de laage de dix huict mois et outre Moyennant la somme de cinquante cinq livres tournois que led. Couillard promet et soblige baillé et payé aud. Grouvel ou au porteur Lorsque lad. maison sera faicte et parfaicte [13].

Comme on le voit, ce marché ne précise que le prix de la maison, les modalités de paiement, les dimensions et la durée du travail. Il est spécifié que le bâtiment est en bon bois propre, sauf le bois blanc et qu'il ne contient aucun soliveau; c'est peu. Il est alors impossible de se représenter la maison et nous ne sommes même pas sûr qu'elle ait été en colombage.

Toutefois, il n'en va pas ainsi de tous les marchés de construction. En voici un pour l'année 1654 qui devrait répondre à nos nombreuses interrogations. Comme il est assez précis pour reconstituer la maison, nous le reproduisons *in extenso*.

> Par devant Guillaume Audouart Secretaire du Conel de Quebeq Notaire en La Nouvelle france & tesmoings soubsignes fut pnt en Sa personne Robert Paret Maistre charpentier estant de pnt en la Nouvelle france lequel volontairement a Recogneu confessé Recognoist & Confesse par ces pntes sestre oblige & S'oblige par les pntes Envers La personne du Sr René Robineau Escuyer Sieur de Becancourt de luy faire & construire La charpente d'un bastiment contenant dix huict pieds en Carré lequel Il désire faire faire sur sa concession Scize en la coste de Beaupré Le tout ainsi quil ensuit Scavoir que led bastiment aura dix huit pieds de dedans en dedans & laisser Les attentes pour Ralonger led bastiment le tout à la comodité &

---

[12] Cyprien TANGUAY, *Dictionnaire généalogique*, t. I, p. 301.

[13] *Marché entre Guillaume Couillard et Martin Grouvel,* 15 juin 1642, Martial Piraube, ANQ. Analphabète, Martin Grouvel signait son nom par le dessin d'une équerre, mais il était un important maître charpentier intéressé au commerce et à l'agriculture. Il était propriétaire d'une grosse barque et de quelques terres dans les seigneuries de Beauport et de Beaupré.

volonté dud Sieur de Becancourt La sole aura neuf poulces en Un sens &
dix en Lautre La Sablière aussy de pareil eschantillon Les poteaux de coin
seront de quatorze poulces en quaré & de douze pieds & six poulces de long
Les coulombes seront de douze pieds de longueur portant de Largeur dix
poulces en un sens & six en lautre les deux poutres auront chacune [...] [14]
quatre poteaux qui porteront les poutres auront Seize poulces de largeur et
huict poulces despaisseur Les soubs chevrons du Combles porteront huict
poulces en Quaré la hauteur du pan de la charpente aura douze pieds depuis
le dessoubs de la solle Jusques au dessus de la Sablière Scavoir huict pieds
pour la Chambre de hauteur & le reste pour La grosseur de la poutre et Le
Ravallement Le Chasis de la Cave sera de quatorze pieds & Le manteau de
cheminée de quatorze poulces ou environ de huict pieds de dehors en dehors
Le Collombage sera de six poulces Lun portant Lautre come aussy de
Couvrir Ycelluy bastiment Moyennant quoy led Sr becancourt soblige de
fournir clou & planches Necessaires ce Marché faict Moyennant Le prix et
Somme de quatre vingt Cinq livres tournois que led Sieur de Becancourt
sest obligé & soblige par ces pntes aud Robert paret scavoir la somme de
soixante livres tournois à larrivée des vaisseaux de france en ce pais de la
pnte année mil six cens Cinquante quatre Icelle somme de Soixante Livres
tournois payable en argent Monnoyé ou en castor & non en autre & le
Restant montant à la somme de vingt cinq livres tournois Iceluy payable en
effets et Marchandises de ce pais lesquelles seront estimées & prisées
suivant leur valleur & cours du pais & sur la pnte somme cy dessus spetiffiée
Led Paret a Recogneu Confessé avoir eu & Receu dud Sr de Becancourt la
somme de seize livres tournois laquelle somme il en promet faire déduction
sur lad somme de quatre vingt Cinq livres laquelle est pour Le total
payement de lad charpente & led Paret Sest obligé & S'oblige Rendre Icelle
charpente levée dans Le jour & feste de la st jean baptiste prochainement
venant de la pnte année mil Six cens Cinquante quatre Et en cas de
Retardement de lad besogne Icelle non faicte et parachevée dans led Jour
led Paret S'oblige & se condamne des a pnt a tous despens dommages &
interests & Retardement de besogne que led Sr de becancourt pourait
pretendre allencontre de Luy Le tout sans [...] ny contestation et promet &
Sest obligé led Sr de becancourt fournir Led sr Paret pendant le travail de
lad charpente ci dessus spetiffiée come aussy un home en cas quil [...] age
pour luy ayder Et de luy fournir d'un hom de travail pour luy aydder
pendant led travail toutes Lesquelles Choses sont sans préjudice de lad
Somme de Quatre Vingt Cinq Livres tournois que led sieur de Becancourt
S'oblige Icelle payer aud Paret Le tout accorde entre les partyes &
Promettant & Sobligeant de part et dautre Scavoir led Paret Ses biens pnts
& advenir Sa personne mesme si besoin est [...] & faict & passé en la coste

---

[14] Mots illisibles.

de Beaupré Le vingt Sixiesme Jour de Janvier mil six Cens Cinquante quatre en pnces de Nicolas Colson huissier & Pierre dIssy tesmoing quy ont signé avec les partyes a la Residence dud paret lequel a declare ne Scavoir escrire ny signer de ce Interpellé suivant L'Ordannance.

pierre désy
  N Colson

                                 de Becancourt Robineau
                                   Audouart not

Analyse du marché de construction de 1654 [15]

Sur les personnages en cause nous avons les renseignements suivants :
Robert Paré

> baptisé en 1626, fils de Mathieu et de Marie Joannet, de Saint-Laurent de Solesmes ; marié à Québec le 20 octobre 1653 à Françoise Lehoux et décédé à Ste-Anne le 17 novembre 1684 à l'âge de 84 ans [16].

René Robineau de Bécancourt

> personnage important au XVIIᵉ siècle. Baron de Portneuf, enseigne dans le régiment de Turenne, chevalier de l'Ordre de Saint-Michel, membre de la Compagnie des Cent-Associés, premier grand-voyer de la Nouvelle-France, né vers 1625 à Paris, de Pierre Robineau de Bécancourt et de Renée Marteau, mort à Québec en 1669 [17].

L'importance du personnage explique pour une bonne part le soin avec lequel **le marché de construction a été fait** : « laisser les « attentes » pour rallonger led bastiment » ; celui-ci devait comporter je ne sais quoi pour faciliter la construction d'une allonge. En tout cas, cette mention nous donne la preuve que les maisons furent construites autant carrées que rectangulaires. La maison de Québec n'est donc pas nécessairement « longue et peu profonde » selon la formule, répandue par M. Gérard Morisset et répétée presque rituellement, faute de vérifications précises : « led. bastiment aura dix huict **pieds de dedans en dedans** ». Notons que le pied français valait à l'époque 1/15 de plus que le pied anglais. Toutes les dimensions données dans le marché doivent être multipliées par 1/15 pour obtenir notre pied anglais actuel.

Relisons le marché en fonction des étapes de construction plutôt qu'en son ordonnance descriptive. Le point de départ de la maison de colombage se

---

[15] *Marché entre Robert Paré et le Sieur Robineau de Bécancourt,* 26 janvier 1654, G. Audouart, ANQ.

[16] Cyprien TANGUAY, *op. cit.,* t. I, p. 463.

[17] Voir l'article de Jean-Guy PELLETIER dans le *Dictionnaire biographique du Canada de l'an 1000 à l'an 1700,* Les Presses de l'université Laval, Québec, 1966, vol. I, p. 588.

trouve dans les quatre poteaux de coin plantés d'aplomb à six pouces dans le sol. Ils doivent reposer sur un tapis de roches calcaires — le marché est muet là-dessus — pour réduire les effets de l'humidité, ou moins probablement, tels quels dans le sol. Chaque poteau est relié à la base par une pièce appelée sole ou sablière basse. Les deux extrémités d'une section de la sole sont à tenon et elles pénètrent dans un vide de même dimension — la mortaise — pratiquée sur les deux faces intérieures de chaque poteau. Les deux tenons contigus assemblés dans un poteau doivent être d'une longueur telle qu'ils ne se touchent pas à l'intérieur.

Le devis ne spécifie pas davantage la sorte d'assemblage qu'il y a au niveau de l'assiette des murs, bien que l'on puisse supposer, au premier regard, que les sablières sont assemblées à demi-bois, chevillées et retenues par un lien de coin. Cet assemblage semble aussi solide que celui qui a été relevé dans la maison Pichet (Sainte-Famille, Î.O.) par le ministère des Affaires indiennes et du Nord canadien (Ottawa) et les Monuments, sites et arrondissements historiques (Québec). S'il correspond à la réalité, il est fait de la manière suivante : le poteau de coin, pas beaucoup plus gros que la sablière, est mortaisé deux fois, perpendiculairement, pour recevoir les deux tenons des sablières (Fig. 5–2). Il est permis de croire en la faiblesse de cet assemblage à cause de la trop grande proximité des mortaises, surtout si les poteaux ont presque la même largeur que la sablière.

Nous sommes toutefois certain d'un assemblage qui mérite de servir de point de repère à d'autres assemblages possibles dans les maisons de bois munies de poteaux de coin. Le poteau de coin a douze pouces sur dix ; cinq pouces sont utilisés pour assembler une sablière à double tenon et les cinq autres pour y embrever à la fois la sablière opposée et le chevron de coin. Le travail du charpentier consistait donc à creuser deux mortaises dans un sens et deux autres perpendiculaires à celles-ci de la manière indiquée sur la figure 5–3. Une mortaise de la sablière du mur latéral a un tenon qui se termine sur la face opposée du poteau, mais celle du chevron ne peut être remarquée à cause de l'assemblage ; néanmoins, l'on peut supposer que le chevron bute dans une mortaise non entièrement ouverte afin d'amortir le plus possible sa compression sur la sablière. C'est d'ailleurs pour cette raison qu'une partie de l'about du chevron repose sur la sablière. Une cheville située à quatre pouces du sommet du poteau signifie alors que le tenon du chevron est de même longueur que le tenon voisin. Remarquons enfin que la sablière est à dix-sept pouces du plancher et que le poteau est élégi, de la sablière jusqu'aux fondations, afin d'éliminer l'arête qui serait nuisible dans les chambres et la cuisine (Fig. 5–4). Nous n'avons pas de preuve directe, mais en considérant la hauteur des poteaux de coiffe et les coulombes, nous croyons que l'assemblage de la sablière chez Robineau de Bécancourt devait ressembler à celui que nous venons de décrire.

Quant à l'enture oblique à charge opposée, relevée en Acadie par monsieur Rodolphe Bourque, historien de Frédéricton, elle est si bien découpée qu'il est impossible de déplacer ses morceaux constitutifs en les tirant horizontalement (Fig. 5–5). Voilà pourquoi elle fut faite au niveau des soles. Dans ce cas, d'ailleurs, ce sont précisément les soles qui forment les bases de l'armature architectonique, non les poteaux de coin qui sont de même

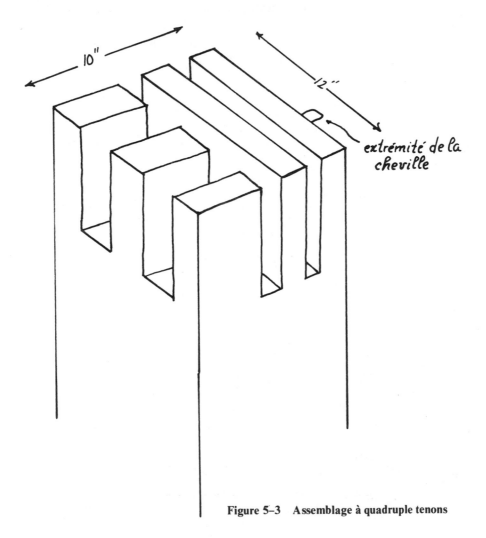

Figure 5–3   Assemblage à quadruple tenons

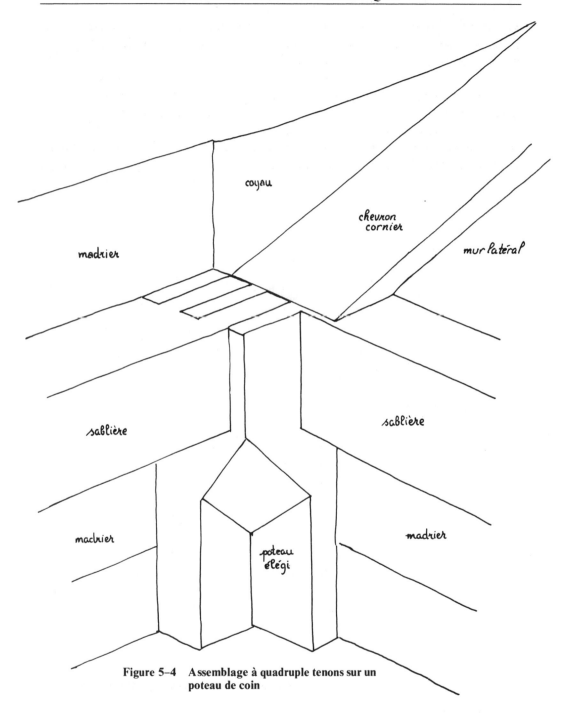

Figure 5–4 Assemblage à quadruple tenons sur un poteau de coin

section que les soles. Ce n'est plus du tout la même armature structurée autour des quatre poteaux de coin massifs de la maison du sieur Bécancourt. Nous espérons obtenir un jour une preuve que cet assemblage était connu dans la vallée laurentienne autant qu'en Acadie.

Revenons à la maison du sieur de Bécancourt. Chaque façade comporte ensuite deux gros poteaux de seize pouces de largeur sur huit pouces d'épaisseur parfaitement ajustés entre la sole et la sablière et devant recevoir, à huit pieds au-dessus de la sole, la face inférieure des deux poutres maîtresses du plancher de haut (Fig. 5–6). Ces poteaux, appelés poteaux de coiffe, sont très larges parce qu'ils supportent les poutres. Ils ont leurs correspondants aux

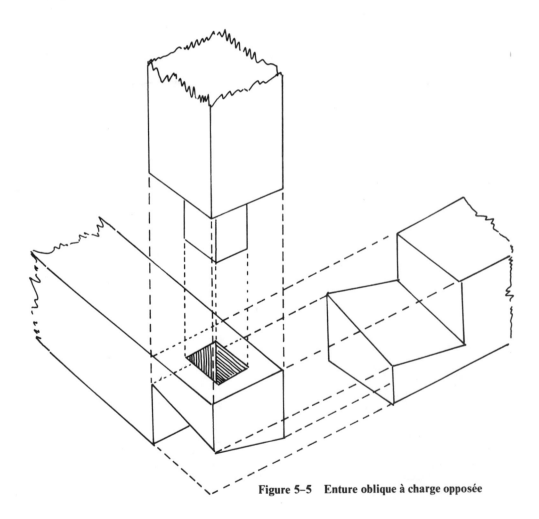

Figure 5–5   Enture oblique à charge opposée

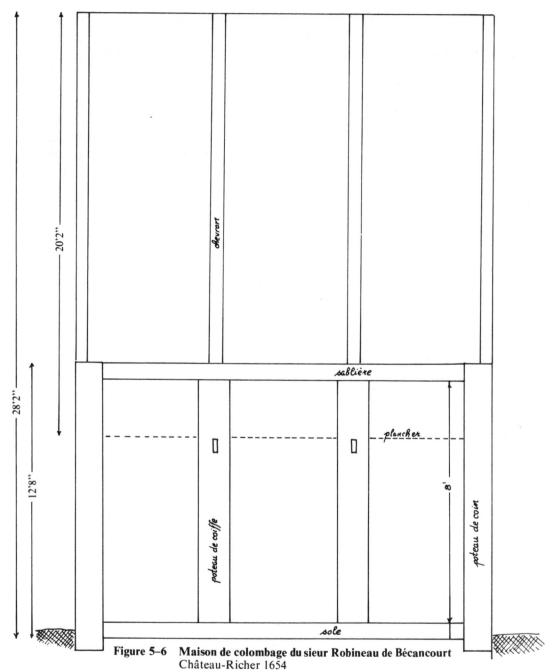

Figure 5-6   Maison de colombage du sieur Robineau de Bécancourt
Château-Richer 1654
SOURCE: *Inventaire des biens de 1654*

deux murs pignons qui se trouvent être séparés eux aussi en trois sections par deux pièces appelées coulombes (Fig. 5–7), hautes de douze pieds, larges de dix pouces et épaisses de six pouces.

Restent maintenant les colombages formés de pièces de bois de six pouces carrés, posées d'aplomb entre la sablière et la sole, sans doute encastrées dans une rainure ou coulisse pratiquée sur la face intérieure de la sablière et la face supérieure de la sole. Les colombages ferment le mur, et un rang de planches épaisses — le marché ne le spécifie pas — devait être ajouté pour les protéger contre les intempéries. Quelle distance les séparait? Les mots « l'un proche de l'autre » doivent signifier que les colombages étaient juxtaposés à quelques lignes de distance. On calfeutrait les interstices avec de l'étoupe ou bien on les bousillait avec de la terre forte mêlée d'aigrettes, puis l'on enduisait les murs de mortier [18]. Si l'écart entre deux colombages est de cinq ou six pouces, comme c'est le cas dans quelques rares maisons et dans le manoir Niverville que la Commission des monuments historiques a restauré à Trois-Rivières, le colombage est plus long que large. Les faces latérales sont tour à tour concave et convexe; une face convexe s'ajuste à une face concave afin de faciliter le remplissage de l'entre-deux avec du pierrotage et du mortier, technique appelée « colombage pierrotté [19] » différente, faut-il le rappeler, du simple bousillage avec de la terre glaise mêlée d'aigrettes.

Chaque colombage dans la technique colombage pierroté, est chevillé dans la sablière et la sole afin de le maintenir d'aplomb et pour éviter tout ébranlement qui pourrait être néfaste à l'empilement du pierrotage. Il semblerait, d'autre part, que, dans la technique de colombage pierroté, les poteaux de coin soient assemblés à tenon dans la sole, sans doute d'une manière apparentée à celle représentée à la figure 5–5, alors que, dans la technique de colombage contigu, c'est la sole qui est ajustée dans les poteaux.

Si les termes du marché décrivent bien le carré, ce n'est pas tout à fait le cas pour la charpente (Fig. 5–7). Les seules pièces du comble mentionnées dans le contrat sont les chevrons et les sous-chevrons; même l'entrait, pièce absolument nécessaire à la charpente, est oublié. Quant à la panne faîtière et aux pannes intermédiaires, nous savons qu'elles conditionnent le posage des planches.

a) *chevrons et sous-chevrons*

Deux chevrons assemblés constituent une ferme; il y en avait une à chaque pignon et sans doute une vis-à-vis chaque poteau de coiffe afin de

---

[18] R.-L. SÉGUIN, *op. cit.*, p. 333.
[19] Mère MARIE DE L'INCARNATION, *Lettres historiques*, p. 29.

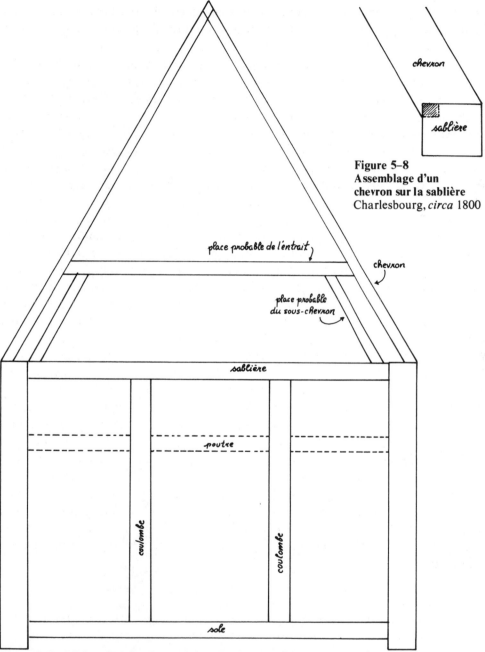

Figure 5–8
Assemblage d'un
chevron sur la sablière
Charlesbourg, *circa* 1800

Figure 5–7 **Maison de colombage du sieur Robineau de Bécancourt (mur latéral)**
Château-Richer 1654
SOURCE: *Inventaire des biens de 1654*

séparer l'aire d'un versant en trois parties égales de six pieds. Les bouts des chevrons intermédiaires devaient s'encocher au moyen d'un tenon dans la sablière ou buter sur l'arête supérieure de la manière représentée à la figure 5–8, alors que ceux des pignons devaient être enturés dans le poteau. Mais pour que les fermes ne déversent pas vers l'extérieur, il s'avérait alors nécessaire de poser des sous-chevrons entre la sablière et l'entrait.

b) *faîte et liens*

Il est difficile de ne pas imaginer une panne faîtière puisqu'il était habituel, surtout au XVIIe siècle, de poser cette pièce. Selon Mère Marie de l'Incarnation, les couvertures de maisons sont en planches doubles ou en bardeau contregarni de planches par le dessous [20] ; donc, l'orientation de la première rangée de planches dépend de la présence ou de l'absence du faîte. Dans les maisons très anciennes qui existent encore, les planches sont posées verticalement. En 1750, P. Kalm notait justement que les maisons des particuliers étaient couvertes de planches ajustées parallèlement aux chevrons ou aux bords des toits, et quelquefois obliquement [21]. Cette disposition suppose la présence d'une panne de faîtage et de pannes intermédiaires.

c) *coupe longitudinale au centre*

De dessous la sole jusqu'au-dessus de la sablière, le pan a douze pieds et huit pouces, « scavoir huict pieds pour la chambre de hauteur et le reste pour la grosseur de la poutre et le ravallement ». Huit pieds sous poutres, c'est beaucoup à l'époque, mais non exceptionnel. Ainsi, selon les termes du marché, cela signifierait que les poutres seraient cachées par le plancher posé en dessous ; chose surprenante, car le détail le plus spectaculaire de la maison serait inapparent. Les poutres étaient plutôt apparentes et le plancher se trouvait sur les poutres. Cette tranche de huit pouces qui varie selon la hauteur du plancher ne vaut toutefois pas la peine qu'on s'y arrête.

Du plancher à la ligne de faîte, on compte vingt pieds et deux pouces. C'est presque trois fois la hauteur de la chambre, l'angle du pignon étant de soixante degrés. Le détail important à retenir, toutefois, a trait à la tranche de trois pieds qu'il y a entre le plancher supérieur et la sablière, ce qui veut dire qu'un homme de taille moyenne avait la sablière presque vis-à-vis les hanches. Notons bien cette hauteur car nous y reviendrons plus loin pour expliquer l'évolution des écarts verticaux entre les principales lignes horizontales dans la maison de pierre.

---

[20] *Op. cit.*, p. 31.
[21] *Voyages de P. Kalm en Amérique*, t. II, p. 78.

d) *ouvertures, cheminée et cave*

Le nombre d'ouvertures n'est pas donné, mais on peut supposer la disposition suivante sur la façade : une porte au centre et une fenêtre de chaque côté, ou bien une porte à droite et deux fenêtres à gauche. Sur le mur pignon portant la cheminée, une petite fenêtre aussi, et probablement une autre fenêtre sur l'autre pignon ; au plus, quatre fenêtres et une porte. Par contre, la cheminée est mieux décrite. Le manteau au-dessus de la corniche est de quatorze pouces, et la largeur totale de la cheminée est de huit pieds et cinq pouces, ce qui fait presque la moitié de la largeur de la maison ! Une cheminée comme celle-là pouvait donc bien chauffer l'espace de la chambre dont le cubage ne s'élevait qu'à deux mille huit cent quatre-vingt-huit pieds environ.

Néanmoins, l'efficacité du chauffage pouvait être réduite par la proximité du sol sur le pourtour du carré, car « le chasis de la cave de quatorze pieds » doit sans doute signifier qu'un trou d'une certaine profondeur était creusé à partir du centre de la maison, la voûte de la cheminée fondée alors sur le sol.

L'amélioration de cette maison de colombage par rapport aux maisons de pieu, même sur sole, est remarquable. La lutte contre l'humidité est déjà commencée, mais la sablière basse est encore au niveau du sol, vis-à-vis lequel la porte s'ouvre. Remarquons toutefois qu'à la même période certains habitants étaient rendus plus loin que le sieur de Bécancourt dans la lutte contre l'humidité. Le marché entre Nicolas Juchereau et Thomas Touchet en 1650 [22] révèle qu'il y aura « deulx pieds dexsausement au dessouls des solles deulx pieds de sollage » ; ce qui signifie que dès le milieu du XVIIe siècle, on avait déjà pensé poser les pans de bois sur un solage de pierre assez épais.

e) *coût et modalité de payement*

La maison coûte quatre-vingt-cinq livres mais cela ne comprend pas les clous et les planches que le sieur de Bécancourt doit acheter ailleurs. L'on voit que dès le début de la colonie les tâches sont déjà divisées. Le charpentier commence le travail après le 26 janvier, et le sieur Bécancourt lui donnera soixante livres en argent ou en castor à l'arrivée des bateaux, probablement au début de juin ; les vingt-cinq autres livres sont payées en marchandises, seize étant déjà perçues par le charpentier le jour même du contrat. Du 26 janvier à la Saint-Jean-Baptiste, quatre mois sur cinq en saison hivernale, c'est peu pour un seul homme. Si le charpentier ne parachève pas son travail à terme, le

---

[22] *Marché de construction entre Thomas Touchet, Anthoine Rouillard et Nicolas Juchereau,* 4 décembre 1650, Guillaume Audouart, ANQ.

sieur Panet s'adjoint un homme « sans préjudice de ladite somme de Quatre vingt cinq livres » ; ce qui veut dire que le charpentier payera son propre apprenti.

En faisant le décompte des marchés de construction et des inventaires du XVIIᵉ siècle dans les seigneuries importantes de Beaupré, de Beauport et de Notre-Dame-des-Anges, l'on pourrait se faire une idée approximative de la proportion des différents types architectoniques de maisons de bois. Contentons-nous toutefois de la proportion la plus accessible qui s'offre à nous ; sur dix marchés de construction que nous avons en main présentement, s'échelonnant entre 1640 et 1660, les dix décrivent des maisons de colombage à Québec, sur la côte de Beaupré et à l'île d'Orléans. La maison de colombage a sans doute été à la mode un peu partout au XVIIᵉ siècle. Mais son importance ne se révèle pas uniquement sur le plan spatial ; elle nous permet de comprendre aussi deux autres types architectoniques : la maison à empilement avec coulisses et sans coulisses.

3) La maison à empilement de pièces avec coulisses

a) *le pieu*

Nous avons déjà parlé du pieu en coulisse avant d'aborder la maison de colombage. S'il a été rare, c'est pour la simple raison qu'il valait mieux construire plus solide dès la première maison : par exemple empiler des madriers.

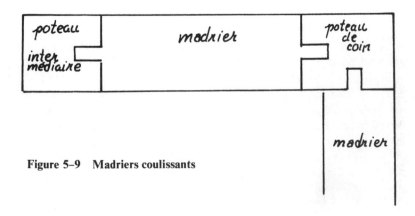

Figure 5–9   Madriers coulissants

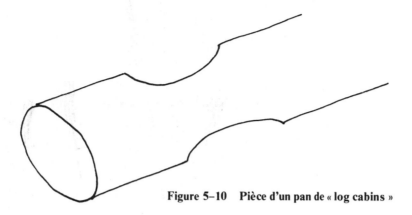

Figure 5–10   Pièce d'un pan de « log cabins »

b) *le madrier*

Si nous résumons l'architectonique de la maison de colombage à quatre poteaux de coin, des poteaux de coiffe aux façades et des coulombes aux murs pignons, sablière haute et basse, ces pièces-là sont nécessaires pour empiler des madriers, même si dans le cas des poteaux et des poteaux de coiffe les dimensions peuvent être moins considérables que celles que nous avons vues dans la maison du sieur de Bécancourt. En effet, les madriers reposent entre les deux sablières et ils sont coïncés entre les poteaux de coin et intermédiaires dans une rainure ou coulisse pratiquée sur eux de haut en bas de la manière illustrée dans la figure 5–9. Voici un exemple choisi dans la région de Montréal :

> Une Maison de quarante à quarente Cinq pied de long, sur Vingt deux piedz
> de large dans œuvres A potteaux Et Entourés de Madriers, Contrelattés par
> dehors et par dedans, a mortyé et chaud[23].

La coulisse est peu profonde, afin de ne pas sacrifier la force des poteaux lorsque deux coulisses se font face ; deux pouces suffisent pour l'ajustage du tenon au madrier. L'épaisseur du madrier est de cinq ou six pouces alors que sa longueur varie en fonction des dimensions de la maison, soit la distance qui sépare les poteaux intermédiaires.

Telle est la technique de construction en madriers aux XVIIe et XVIIIe siècles ; technique simple mais, si les pans ne sont pas posés sur un solage, elle ne résout pas le problème de l'humidité

[23] *Inventaire des biens de monsieur LeMoyne.* 27e mars 1685, Bénigne Basset, 1617. AJM, cité par R.-L. SÉGUIN, dans *la Civilisation traditionnelle de « l'habitant »*, p. 313.

c) *la pièce*

Alors que le madrier a une section rectangulaire de cinq pouces sur douze, la pièce, elle, est carrée : sept ou huit pouces comme les chevrons de la charpente. Une différence peut aussi exister quant à la longueur des pièces. Des madriers de six à douze pieds n'étaient pas rares mais des pièces de dix pieds et plus ne l'étaient pas davantage. Voici une dernière différence appréciable, mais non structurale : alors que les sablières hautes et basses sont plus épaisses que les madriers dans cette structure, dans les pans en pièces coulissantes elles ne le sont pas, et, par le fait même, les parements sont continus de haut en bas, et la charpente, au contact de la dernière pièce, est plus solide.

L'ossature de la pièce sur pièce coulissante n'est ni meilleure ni moindre que le madrier. Seulement, si le contact de la première pièce est au niveau du sol, le problème de l'humidité n'est pas résolu. Les variantes architectoniques n'ont pas beaucoup d'importance en soi si les dispositions pour lutter contre l'humidité ne sont pas prises en considération.

4) La maison à empilement de pièces sans coulisse

a) *la pièce sur pièce à queue d'aronde*

La maison de pièce sur pièce est ordinairement petite car les morceaux sont d'une seule venue. Ainsi celle de Jean Giroux en 1707 avait

> vingt deux sur seize close de pièce sur pièce dans laquelle deux chambres la cheminée au milieu de maconnerie planché haut et bas enbouvetés de pieces couverte de paille a moitié, de planche a moitié usé[24].

Si la maison est un peu longue, deux types architectoniques formeront le corps du logis :

> Une maison de moitié de pièces sur pieces et l'autre de colombage de trente pieds de long sur seize de large couverte de planches[25].

Ce qui signifie qu'une partie des deux pans de pièces est ajustée à tenon dans la coulisse d'un poteau intermédiaire et que deux coins sont en queue d'aronde.

---

[24] *Inventaire des biens de Suzanne Bélanger et Jean Giroux*, 20 août 1707, Robert Duprac, ANQ.
[25] *Inventaire des biens de Étienne Drouin*, 29 janvier 1741, Jos. Jacob, ANQ.

**Figure 5–11 Pan de mur
en queue d'aronde**
Château-Richer
(anonyme)

L'assemblage à queue d'aronde est plus compliqué que le simple empilement croisé des « log cabins[26] » ; dans ce cas-ci, en effet, les encoches sont arquées et correspondent au quart de l'épaisseur de la « log[27] » (Fig. 5-10). Le tenon en forme de queue d'hirondelle s'ajuste perpendiculairement à une autre queue d'hirondelle voisine de telle sorte qu'il joue un double rôle : celui de tenon et, par suite du découpage de chaque côté du tenon, celui de mortaise (Fig. 5-11).

Au départ, l'empilement de deux murs parallèles se fait avec une demi-pièce, tandis que sur les deux autres murs il commence avec une pièce complète et c'est le contraire qui se produit au niveau de la sablière. Dans ce type architectonique, la sablière n'est pas une pièce spéciale, puisque les dernières pièces se trouvent à en tenir lieu. Enfin, dans ce cas aussi, lorsque la base des pans n'est pas isolée du sol au moyen d'un sommier de roches calcaires, elle est vouée à une putréfaction rapide (Fig. 5-12). Ces précautions-là n'étaient peut-être pas toujours prises pour les porcheries ou les petites étables, mais les maisons étaient isolées du sol afin de les conserver le plus longtemps possible.

b) *le madrier sur le plat*

La technique de construction de la maison de bois s'est sans doute diversifiée au XIXᵉ siècle, mais nous ne pouvons nous en faire une idée claire, pour la simple raison que leur bâti est caché par un revêtement protecteur. Un informateur de Château-Richer m'a néanmoins assuré que sa maison était construite de madriers empilés sur le plat (Fig. 5-13) ; ses murs ont douze pouces d'épaisseur, en comptant le revêtement intérieur. La manière de les empiler varie en fonction de l'imagination créatrice des menuisiers qui ne cessent d'améliorer la construction. Je me suis laissé dire que les madriers sur le plat sont retenus par piles au moyen d'une barre de bois ou de fer enfoncée dans des orifices pratiquées ici et là dans la pile de madriers.

---

[26] É. BARBEROT, *Traité pratique de charpente*, p. 70.

[27] Dans « Types de maisons canadiennes », *Folklore, Cahiers de l'Académie canadienne-française*, nº 9, pp. 55–64, Marius BARBEAU suggère que « la construction de bois rond avec encognure en queue d'aronde [...] nous vient des États-Unis et ne remonte guère au delà de cent ans ». Il a sans doute raison, mais il faut bien dire que la construction de bois rond n'a pas les encognures à queue d'aronde. N'est-ce pas d'ailleurs à cause du fait qu'en identifiant *log cabins* à *queue d'aronde*, il ne peut croire que la pièce sur pièce ait existé dès le XVIIᵉ siècle, en même temps que le colombage ? Ce n'est pas la seule erreur importante qu'il fait. Il prend le colombage pour la pièce sur pièce et l'on voit bien que ce sont deux types architectoniques différents. Il dit encore que les poteaux en terre ne servirent que pour les dépendances : ce qui est encore faux, car ils furent utilisés dans des circonstances économiques précaires.

Figure 5–12   Maison de pièce sur pièce sur solage de pierre
Château-Richer (anonyme)

Arrêtons là cette description et venons-en au problème principal qui concerne l'humidité. Certains constructeurs l'ont résolu assez tôt. Le couvent des Récollets de Québec, par exemple, construit en bois au XVIIe siècle, était posé sur un solage de pierre[28]. Nous avons vu qu'en 1650 la maison de colombage de Nicolas Juchereau avait un solage de deux pieds de haut et celle de sieur d'Ailleboust d'un pied et demi; le marché de maçonnerie entre Benoist Ponsard et ledit sieur comprend les termes suivants:

> faire et fournir la Massonnerie dun bastiment dont la Charpente est présentement dressée a Lisle dorleans au lieu dit Argentenay Consistant en un corps de logis de quarante pied ou environ scavoir den faire le solage dun pied et demy ou environ selon la nécessite du lieu, remplir lentre deux de Colombages pierrotes, batir deux cheminées dans les pignons ou crouppe

Figure 5–13   Maison de madrier posé sur le plat
Château-Richer, milieu XIXe siècle (maison Philippe Gagnon)
Cette maison de bois posée sur un solage de pierre est de même style que les maisons de pierre de la même époque. Voilà une belle preuve de la prépondérance de l'aspect formel sur l'aspect purement matériel de l'objet.

---

[28] A. ROY, « Bois et pierre », *loco cit.,* p. 238.

qui monteront un pied au dessus du feste ou esguille, le Tout avec bon mortier de chauc [...][29].

Par contre, le solage de la maison du sieur Tourmente construite en 1658 est exceptionnellement haut. Voyons les termes du marché :

> faire et parfaire les ouvrages de Massonnerie [...] tant pour le solage de la Cave que led. Sieur Poyrier pourra faire eslever jusqua six pieds de hauteur sous Sollage si la commodité du lieu le permet ainsy que pour la cheminée et pierrottage. Et de faire icelle cheminée & masse d'ycelle de la largeur que

Figure 5–14   Maison de pièce sur pièce coulissante sur solage bas
Beauport, rang Sainte-Thérèse, début XVIIIe siècle (maison Guillot)
En dessous de ce lambris horizontal s'en trouve un autre à la verticale sur le mur de pièces.
La cheminée du premier plan est fausse et la rallonge, plutôt récente, sert actuellement de cuisine d'été ; remarquons aussi la symétrie des versants.
Tels sont les caractères importants de cette maison, en plus du solage de pierre qui est non seulement exceptionnel dans cette construction mais aussi dans la région de Québec.

---

[29] *Marché pour la massonne du bastiment d'Argentenay entre Ponsard et le Sr Louis d'ailleboust*, 24 août 1653, Guillaume Audouart, ANQ.

voudra led. sieur Poyrier Comme aussi de donner aux fondements et muraille de lad. Cave deux pieds despaisseur [30].

Il ne semble faire aucun doute que les gens à l'aise pouvaient se payer le luxe d'un solage de pierre dès le milieu du XVIIe siècle. Quant à la campagne, les spécimens de maisons de bois sur solage de pierre datant du milieu du XVIIIe siècle sont plutôt rares. En voici un cas dans la seigneurie de Beauport (Fig. 5–14). C'est une maison de pièces coulissantes, munies de poteaux de coin et intermédiaires (Fig. 5–15). Ici, le solage est très bas et passe inaperçu de la route si l'on ne porte pas une attention spéciale à ce détail précis.

Figure 5–15   Maison de pièce sur pièce coulissante sur solage bas
Beauport, rang Sainte-Thérèse, début XVIIIe siècle (maison Guillot)
Ce logis a subi de multiples réparations au cours de ses deux cents ans d'existence. La plus importante est la rallonge de neuf pieds, de la porte jusqu'au mur est. Avant 1910, la cheminée unique se trouvait presque vis-à-vis la porte actuelle alors qu'aujourd'hui elle se trouve au mur est. L'autre réparation a consisté dans le remplacement de la couverture de bois par une couverture de tôle en 1920.
Selon le propriétaire, il se trouverait un poteau intermédiaire entre les deux baies de gauche.

---

[30] *Marché entre Pierre Tourmente et Vincent Poyrier pour la masonnerie d'une maison,* 25 novembre 1658, J. B. Peuvret, ANQ.

En ce qui concerne le solage de pierre, il faut attendre le milieu du xixᵉ siècle pour qu'il atteigne partout cinq ou six pieds de hauteur et que, de la sorte, il soit parfaitement visible de la route (Fig. 5–16). À ce moment-là, le solage était rendu presque à son plus haut niveau. L'habitude étant acquise, on a continué de construire un solage de pierre, généralement de huit pieds, pour tous les bâtis de bois qui suivirent, soit dans les maisons à toit horizontal, les pignons sur rue ou dans tout autre modèle construit au xxᵉ siècle.

c) *le madrier sur le champ (chant ou cant)*

Nous terminerons cette étude de la maison de bois avec un bâti sur solage de pierre, par un exemple remontant au milieu du xixᵉ siècle. Il ne reste plus que nos dessins de cette maison, qui a été démolie en 1968 pour faire place à une station de service, longeant l'Avenue Royale, dans le domaine seigneurial de Beauport. Le solage en pierre calcaire est de vingt-quatre pouces d'épaisseur et de six pieds de hauteur. Sur ce solage se trouve une sole de huit pouces carrés seulement dont les coins sont assemblés à mi-bois.

Figure 5–16 Maison de bois sur solage de pierre élevé
Château-Richer, xixᵉ siècle (maison Ernest Larouche)

À quelques pouces au-dessous de la sole, sont scellées dans le calcaire cinq lambourdes de sept pouces par huit, en direction nord-sud comme les poutres supérieures. Celles-ci pénètrent simplement dans le madrier jusqu'au parement (Fig. 5–17).

Les murs n'ont pas de poteaux d'angle, mais des poteaux intermédiaires tenus fermement par un coin de fer au sommet et une ancre vis-à-vis deux poutres (Fig. 5–18, 5–19). Le pan de la façade est formé de deux travées de douze pieds de largeur au centre desquelles s'en trouve une de quatre pieds ; il y a donc assemblage coulissant aux poteaux de coiffe et juxtaposition pure et simple à mi-bois aux coins (Fig. 5–20). Au milieu du xixe siècle, la technique de construction basée sur les poteaux de coin était-elle disparue ? Cela est plausible et s'explique assez facilement par le fait que le solage de pierre, en plus d'éloigner le plancher inférieur de l'humidité, procurait des assises aussi solides que les poteaux.

Les trumeaux et les rebords des baies de fenêtre sont découpés par des madriers posés verticalement : deux contigus pour les trumeaux, un pour le rebord des fenêtres (Fig. 5–21).

Le raccordement entre l'assiette des murs façades et les chevrons se fait simplement par la sablière assemblée à mi-bois aux coins (Fig. 5–22), au-dessus de laquelle s'étend une rangée de madriers taillés en biseau sur la face supérieure, afin d'épouser la courbure du toit. Vis-à-vis les poutres, la sablière des murs frontaux est retenue par un blochet ou tirant de fer tordu et cloué sur les poutres (Fig. 5–23). Cette précaution s'était révélée nécessaire parce que les chevrons, encochés seulement à l'extrémité, reposaient sur la sablière qui avait alors trop tendance à déverser. Le seul entrait — de 7 pouces sur trois — à neuf pieds du plancher est enturé à mi-bois et ne réduit qu'à demi la poussée des chevrons assemblés à mi-bois au faîte. Il était d'ailleurs assez visible que les murs avaient subi certains assauts de la pesanteur du toit.

d) *revêtement et lambrissage*

Sur les murs frontaux, on a posé de l'écorce de bouleau entre le madrier et le lattis, et toutes les interstices étaient bouchées avec du foin. Les murs pignons, eux, étaient recouverts à l'extérieur par une épaisse rangée de planches puis de bardeaux, tandis qu'à l'intérieur le parement de plâtre (3/8″) était posé sur une couche de mortier de même épaisseur, dans laquelle on avait noyé des lattes de 1/8″ par 2″ posées horizontalement (Fig. 5–24).

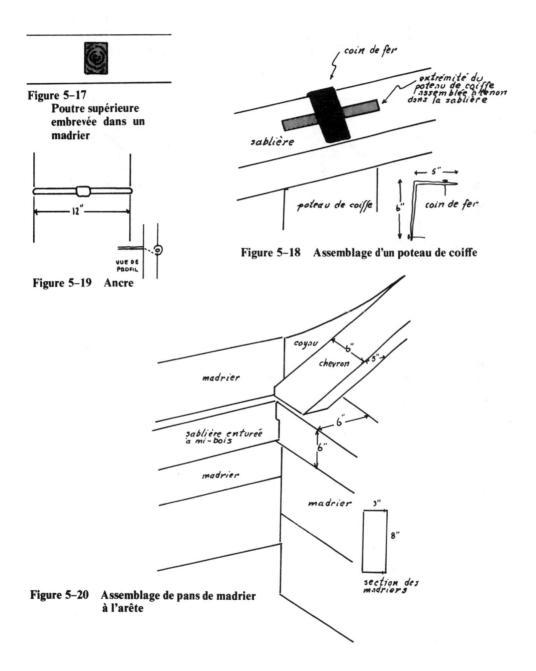

Figure 5–17
Poutre supérieure embrevée dans un madrier

Figure 5–19 Ancre

Figure 5–18 Assemblage d'un poteau de coiffe

Figure 5–20 Assemblage de pans de madrier à l'arête

Dessin : G. GAUTHIER-LAROUCHE

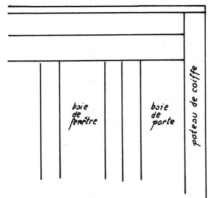

Figure 5–21   Trumeaux

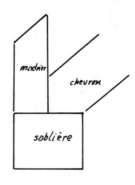

Figure 5–22   Chevron de rampant

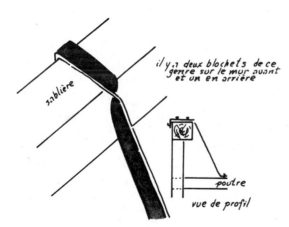

Figure 5–23   Blochet métallique

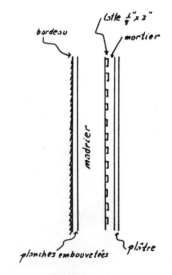

Figure 5–24   Coupe d'un pan en madrier

5) La maison de bois à types complexes

La réalité historique architecturale nous réserve quelques surprises. Qui eût pensé, par exemple, que les maisons de bois de l'époque traditionnelle pouvaient conjuguer deux types architectoniques? Et c'est bien ce que l'on constate très souvent. Voici trois exemples:

1) une maison de moitié de pièces sur pièces et l'autre de colombage de trente pied de long sur saize de large couverte de planche [31]

2) une vieille maison et chambre de colombage et les cotés de pieux de quarante pied de long sur vingt de large [32]

3) une maison de trente cinq pied dont la chambre de vingt pieds carré en maconnerie a un étage et cuisine de quinze pieds de long sur dix huit de large de colombage avec les planchers haut et bas portes ferrées le tout en bon état la dite maison couverte en bardeau [33].

Cela suffit à montrer que la réalité architecturale des XVIIe et XVIIIe siècles était beaucoup plus diversifiée que l'on est porté à le croire. Une double architectonique dans une même construction signifie avant toute autre chose que la maison est, par le fait même, un objet qui reflète pleinement le dynamisme de l'homme sans cesse influencé par sa condition matérielle imparfaite et insatisfaisante. Et, il ne serait pas surprenant que cette réalité, que les documents d'archives nous découvrent, fût la vraie et la plus répandue pendant une assez longue période.

L'usage continuel du bois signifie que la rigueur climatique ne l'a jamais vaincu. En d'autres termes, la maison de pierre qui a suivi n'a pas remplacé la maison de bois parce que celle-ci manquait de chaleur; le désavantage de la maison de bois était son manque de durabilité, et c'est pour cette raison qu'on a construit plus de maisons de pierre à partir du début du XVIIIe siècle, même à la campagne.

---

[31] *Inventaire des biens de Estienne Drouin,* 29 janvier 1741, Jacob fils, ANQ.
[32] *Inventaire des biens de François Trépanier,* 30 juin 1741, Jacob fils, ANQ.
[33] *Inventaire des biens de Prisque Gagnon,* 27 avril 1754, A. Crespin père, ANQ.

CHAPITRE VI

LA MAISON DE PIERRE
D'APRÈS LES MARCHÉS DE CONSTRUCTION

La maison de messire Louis d'Ailleboust

Le but de ce court chapitre est de fonder nos connaissances de la maison de pierre sur des bases solides, c'est-à-dire sur les marchés de construction de maisons rurales. Voici les termes d'un de ces marchés remontant à l'année 1651 [1] :

> Furent pnts en Leurs personnes Maurice Arrivé, Pierre Tourmente Jehan Nepveu Leonard Leblanc tous massons demeurans a Quebecq pais de la Nouvelle France ditte Canada Lesquels de leur gre pure franche volonté et ce sans aucune contrainte se sont obligez envers Messire Louis Dailleboust Lieutenant Gnal pour le Roy et Gouverneur en ce pais de faire et construire la massonnerie dung bastiment que Mond. Sr Le Gouverneur desire faire faire au lieu appelé Coulonge la Magdelaine ce marché faict a condition de payer par Mon. Sr le Gouverneur auxd desnommez cy dessus la somme de six cent livres tournois ce pour chaque toise tant plain que vuide qui se trouvera avoir esté faicte par les susdits entrepreneurs À condition que les murs seront de trois pieds jusques a rez de chaussée et de deux pieds du retz de chaussée jusques au comble Le tout bon loyal et subject a visite, comme aussi promets Mon. Sr Le Gouverneur de faire eschafauder es lieux qui se

---

[1] *Marché faict·par Monsieur Le Gouverneur avec Maurice Arrivé, Pierre Tourmente, Jean Nepveu et Leonard Leblanc*, 16 juillet 1651, G. Audouart, ANQ.

Universitas BIBLIOTHECA ttaviensis

trouveront necessaire et aussy de faire fournir aulx entrepreneurs touts les materiaux a ce necessaires sur Lechafault Yceluy Marché faict par les susd. desnommez avec Mon. Sr Le Gouverneur a Condition par eulx de commencé Yceluy bastiment au printemps de lannée Mil six cent cinquante deux pour continuer et lachevant jusques a fin et parfaict parachevement dud. bastiment et le tout sans discontinuer comme aussy sont demeurés daccord les susd. entrepreneurs et sobligent par ces pnts de ne travailler pour aulcune personne ny entreprendre aulcun travail pendant Yceluy bastiment si ce nest du gré et consentement de Mon. Sr Le Gouverneur ny mesme en aulcun marché quils pourroient avoir faict avec Les particuliers par cy devant A peyne de payer par eulx toult despens dommaiges et interets et Retardement de besogne et en faveur dud. marché a esté promis de donner auxd. entrepreneurs La quantité de dix pots deau de vie et a chacun desd entrepreneurs une paire de souliers francois et un pot de vin Le tout ainsy accordé entre Mon. Sr Le Gouverneur et Les susd. nommez Ce fust faict et passé au fort de St Louis de Quebecq Le seiziesme jour de juillet Mil six cent cinquante et ung Promettant Obligeant lesd. entrepreneurs pour lentretenement des presentes Ung seul pour le Touls ung chacun leurs biens presents et avenir et ce en presence de Flour Boujonnier et Nicolas Colson pris pour tesmoings lesquels ont signe avec Mon. Sr Le Gouverneur Les partyes a la reserve desd. arrive et Nepveu Lesquels ont déclare ne scavoir escrire ny signe et ce en presence de Moy Nott. Roy. soubsigné Le jour et an susd. et a aussy led. leblanc declaré ne scavoir escrire ny signe

Dailleboust
Boujonnier
Pierre Tourmente
N. Colson
Audouart Nott. Roy .

Les dimensions de la maison nous manquent, mais l'on peut supposer qu'elles devaient être impressionnantes puisque le sieur d'Ailleboust engage quatre maçons; ou peut-être voulait-il que l'ouvrage soit terminé assez rapidement. La main-d'œuvre est très coûteuse: six cents livres la toise, plus dix pots d'eau-de-vie, une paire de souliers français à chaque maçon et un pot de vin. Le gouverneur fournit aussi les échafauds et les matériaux nécessaires. De plus, il n'oblige pas les entrepreneurs à finir la construction dans un délai précis comme ce fut le cas, par exemple, avec le sieur de Bécancourt.

Pourtant, malgré plusieurs détails assez intéressants, il n'y a pas moyen d'utiliser ce marché pour la reconstitution graphique de la maison, puisque les détails relatifs à l'architecture sont trop peu nombreux. Nous savons seulement que les murs sont de trois pieds d'épaisseur jusqu'au rez-de-chaussée, et de là au comble, ils n'en ont que deux. Ces détails sont minces, mais il est fort utile de les connaître dès maintenant.

La maison du sieur Noël Gagnon

Pour avoir un bon marché de maison rurale, il faut atteindre l'année 1703[2]. C'est un marché trop important pour ne pas le présenter *in extenso* et, chose étonnante, il est incomparablement plus précis que le précédent qui avait été fait pour un bourgeois de la ville:

> Par devant Le Notaire royal en la prevoté de quebec Sous signé y residant et Témoins cy bas nommes furent presents le sieur Noel gagnon demeurant en la Coste de beaupré paroisse du Chateau richer dune part et le sieur pierre jensson dit lapalme entrepreneur douvrage de massonnerie demeurant en cette ville de quebec dautre part lesquelles partyes ont reconnu et Confessé avoir fait le marché qui suit, Cest a Scavoir que ledit Jensson promet et Soblige de faire et parfaire a dire dexperts et jens a ce connoissans et de rendre fait et parfait dans la fin du mois de juillet prochain un corps de logis de massonne de quarante huict pieds de long Sur trante deux pieds de large le tout de dehors en dehors Sur l'habitation dudit Sieur gagnon ou il fait Sa demeure Sur dix huict a vingt pied de haut plus ou moins ou environ Selon que ledit Sieur gagnon le jugera a propos depuis la fondation jusque au haut du Carré d'icelle laquelle massonne aura dans la fondation deux pieds et demye depoisseur jusque au retz de Chossée et depuis ledit retz de Chossée montant en haut reduit a deux pieds pour recevoir la charpente dans le millieu duquel Carré de massonne ou ledit Sieur gagnon jugera a propos ledit jensson fera un mur de refente depuis la fondation jusque au retz de Chossée Seulement qui aura dix huict poulces d'époisseur a sa deffinition a Lun desquels pinons il y aura une cheminée a lestage du retz de Chossée qui Sera Soutenu par des jambages et une voute Construitte dans la Cave, laquelle Cheminée Sera autant que faire ce pourra dans l'époisseur du mur et dans Lautre pinion il y aura pareillement une cheminée audit étage de retz de Chossée; lequel étage aura huict pied et demy entre deux planchers laquelle cheminée Sera aussy suportée dans la Cave par des jambages qui Composeront une autre cheminée dans la Cave preste a recevoir un four que ledit sieur gagnon fera construire dans un Coin de ladt. Cave quand bon luy Semblera le Tuyau de laquelle cheminée de Cave yra Se rendre dans celuy de la Cheminée de la Cuisine qui Sera au dessus laquelle cheminée de cuisine et Celle de lautre pinion Seront faittes

---

[2] *Marché de construction de maçonnerie de Noël Gagnon*, 28 février 1703, Louis Chambalon, ANQ.

de Telle largeur et hauteur de jambages que bon Semblera audit Sieur gagnon il y aura dans l'étage quatre Croissées a feuilleure par le dehors pour recevoir des Contrevents et une porte de Chaque Costé des deux lom pans le tout de piere de Taille et a platte bande droitte, il y aura dans la Cave du Costé de la Coste deux petites ouvertures pour donner jour a laditte Cave ; et du Costé de la greive quatre autres ouvertures en forme de fenestre longues aussy de piere de Taille Sans feuilleure, qui Seront de la largeur des dittes Croisées Sur la Hauteur quelles pourront porter, il y aura dans le mur de refant une porte de piere Taillée au marteau seulement, et au regard des Cheminées des deux pinions elles Seront Conduittes et élevées jusqua hauteur de Trois pieds et demy au dessus du festage propre a recevoir un Collombage de chaque Costé les Croisées dudit étage dont les portes Seront de pareille hauteur auront la largeur et hauteur proportion- née a l'étage Cy desus marqué et a Cette fin promet ledit jensson de Travailler et faire Travailler incessament à la Taille de la piere qui Conviendra Tant pour les jambages et plattes bandes des deux cheminées que des portes et fenestres ; Ce marche inssy fait a la charge que ledit Sieur gagnon promet et sera Tenu de fournir Toutte la piere Chaud. Sable maneuvre et de quoy échafauder led jensson et les ouvriers et generalement Tout ce qui Conmendre pour raison de ce ; ledit jensson nestant Tenu de fournir que la main de louvrier Seulement et outre cela Sera led. Sieur gagnon aussy Tenu de Nourir le dt. jensson et les ouvriers pendant Tout le Temps quils Travailleronts Tant a Tailler la piere qua la Construction dudt. batiment mesme les jours de feste et de dimanche et jours de mauvais temps encorre bien qu'ils ne pourront Travailler a Condition que ledit jensson Travaillera Sans discontinuation autempt que le beau temps le permettra et de luy payer outre ce pour chacune Toise de la dite massonne du Carré dans lequel Toisé l'ennemet [?] desdittes Cheminées jusque au Carré ne sera Compté avec ladossement que pour Simple Toise Couvante en Superficie comme lautre mur du Carré encorre bien quelle Soit Saillante hors lépaisseur dudit mur et ledt. mur de refan et les jambages et voutes qui seront dans la Cave a raison de Cinq livres par Chacune Toise en Superficie dans lequel Toisé Sera deduit et rabattu les Vuides Tant des Croisées et portes que fenestres qui seront faites de piere de Taille et bien entendu que les autres ouvertures qui ne seront pas de piere de Taille seront Toises Tant plein que vuide et au regard des deux Cheminées elles ne seront Toisées que sur une face depuis la définition du Carré jusque a leur fin que comme simple mur de face Sans Toiser de pourTour ny de Cossetiere, la Toise desquelles Cheminées aussy en Superficie le dit Sr gagnon promet payer audt. jensson a raison de six livres dix Sols par Toise sur lequel marché ledt. Sieur gagnon promet donner audt. jensson deux minots de bled ledt. ouvrage payable au Fur et mesure ; et comme la maladie Courante na encorre point attin la famille dudt. gagnon si elle arrivoit par la suitte a lataque luy ou sa famille de maniere quelle luy osta la liberté de pouvoir executer ledit marche Soit par une longue suitte de maladie ou autre Cause importante causées par la guerre ou autres accidents impreuvus est Convenu que lesdits Cas ou l'un deux que le present marche demeurera nul Sans que ledit jensson puisse pretendre aucun dommage et interest contre luy mais Seulement Sera ledit Sieur gagnon Tenu de luy payer Tout louvrage qui se Trouvera alors fait scavoir la piere de Taille a Feuilleure et autrement a raison de dix huict Sols de fasson pour chacun pied de piere et la massonne audit prix Cy dessus reglé bien entendu que laditte piere de Taille doit estre a legard de la fasson payée audt. jensson outre et pardessus le prix de la toise de massonne au susdit pris de dix huict Sols, Car Insy ont obligé renoncant fait et passé audt. quebec en lestude dud Notaire le vingt huict fevrier mil sept Cent Trois en presence des Sieurs guillaune gaillard et Claude paupret marchands Témoins demeurans audt. quebec qui ont avec lesdittes parties et Notaire Signe Cinq mots ratures ne vallent approuvé en interligne

> Noel Gagnon
> Pierre Janson dit Lapalme
> pauperet
> G Gaillard
> Chambalon

1) Les dimensions

Les dimensions sont considérables pour une maison rurale de l'époque (Fig. 6–1). Contrairement à la maison de colombage de 1654, celle-ci est un rectangle bien proportionné, dès le début. Or, deux ans après la construction, le notaire Jacob décrit ce bâtiment comme suit:

> Item sur laditte terre est construitte un logis en pierre construict de neuf de cinquante pieds de Long Sur vingt piedz de large dans lequel est deux chambre de plain pied et une cheminée portes et fenestres de pierre de taille couverte de bardeau

> Item au bout dudit logis est construit une chambre de Collombage de vingt quatre Sur laditte largeur dans laquelle Il y a une cheminée aussy de pierre de taille.

> Item une grange de soixante et dix pieds de Long et de Large vingt trois pied un bout de laquelle est couverte de bardeau et lautre bout [...] construict close de planches

> Item une estable de trente pieds de long et vingt de largeur closes de piesses sur piesses

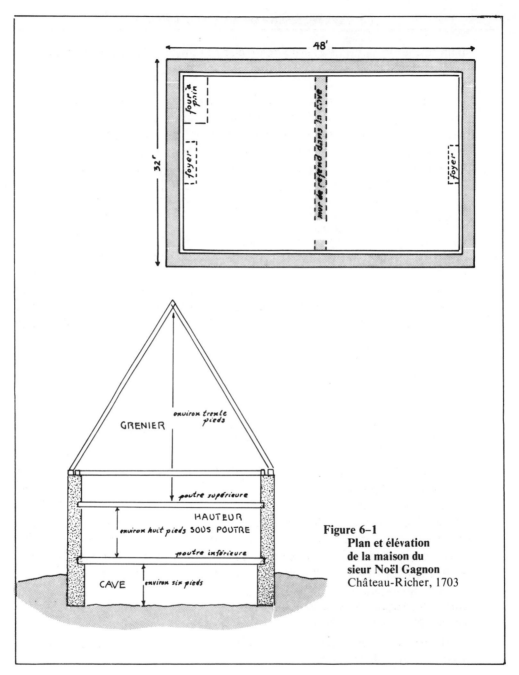

48'

32'

four à pain

foyer

mur de refend dans la cave

foyer

GRENIER — environ trente pieds

poutre supérieure

HAUTEUR SOUS POUTRE — environ huit pieds

poutre inférieure

CAVE — environ six pieds

Figure 6–1
Plan et élévation
de la maison du
sieur Noël Gagnon
Château-Richer, 1703

SOURCE: *Inventaire de 1703*

Dessin: G. GAUTHIER-LAROUCHE

> Item une autre vieille estable de trente pieds de long sur laditte largeur qui menace de Ruine [3]

L'habitation comprend donc une étable solide de grandeur moyenne, une autre étable de grandeur moyenne mais qui menace ruine et une grange aux dimensions très respectables pour le début du XVIIIe siècle (Fig. 6–2).

Avec la rallonge de colombage, la maison aurait soixante-quatorze pieds de longueur en tenant compte des cinquante pieds pour le logis de pierre au lieu des quarante-huit comme il se devrait, selon les termes du marché. Si le notaire se trompe aussi facilement, cela peut signifier que les dimensions de la chambre de colombage ne sont pas sûres. En tout cas, la longueur totale est de soixante-douze pieds si la longueur de la rallonge est la bonne. Mais l'erreur la plus flagrante concerne la largeur : au lieu de trente-deux pieds, le notaire en donne vingt.

Tous les notaires font-ils autant de fautes que Jacob ? L'on ne sait ; mais ces erreurs prouvent que les dimensions relevées dans la description des biens d'un particulier ne sont pas calculées à la corde. Cette preuve est doublement corroborée par le même notaire qui a refait un autre inventaire chez Noël Gagnon en 1708 [4].

> Item sur laditte terre est construicte une maison de pierre de Soixante et huict pieds y compris une chambre de Collombage Laditte maison de dix huict de Largeur Laditte chambre de vingt pied de largeur le tout Estant dehors cheminees et couverte de bardeau.

Là, les erreurs s'accumulent. La longueur totale est maintenant de soixante-huit pieds au lieu de soixante-douze, la largeur de la maison est de dix-huit pieds tandis que celle de la rallonge est restée à vingt (Fig. 6–3). L'on est alors en droit de se demander si le notaire ne procédait pas seul (ou à l'œil) lorsqu'il était rendu à la description des bâtiments, ou s'il attachait moins d'importance aux dimensions exactes des bâtiments qu'à l'inventaire lui-même de tous les objets. L'habitation de 1708 comprend en outre :

> Item une grange de soixante et dix pieds sur vingt quatre de large couverte en partye de planches et de paille closes de planches
>
> Item une autre grange de quarante pieds Sur dix huict de Large close sellement de planches

[3] *Inventaire des biens de Geneviève Fortin veuve de Noël Gagnon*, 4 août 1705, E. Jacob père, ANQ.
[4] *Inventaire des biens de Noël Gagnon*, 1er décembre 1708, E. Jacob, ANQ.

Item une estable closes de piesses sur piesses de quarante cinq pieds de longeur vingt pied de large couverte de paille

Item autre estable aussy de piesses sur piesses de Longeur de trente pieds sur laditte Largeur de vingt pieds et paraillement couverte de paille dans Laquelle est compris une escurie

Item une boullengerie [papier déchiré] métier à toile

Quant à la hauteur du carré, elle est approximative : « dix huict pied de haut plus ou moins depuis la fondation jusqu'au haut du Carré d'icelle ». Le

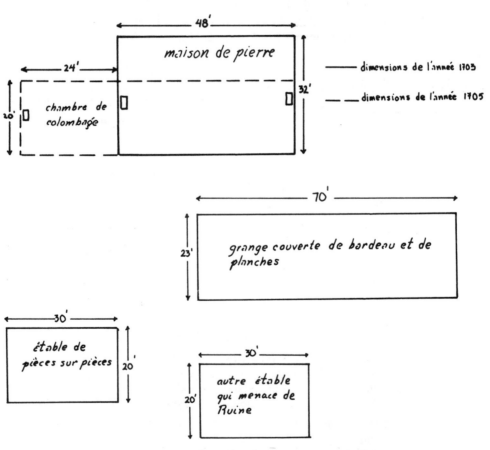

Figure 6–2   Plan fictif de l'habitation Noël Gagnon
Château-Richer, 1705

SOURCE : *Inventaire de 1705*   Dessin : G. GAUTHIER-LAROUCHE

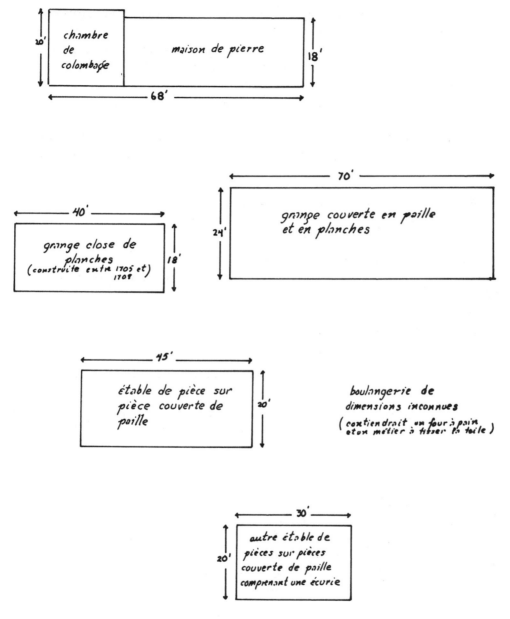

Figure 6–3 Plan fictif de l'habitation Noël Gagnon
Château-Richer, 1708

SOURCE: *Inventaire de 1708* Dessin: G. GAUTHIER-LAROUCHE

plan est construit d'après la hauteur de vingt pieds. Prenons six pieds pour la cave — ce qui est raisonnable — et mettons le niveau du sol à cinq pieds au-dessus des fondations, la hauteur visible du pan sera alors de quinze pieds, tandis que la distance qui sépare le sommet du mur du faîtage sera de vingt-sept pieds ; c'est presque la proportion de deux à un, l'angle du toit étant de soixante degrés.

L'angularité qui nous intéresse au plus haut point n'est toutefois pas mentionnée, l'avant-couverture non plus, fût-elle très courte. Mais nous avons vu qu'au début du XVIIIe siècle l'angle était de soixante degrés et l'avant-couverture inexistante. Nous sommes mieux fixés sur les détails qui suivent.

2) Les murs

Pour qu'ils soient solides, les murs ont trente pouces d'épaisseur, depuis la fondation jusqu'au rez-de-chaussée, là où, vis-à-vis le rétrécissement, pénètrent les poutres inférieures ; de là jusqu'à l'assiette, le mur est de vingt-quatre pouces. Dans la cave, le mur de refend est moins épais, mais il a quand même dix-huit pouces d'épaisseur. Dans ce mur se trouve une porte probablement située à l'une des extrémités.

3) Les feux

L'ouvrage le plus impressionnant de la maison est sans contredit les feux ouverts. Au rez-de-chaussée, les deux pièces, cuisine et chambre, ont toutes deux leur âtre dès la construction, chose rare au début du XVIIIe siècle chez un habitant, mais ici nous avons affaire à un habitant à l'aise pour construire une voûte dans la cave d'un mur pignon et, à l'autre pignon, dans la cave aussi, un autre foyer dont la hotte ira rejoindre celle du haut ; et, à ce foyer, il adjoint un four à pain dont l'axe central se trouve parallèle au mur. « Cheminée preste à recevoir un four » signifie qu'un côté de l'âtre est percé pour recevoir la porte du four et qu'une plate-forme d'environ trente pouces est là pour l'asseoir. Quand le four sera bâti, un côté de la cave deviendra alors un coin important dans la maison. Les trois foyers sont construits avec deux jambages et un linteau selon les dimensions préférées du sieur Gagnon.

4) Les ouvertures

Il y a quatres fenêtres à l'étage et deux portes, une sur chaque mur façade — détail à la fois intéressant et surprenant pour le début du XVIIIe siècle —, le

« tout de pier de Taille et a platte bande droitte ». Dans la cave, deux petites ouvertures « pour donner jour » et quatre autres de pierre de taille. En tout, douze ouvertures.

Ici, l'on constate une fois de plus qu'un marché de construction, si précis soit-il, ne l'est jamais assez pour reconstituer la physionomie réelle de la maison, qui dépend, avant tout, de l'angle du pignon, de l'avant-couverture et de l'enfigurage. Un marché n'est pas un plan d'architecte ni un dessin à main levée. C'est pourquoi il faut interroger les ruines et les maisons les plus anciennes afin d'appuyer sur d'autres bases notre étude sur l'évolution de la forme.

CHAPITRE VII

LA CHARPENTE
DE LA MAISON DE PIERRE

Pour comprendre l'évolution de la charpente de notre maison traditionnelle, il convient de faire une courte incursion dans la Normandie du XIVe siècle où une innovation importante s'est produite dans l'art de la charpenterie.

La double sablière

Avant le XIVe siècle, la charpente reposait sur arbalétriers. Elle consistait alors à mettre une superstructure de chevrons sur une structure d'arbalétriers; c'étaient deux rangées de pièces séparées par des pannes et des chantignolles qui retenaient les pannes. Les arbalétriers se joignaient au sommet près d'une panne de faîtage retenue par un poinçon, celui-ci allant s'embrever dans l'entrait de base. Entre l'entrait de base et la panne de faîtage, un entrait retroussé s'opposait à la flexion des arbalétriers vers l'intérieur. Ce type de charpente (Fig. 7-1) nécessitait des assiettes larges (1 m 10) et d'une épaisseur inutile pour la charge à supporter[1].

_____

[1] L. CLOQUET, *Traité d'architecture*, t. II, p. 6. À l'occasion du colloque des techniciens de la préservation des monuments historiques tenu à Québec au début d'octobre 1970, j'ai rencontré un ingénieur attaché à

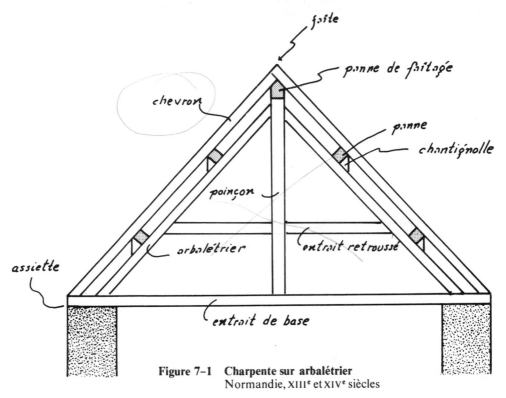

Figure 7–1   Charpente sur arbalétrier
Normandie, XIIIᵉ et XIVᵉ siècles

SOURCE : *Traité d'architecture* de L. CLOQUET

L'innovation de l'art normand consista à supprimer les arbalétriers, les pannes et les chantignolles, pour ne conserver que les chevrons. À la suite de ce perfectionnement, l'assiette des murs porteurs devait forcément être rétrécie.

Or, au XVIIᵉ siècle, et dans les premières charpentes du siècle suivant, on trouve un reliquat des arbalétriers dans les charpentes de nos maisons de bois. Nous avons vu, par exemple, dans la maison de colombage de 1654 que « les Soubs chevrons du comble porteront huict pouces en Quaré[2] » ; un autre marché fait en 1650 stipule que « les sous-chevrons seront de six à sept pouces

---

la restauration de Louisbourg ; en me dessinant un croquis de charpente, il me demanda si nous l'avions ici à Québec. Ce croquis représentait précisément la véritable charpente sur arbalétriers, commune, semble-t-il, dans les bâtiments de Louisbourg. Comme ce type de charpente a traversé l'Atlantique, même au début du XVIIIᵉ siècle, on peut se demander s'il ne s'était pas rendu à Québec, au début de la colonie, dans les constructions importantes en pierre.

[2] *Marché entre Guillaume Couillard et Martin Grouvel*, 15 juin 1642, Martial Piraube, ANQ.

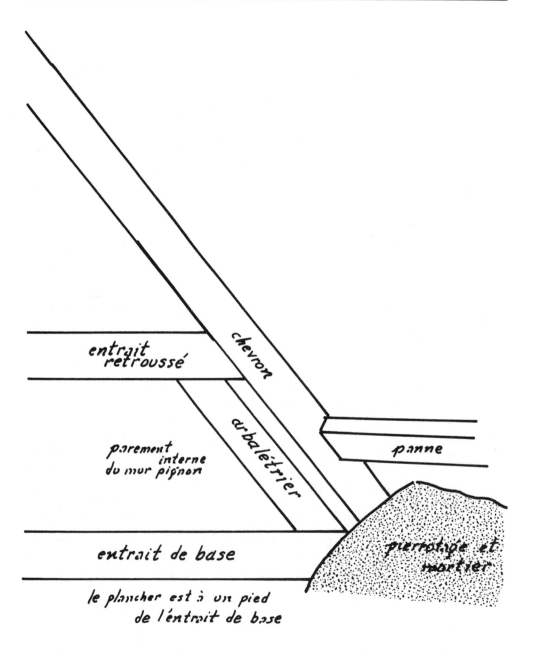

Figure 7–2   Charpente sur arbalétrier au pignon
Saint-Joachim, deuxième moitié du XVIIIe siècle

de Grosseur [3] ». Les sous-chevrons, appelés aussi chevrons volants, ce sont les arbalétriers posés surtout aux pignons entre la sablière et l'entrait retroussé. Ils n'allaient pas se rendre jusqu'au faîte, comme c'était le cas dans la charpente normande sur arbalétriers.

Dans la maison de pierre, c'était la même chose, du moins si l'on en juge par le seul exemple d'arbalétrier que nous ayions trouvé au Petit Cap dans une maison maintenant démolie [4]. Sur les deux murs pignons de cette maison, la sablière qui est, ici, l'entrait de base, courait à fleur de mur et les sous-chevrons étaient assemblés à tenon et mortaise dans la sablière et l'entrait retroussé (Fig. 7–2).

Il importe de remarquer que cet assemblage se trouvait tout près du parement interne des deux murs pignons ; dans ce cas, les chevrons de rampants extérieurs étaient superflus. Il se répétait ensuite au chevron de la ferme suivante dont l'entrait de base avait été coupé vis-à-vis le mur (Fig. 7–3). Inutile d'insister sur l'intérêt exceptionnel de ce comble qui marque un important épisode de l'évolution de la charpenterie en Nouvelle-France, du moins dans la région de Québec.

Chez Arthur Dussault [5], même si la charpente ne contient pas de chevrons volants, elle est aussi un exemple d'un grand intérêt. Le comble comprend six fermes (Fig. 7–4) — les deux des murs pignons longent les parements — toutes formées d'un entrait de base à seize pouces du plancher, d'un entrait retroussé au milieu de la course des chevrons et, enfin, d'un faux-entrait au-dessus de l'entrait retroussé. Il comprend en outre une panne de faîtage et un sous-faîte retenus à la verticale par trois assemblages de Croix-de-Saint-André. De plus, quatre poinçons relient la panne de faîtage aux entraits retroussés où ils sont assemblés à tenon et arrêtés (Fig. 7–5). Il est difficile de trouver un comble à deux versants aussi bien fait et parfait que celui-ci. Le détail important de cette charpente concerne l'entrait de base qui est enturé non pas dans une, mais dans deux sablières séparées par huit pouces de pierrotage et de mortier (Fig. 7–6).

Nous avons vu, dans le marché de construction de 1703, que l'épaisseur du mur était de vingt-quatre pouces depuis le plancher inférieur jusqu'au comble. Cet important détail architectonique est corroboré par l'exemple décrit chez Arthur Dussault et par certains autres recueillis dans la région de Québec. Le plus intéressant de ceux-là est celui de la maison d'Edmond

[3] *Marché entre Zacharie Cloutier et Mathieu Huboust*, 4 avril 1650, Guillaume Audouart, ANQ.
[4] Maison Joseph Bilodeau.
[5] Maison Arthur Dussault, Les Écureuils, début XVIIIe siècle.

Gauthier à Château-Richer[6]. Là aussi le mur est de vingt-quatre pouces d'épaisseur et l'assiette est formée de deux sablières de huit pouces carrés dans le prolongement des parements internes et externes. Entre ces sablières, l'espace de huit pouces qui reste est bourré de pierrotage et de mortier. Cette double sablière, formant plateforme mi-végétale mi-minérale, établit ainsi un lien solide entre l'élément minéral du mur et l'élément végétal de la charpente (Fig. 7–7). Elle est si importante que c'est autour de cette double sablière que gravite l'évolution de la charpente et des murs jusqu'au milieu du XIXe siècle.

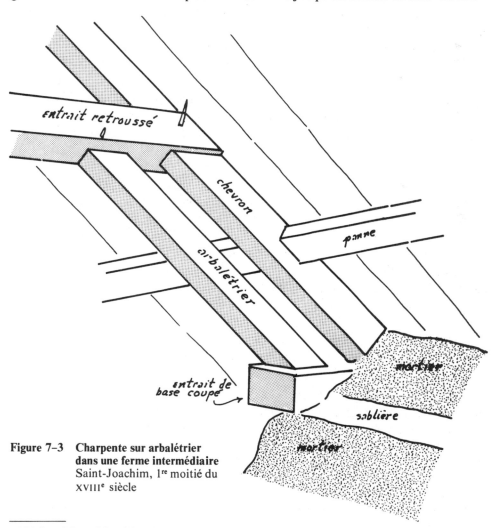

Figure 7–3 Charpente sur arbalétrier dans une ferme intermédiaire Saint-Joachim, 1re moitié du XVIIIe siècle

---

[6] Maison Edmond Gauthier, Château-Richer, XVIIIe siècle.

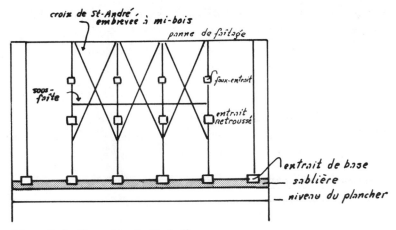

Figure 7–4   Coupe longitudinale d'une charpente
Les Écureuils, début XVIIIe siècle

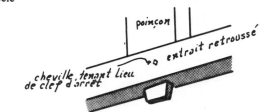

Figure 7–5   Poinçon
Les Écureuils, début XVIIIe siècle

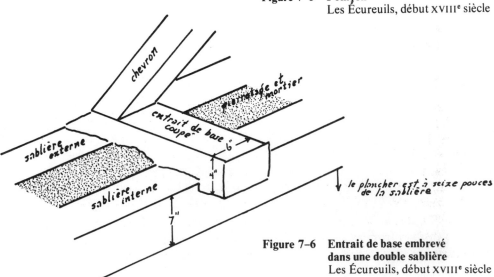

Figure 7–6   Entrait de base embrevé dans une double sablière
Les Écureuils, début XVIIIe siècle

Pourquoi l'entrait de base et les chevrons volants sont-ils des pièces exceptionnelles dans la charpente? Parce que dans une phase ultérieure ils furent remplacés par des assemblages moins compliqués rappelant les assemblages originels et aussi efficaces que ceux-ci. Ils furent remplacés d'abord par une entrait de base à chaque pignon (Fig. 7–8), parfois par une section d'entrait de base scellée dans les murs pignons encore (Fig. 7–9) et, enfin, par des blochets en forme de queue d'aronde (Fig. 7–10), à flancs parallèles (Fig. 7–11), ou par des blochets en équerre (Fig. 7–12). À leur tour, les blochets de bois furent remplacés par des blochets métalliques d'une tout autre forme.

Nous savons que la compression des chevrons a toujours besoin d'être annulée par un tirant quelconque afin d'empêcher le déversement de la sablière externe. L'entrait de base est sans contredit un très bon tirant puisqu'il complète le triangle isocèle du comble. Mais il faut se rendre compte qu'il alourdit la charpente et complique le travail des constructeurs et la pose du comble. On a substitué aux blochets de bois des blochets métalliques rivés sur la face externe de la sablière extérieure (Fig. 7–13), passés ensuite sur les deux sablières, pliés, puis cloués sur les poutres (Fig. 7–14). Cette technique qui remonte au début du XVIIIe siècle, s'est avérée très efficace (Fig. 7–15), puisqu'elle n'a guère varié jusqu'au milieu du XIXe siècle tout en ayant contribué à influencer la charpente.

La sablière unique

Il ne faudrait pas croire, toutefois, que toutes les maisons du début du XVIIIe siècle eurent invariablement deux sablières. On en trouve aussi à une seule, même parmi les premières du XVIIIe siècle, surtout dans les toits en croupe. Voici un exemple relevé dans un toit à deux versants[7]. Les murs porteurs ont vingt-quatre pouces d'épaisseur, mais la sablière est passée de huit à douze pouces et elle est posée dans le prolongement du parement externe. En plus, des blochets de fer et une ancre la retiennent aux poutres (Fig. 7–16). Cet arrangement annonce une innovation radicale qui se produira vers la fin du XVIIIe et au début du XIXe siècle.

Au tournant du XIXe siècle, en effet, les murs porteurs n'ont généralement plus vingt-quatre pouces d'épaisseur à l'assiette. À partir de la poutre supérieure, ils rétrécissent deux fois de six pouces, pour finir à douze. Sur l'assiette, on pose une sablière de même largeur portant huit pouces

---

[7] Maison « La Source », rang Sainte-Thérèse, Beauport.

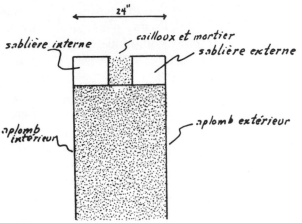

Figure 7–7   Double sablière
Château-Richer, XVIIIᵉ siècle

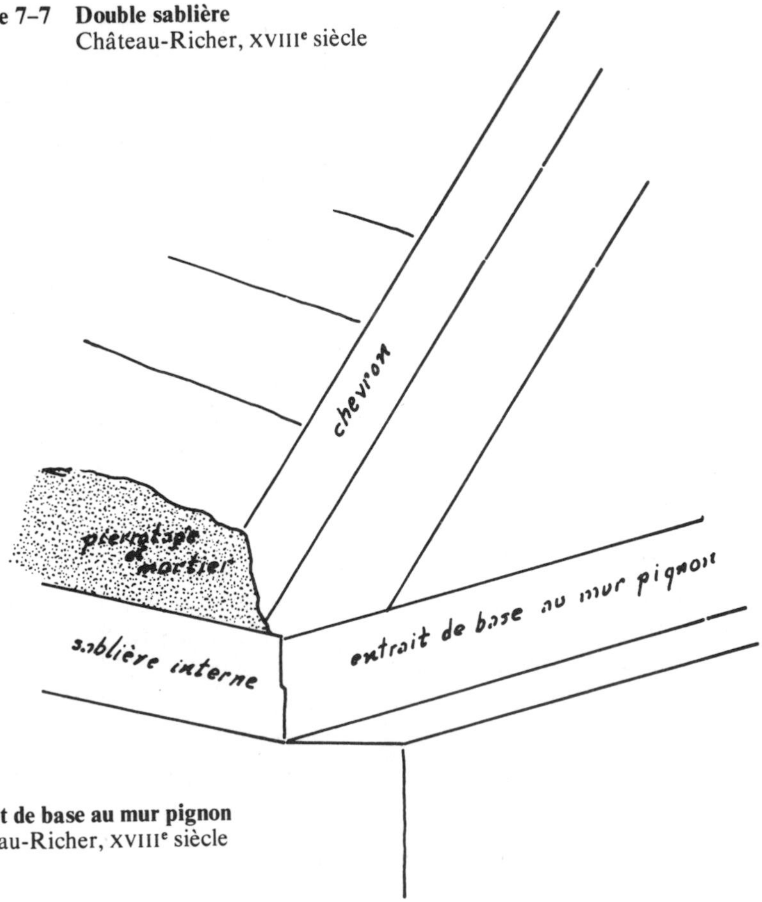

Figure 7–8   Entrait de base au mur pignon
Château-Richer, XVIIIᵉ siècle

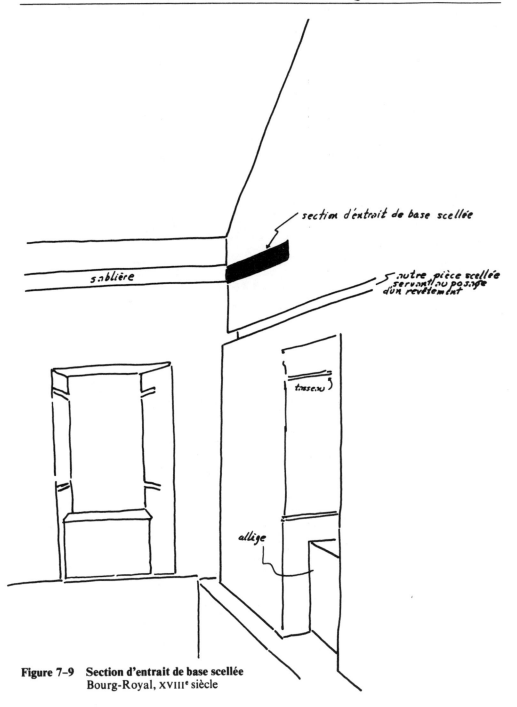

sectim d'entrait de base scellée

sablière

autre pièce scellée
servant au posage
d'un revêtement

tasseau

allège

Figure 7–9   Section d'entrait de base scellée
Bourg-Royal, XVIIIe siècle

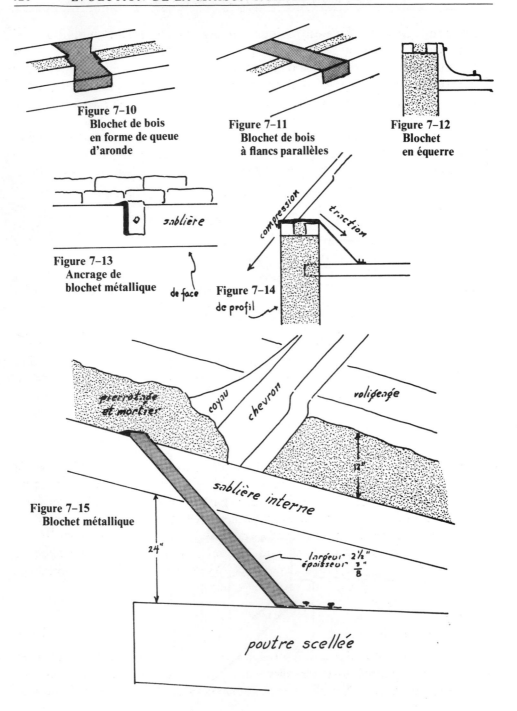

Figure 7–10
Blochet de bois
en forme de queue
d'aronde

Figure 7–11
Blochet de bois
à flancs parallèles

Figure 7–12
Blochet
en équerre

sablière

Figure 7–13
Ancrage de
blochet métallique

de face

compression

traction

Figure 7–14
de profil

pierrotage
et mortier

coyau

chevron

voligeage

12"

sablière interne

Figure 7–15
Blochet métallique

24"

largeur 2½"
épaisseur ⅜"

poutre scellée

d'épaisseur. Cette sablière est toujours retenue par un blochet métallique et, comme cela se fait depuis le premier quart du XVIIIᵉ siècle, une rangée de roches calcaires de douze pouces d'épaisseur termine le mur, afin d'envelopper de pierres les bouts des chevrons. Et, pour noyer solidement la liaison pierre-bois, on bourre le ravalement de mortier et de pierrotage, précisément entre la dernière rangée de pierres et le plancher (Fig. 7–17).

Cette habitude fut assez répandue pour que cette masse de pierrotage et de mortier en vînt même à procurer une nouvelle forme à la partie supérieure du mur (Fig. 7–18). Mais, pour la réaliser, il fallait un peu baisser la sablière, afin de l'enrober le mieux possible dans l'élément minéral (Fig. 7–19) tout en la maintenant encore avec un blochet ou une tige métallique. On peut dire que cette technique d'assemblage des chevrons, portant sur un parement interne courbe, constitue l'aboutissement d'une évolution architectonique importante et originale au niveau de la sablière.

Les sections transversales

L'amélioration graduelle de la liaison du minéral au végétal, au sommet des murs, n'alla pas sans influencer les assemblages de la charpente elle-même. Seules les poutres inférieures restèrent isolées des transformations qui se produisirent au niveau supérieur.

1) Les lambourdes ou poutres inférieures

La technique du scellage des poutres inférieures n'a pas changé depuis le début du XVIIIᵉ siècle, jusqu'au moment où elles percèrent les murs d'un parement à l'autre, ce qui s'est produit à partir du deuxième quart du XIXᵉ. Durant cette période de cent cinquante ans, les poutres inférieures, de dix à douze pouces carrés au moins, formées parfois de troncs non équarris, étaient tout bonnement posées dans le mur jusqu'à une profondeur de dix pouces, puis scellées dans des pierres bien découpées. Avec le temps, la section de ces poutres se stabilisa entre huit et onze pouces.

2) Les poutres supérieures

Les poutres supérieures de six pouces sur huit et posées sur le « cant » sont toujours plus petites que les précédentes et sont séparées des poutres inférieures de six ou sept pieds vers le début du XVIIIᵉ siècle, et de huit ou neuf

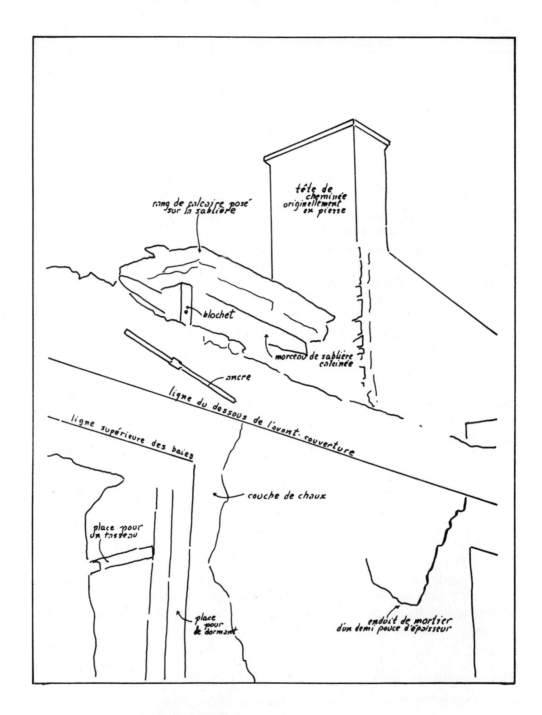

Figure 7–16   Ancre et blochet métalliques
Beauport, XVIIIe siècle (dessin « La Source »)

Figure 7–16a **Ancre et blochet métalliques**
Beauport, XVIIIe siècle (photographie « La Source »)

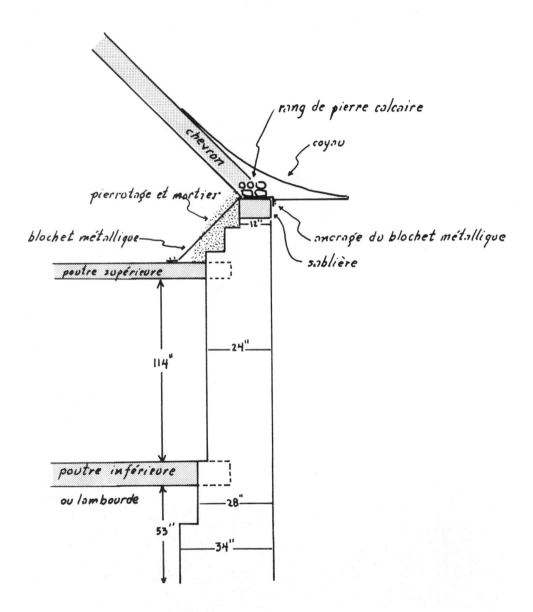

Figure 7–17   Coupe d'un mur frontal
Ange-Gardien, début XIXᵉ siècle

vers 1850. Scellées à environ neuf pouces dans les pans maçonnés, elles sont toujours parfaitement équarries et restent apparentes dans la cuisine et la chambre, et forment les éléments décoratifs par excellence de l'intérieur d'une maison canadienne. Dans de rares cas, elles sont criblées de dessins de toutes sortes : trèfles, fer à cheval, maisons, fleurs [8], etc.

Durant un certain laps de temps, les poutres supérieures, elles aussi, restent isolées de la charpente. Pour cette raison, les fermes complètement triangulaires durent être plus répandues qu'on ne le croit au début du XVIIIe siècle, en dépit des deux seuls spécimens montrés plus haut et malgré l'absence d'inventaire de cette sorte de charpente qui nous donnerait une meilleure idée de l'étendue de ce trait architectonique.

Quoi qu'il en soit, les chevrons butaient à l'origine, non pas sur la sablière externe, mais sur l'entrait de base (Fig. 7–6), celui-ci étant séparé du niveau des poutres d'environ vingt-deux à vingt-six pouces (Fig. 7–20). Dans une ferme de ce genre, c'est l'entrait retroussé, posé à peu près au tiers du versant

Figure 7–18 Parement interne courbe
Villeneuve, fin XVIIIe siècle (maison Thomas Marcoux)

[8] Maison Adélard Simard, Sainte-Anne de Beaupré, XVIIIe siècle.

en partant de la base, qui subissait la traction vers l'intérieur ; pour réaliser ce genre de ferme, il fallait trouver des assemblages solides.

Le meilleur consiste en un assemblage de moise chevillé, assemblage qui se retrouve aussi bien dans les toits en croupe que dans ceux à deux versants (Fig. 7–21). De toute manière, avec ou sans entrait de base, l'entrait retroussé est presque toujours moisé ; dans certains cas, il pénètre à tenon dans une mortaise perpendiculaire à la pente des chevrons (Fig. 7–22). Comme cet assemblage ne réussit pas à entraîner vers le dedans toute la compression des fermes, une partie de la traction se perd et les pièces se disloquent légèrement. Enfin, certains entraits retroussés sont très efficacement enturés à mi-bois et à demi-queue d'aronde chevillée (Fig. 7–23).

Au-dessus de l'entrait retroussé, il y a encore de la place pour poser une autre pièce appelée faux-entrait. Mais comme la compression diminue vers le haut, la traction à lui faire porter est beaucoup moins grande que dans la première. D'ailleurs, sa principale fonction n'est pas de tirer les chevrons, mais de les tenir en place. Aussi, est-il simplement assemblé à tenon et chevillé ; telles sont les trois pièces horizontales importantes d'une charpente complète.

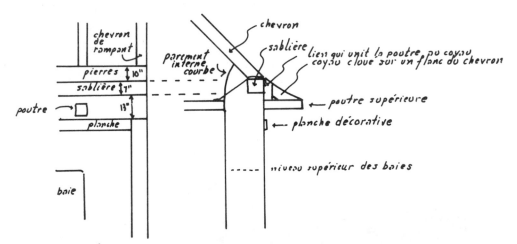

Figure 7–19   Élévation et coupe d'un parement interne courbe
Villeneuve, fin XVIIIe siècle

Généralement les planchers sont constitués de planches de deux pouces et demi d'épaisseur par dix à douze pouces de largeur et variant de huit à douze pieds de long.

Certaines maisons ont pu avoir un faux plancher comme dans le manoir Niverville à Trois-Rivières, formé de madriers arrondis en dessous, de quatre pouces d'épais, huit de large et cinq ou six pieds de long. Chaque madrier a un assemblage mâle et femelle et leurs abouts chanfreinés reposent sur une solive. Du plâtras est étendu sur ce grossier faux plancher, et les planches du plancher sont étendues sur de petits soliveaux cloués sur les solives.

L'angle du pignon demeura à soixante degrés aussi longtemps que la partie supérieure resta à l'écart de la charpente. À partir du moment où les charpentiers s'aperçurent que l'entrait de base pouvait être enlevé et remplacé par un blochet de fer à traction plus efficace que l'entrait de base, l'angle du pignon commença à baisser. Cet abaissement se produisit en dépit du fait que la charpente pèserait maintenant de tout son poids sur la sablière externe.

La substitution de l'entrait de base par le blochet de fer constitue donc, à n'en pas douter, l'innovation la plus importante de l'art de la charpenterie, du moins dans la région de Québec puisque, à partir de ce moment-là, la poutre supérieure, en s'intégrant à la charpente, se trouva à remplacer avantageusement l'entrait de base comme pièce de traction. La poutre supérieure est alors

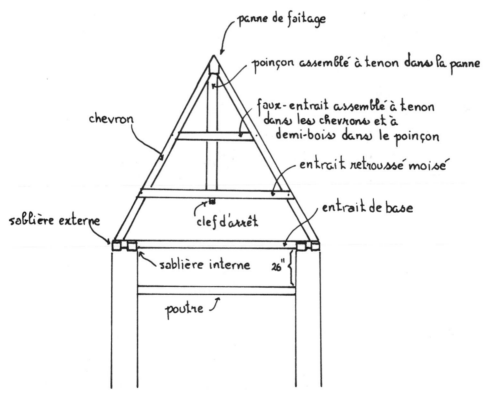

Figure 7–20 Charpente séparée des poutres
Les Écureuils, XVIIIᵉ siècle

passée de simple pièce séparatrice à pièce de traction, vers le premier quart du XVIIIe siècle et, par le fait même, elle allégea la charpente de cette pièce encombrante qu'était l'entrait de base (Fig. 7-24).

Le blochet métallique se révéla même si efficace que le faux-entrait fut supprimé lui aussi un peu plus tard, toute la charge de traction étant portée par un entrait retroussé bien assemblé et de solides ancrages aux poutres. Dès lors, on pouvait baisser les chevrons presque à volonté, en procurant une légère encoche à la sablière dans laquelle venait buter le tenon du chevron et en opposant, à l'angle d'une ferme, un blochet de fer formant un angle droit.

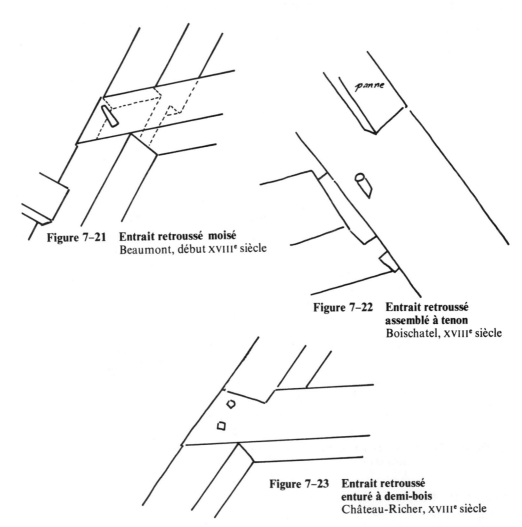

Figure 7-21   Entrait retroussé moisé
Beaumont, début XVIIIe siècle

**Figure 7-22   Entrait retroussé
assemblé à tenon**
Boischatel, XVIIIe siècle

**Figure 7-23   Entrait retroussé
enturé à demi-bois**
Château-Richer, XVIIIe siècle

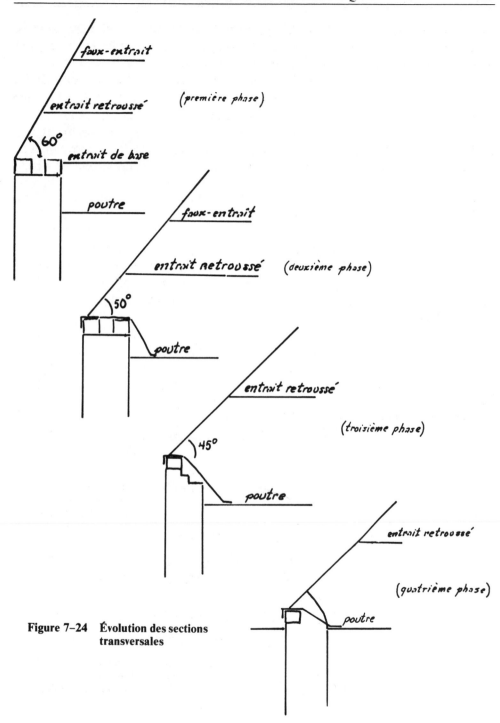

Figure 7–24   Évolution des sections transversales

En s'intégrant à la charpente, la poutre supérieure fut alors progressivement exhaussée; d'une trentaine de pouces qui la séparait de la sablière au début de l'évolution, c'est-à-dire avant le XVIIIe siècle, elle se trouva à vingt-quatre pouces assez longtemps, et s'approcha jusqu'à douze pouces vers la fin de l'évolution, au milieu du XIXe siècle.

Les sections longitudinales

L'allégement transversal de la charpente se répercuta en même temps sur les sections longitudinales, dont la fonction consiste à empêcher un déplacement du comble vers l'un ou l'autre des deux pignons. Dans la charpente sur arbalétriers, on le sait maintenant, la panne de faîtage était reliée par un gros poinçon à l'entrait retroussé. Or, dans nos charpentes triangulaires originelles, la structure longitudinale s'apparente là aussi à la charpente normande du XIVe siècle. S'y trouvent, en effet, la panne de faîtage, un sous-faîte et des poinçons qui unissent le faîte au faux-entrait (Fig. 7–25). Telles sont les trois pièces essentielles auxquelles il faut en adjoindre d'autres non moins importantes dont la fonction est de tenir d'aplomb ces grands morceaux: les Croix-de-Saint-André, les entretoises et les liens de toutes longueurs.

Il va sans dire que les toits en croupe étaient constitués d'une charpente plus compliquée que les toits à deux versants au début du XVIIIe siècle. On s'en rend compte d'après la description succincte qui suit[9]. Les pièces les plus importantes sont sûrement les poinçons (Fig. 7–26) qui soutiennent la panne de faîtage, tout en étant embrevés, chevillés et arrêtés aux entraits (Fig. 7–27). Les poinçons aux bouts de la panne de faîtage reçoivent, en plus, le chevron de croupe et les deux chevrons corniers ou aretiers — certains menuisiers disaient « héritiers » — qui s'amenuisent graduellement jusqu'au sommet. Entre la panne de faîtage et les faux-entraits, se situe le sous-faîte assemblé à tenon; les Croix-de-Saint-André relient enfin ces deux importantes pièces parallèles et les empêchent de jouer (Fig. 7–28).

Dans les toits à deux pentes, la charpente originelle n'est jamais aussi massive que dans le toit en croupe. Les pièces qui n'y entrent pas sont les chevrons corniers, les chevrons de croupe et les empanons (Fig. 7–29) — chevrons situés entre le chevron cornier et la sablière — dont le nombre varie en fonction de la diminution de la pente des chevrons corniers. Mais comme les croupes originelles étaient presque verticales, elles ne contenaient pas d'empanons. S'il y a des poinçons dans les toits à deux pentes, c'est un signe

---

[9] L'exemple provient de la maison Luc Lacourcière, Beaumont, début XVIIIe siècle.

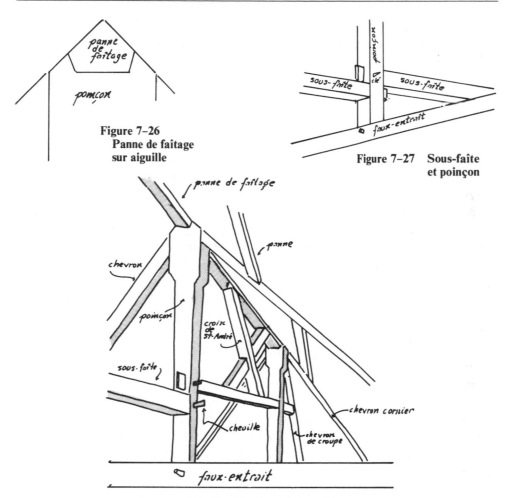

**Figure 7–26
Panne de faîtage
sur aiguille**

**Figure 7–27   Sous-faîte
et poinçon**

Figure 7–25   Comble d'un toit à pavillon
Beaumont, début XVIIIe siècle

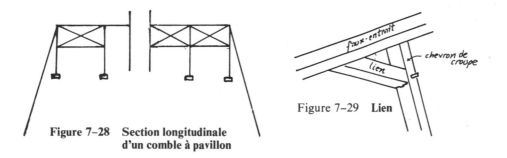

**Figure 7–28   Section longitudinale
d'un comble à pavillon**

Figure 7–29   **Lien**

évident que la charpente est ancienne — début XVIIIe siècle et même avant — puisqu'ils supportent la panne de faîtage, et que dans ce cas aussi il y a un sous-faîte.

Ainsi, dans les toits en croupe ou à deux versants, il est clair que la charpente originelle, séparée de la poutre supérieure, constitue un édifice en lui-même, vraiment conçu et réalisé à côté de la maçonnerie comme un jeu de blocs géant hissé sur les murs, d'un seul mouvement. Mais on peut se demander pourquoi l'on a construit si massivement au début? D'abord et avant tout parce que la charpente lourde était un élément culturel de l'époque médiévale. Cette filiation normande explique d'emblée bien des choses avant même de tenir le climat, disons le vent, responsable de cette surcharge architectonique.

La suppression progressive des poinçons et du sous-faîte, en un premier temps, puis de la panne de faîtage, en un second (Fig. 7–30), peut paraître étrangère à l'incorporation des poutres supérieures à la charpente, mais il n'en est rien. En fait, lorsque les poutres s'intégrèrent à la charpente, celle-ci devint aussi solide qu'auparavant, étant donné que les attaches étaient bien distribuées et que les pannes — rarement des perchaudes — suffisaient à tenir les fermes à distance égale. Ces pannes qui se trouvaient scellées dans les murs pignons sont très souvent apparentes lorsque le mortier est décapé. Plus tard au XVIIIe siècle, elles s'arrêteront en deçà des murs pignons tandis qu'un chevron de rampant prendra place sur le rebord des pignons (Fig. 7–31 et 8–5).

En somme, la charpente indépendante et lourde des premiers temps fut remplacée par une charpente progressivement plus légère et intégrée aux poutres. De plus, le comble ne fut pas seul à s'alléger. Les pièces elles-mêmes rapetissèrent: de six ou sept pouces carrés qu'elles étaient dans les premières charpentes, elles diminuèrent lentement de moitié jusqu'au milieu du XIXe siècle. Pourtant, toute cette évolution s'est produite dans le même climat et sous les mêmes vents qu'au XVIIe siècle; voilà l'important et l'essentiel à retenir.

Au terme de ce chapitre, nous avons acquis un certain nombre de certitudes, à propos de la charpente de la maison de pierre. En voici le résumé.

1° La lutte ou l'adaptation aux vents s'est réalisée dans la simplification de la charpente, proportionnellement à l'accroissement de sa solidité.

2° La conception de la charpente a influencé la technique de sa pose; au début c'était une opération unique, parce que le toit était vraiment une construction individualisée. Mais, vers la fin de l'évolution, la pose se fit par des opérations successives, c'est-à-dire ferme par ferme.

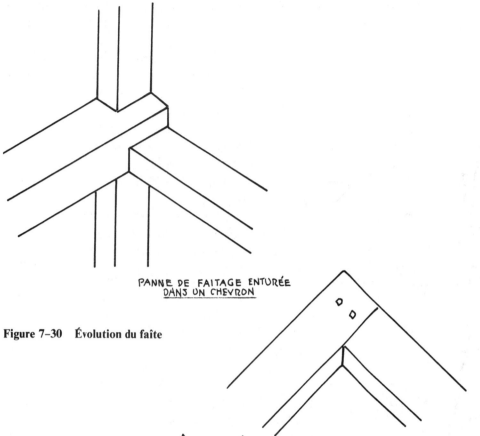

PANNE DE FAITAGE ENTURÉE
DANS UN CHEVRON

Figure 7–30   Évolution du faîte

FAÎTE FORMÉ PAR L'ASSEMBLAGE DE DEUX CHEVRONS

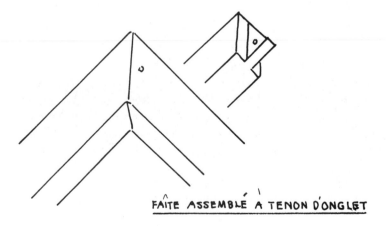

FAÎTE ASSEMBLÉ À TENON D'ONGLET

3º La diminution de l'angle du toit, quinze degrés en cent cinquante ans, n'est pas due à un caprice de charpentiers, mais à la poursuite incessante d'une amélioration technique (Fig. 7–24). Nous n'oublierons pas cette donnée, lorsque nous étudierons d'autres aspects de la maison, le larmier, par exemple, avec l'une ou l'autre des sous-composantes climatiques.

4º Le perfectionnement technique étant une opération lente, on en voit les changements de mieux en mieux à mesure que le moment entre deux constructions s'agrandit. Ainsi, l'on peut s'attendre d'avoir une charpente légère en entrant dans une maison de 1850, et une charpente lourde dans une construction de 1720. L'écart temporel est assez long pour justifier une différence marquée dans les deux charpentes. Mais lorsque cet écart est minime, une charpente construite vingt ans plus tôt qu'une autre peut ne pas être plus lourde que la plus récente, pour la simple raison que tous les charpentiers ne changent pas leur technique en même temps. Il faut un certain laps de temps, en effet, pour qu'une technique se généralise dans un territoire donné ou dans une partie de ce territoire. C'est ici qu'intervient un réseau d'influences minimes ou secondaires qu'il est absolument impossible de déceler, même avec le recul du temps, d'autant plus que la période d'évolution proprement dite n'est que d'un siècle et demi.

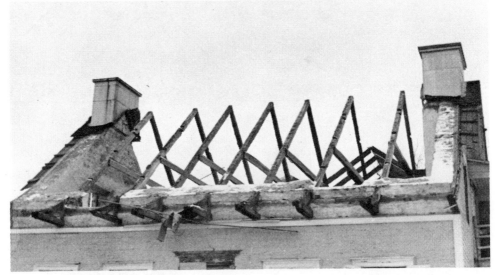

Figure 7–31   Chevron de rampant
Villeneuve, fin XVIIIᵉ siècle (maison Thomas Marcoux)
Notons la minceur des chevrons assemblés à demi-bois au faîte et le chevron de rampant sur le mur pignon de droite.

CHAPITRE VIII

LES MURS,
LE CHAUFFAGE ET LES OUVERTURES
DE LA MAISON DE PIERRE

Les murs

Considérés en rapport avec la charpente — c'est d'ailleurs comme cela qu'il faut les voir — les murs ont diminué d'épaisseur entre le plancher supérieur et l'assiette, afin de s'ajuster à l'unique sablière. Entre les deux planchers, ils n'ont jamais eu plus de vingt-quatre pouces, et en dessous des poutres inférieures, l'empâtement a atteint trente-six pouces dans les grandes maisons du XIXᵉ siècle.

Or, l'affinement de la construction des murs s'est produit en même temps qu'une amélioration technique importante, bien qu'inapparente. Au début de l'évolution, l'appareil est irrégulier, c'est-à-dire que les roches granitiques de formes et de grosseurs variables sont enrobées de mortier et disposées sans litage. Parfois même certaines grosses pierres font parpaing, boursouflent les murs et alourdissent la construction. Leur inconvénient principal est de ne pas arrêter le froid. En effet, si le parement externe refroidit, le parement interne en est influencé et se couvre de frimas, puisque la pierre est conductrice aussi bien du froid que de la chaleur.

Progressivement, l'on a posé des roches moins émoussées aux deux parements et du pierrotage assez grossier entre les deux, mêlé à du blé [1]. C'est

---
[1] Maison Joseph Latouche, Villeneuve.

sans doute cette section centrale qui a donné l'idée aux maçons d'aérer davantage l'intérieur des murs en y introduisant une véritable chambre d'air ; c'est ce qu'on nomme l'appareil régulier (Fig. 8-1). Il consiste à séparer l'épaisseur des murs en trois rangs de huit pouces : le parement externe, une chambre d'air composée de petit pierrotage et de mortier, et, enfin, identique au premier, le parement interne. Cet appareil convient bien au calcaire, mais lorsque ce sont des pierres cristallines, elles sont peu émoussées et souvent elles sont équarries sur trois faces : sur celle de parement, celle de joint et celle de lit, la queue laissée intacte dans la chambre d'air. En conséquence, et contrairement à l'appareil irrégulier, les deux parements sont lisses et verticaux, mais, dans certains cas, ils accusent un fruit vers l'intérieur.

Bien que les pierres soient anguleuses, elles ne sont pas pour autant posées en assises ; certaines, couchées à l'horizontale, en joignent d'autres plutôt carrées et forment une mosaïque compacte cimentée de mortier très solide (Fig. 8-2). En outre, les dimensions des pierres varient avec la place qu'elles occupent dans le mur. Du sol jusqu'au niveau des sablières, tant sur les murs pignons que sur les murs façades, les pierres, plutôt carrées, ont de huit à dix pouces de côté, et les rectangulaires, environ dix de longueur par six à huit d'épaisseur. De la sablière jusqu'au faîte, elles ont moins de dix pouces de longueur et rarement plus de quatre pouces de largeur si elles sont rectangulaires ; les carrées n'ont que cinq à huit pouces de côté (Fig. 8-3). Enfin, le long des rampants où les matériaux sont encore plus petits, l'angle droit, formé par la superposition de deux pierres, est comblé avec un conglomérat de mortier et de petits cailloux pour lisser l'épaisseur du mur.

Aux arêtes des quatre murs, de même qu'aux recoins intérieurs, les pierres sont beaucoup plus grosses qu'à tout autre endroit (Fig. 8-4). Elles peuvent être des blocs de granit, longs de trente-huit à quarante pouces et épais de treize. Des arêtes jusqu'au milieu des murs, elles diminuent de longueur, puis elles s'approchent un peu plus des dimensions moyennes des matériaux. Une telle disposition des roches, appelée chaîne, était essentielle pour raffermir les arêtes lorsque la maison était haute. Dans l'appareil irrégulier, de telles chaînes existent aussi, mais elles sont plus bosselées et parfois plus hautes sur le parement extérieur que sur l'autre.

De toute façon, le point important dans la construction de l'appareil est qu'on soit parvenu à se débarrasser du frimas. À cet égard, la chambre d'air dans la maçonnerie régulière, composée de granit ou de calcaire, constitue une amélioration très appréciable sur l'appareil irrégulier. La tendance générale au XVIIIᵉ siècle, une fois la maison achevée, consistait ensuite à enduire les murs d'une couche de mortier d'un bon demi-pouce d'épaisseur, blanchi avec

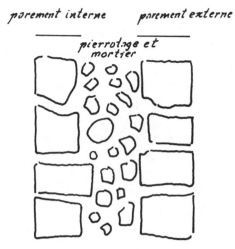

Figure 8–1   Appareil régulier à chambre d'air
Saint-Joachim, XVIIIe siècle

Figure 8–2   Appareil régulier (coin sud vu de l'intérieur)
Saint-Joachim, début XVIIIe siècle

Figure 8-3   Appareil régulier
Beauport, rang Sainte-Thérèse, début XVIIIᵉ siècle (« La Source »)

Cliché : Florent TREMBLAY

de la chaux hydratée (Fig. 8–5). Indispensable pour procurer aux murs de meilleures capacités calorifiques, le mortier s'ajoutait alors à une maçonnerie solide pour affronter le froid et les vents dominants de l'hiver.

Dans certains cas, on allait plus loin en lambrissant soit les deux murs pignons, soit le mur latéral le plus exposé au froid, au complet ou la moitié. On posait des colombages tous les trente pouces à l'aide de crampons pour les

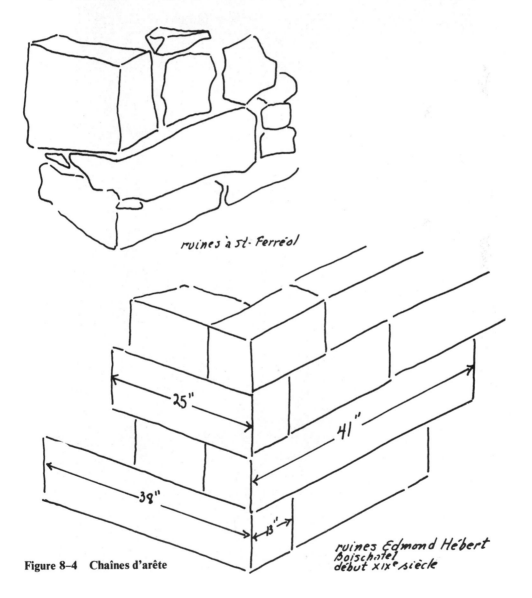

ruines à St. Ferréol

ruines Edmond Hébert
Boischatel
début XIXᵉ siècle

Figure 8–4   Chaînes d'arête

Figure 8–5   Enduit de mortier
Beauport, début XVIIIe siècle (« La Source »)

Cliché : Florent TREMBLAY

assujettir au mur et, sur ces colombages, un lambris de planches à clin dotées d'une encoche à chaque flanc, entrant l'une dans l'autre par la branche interne comme un tenon dans une mortaise ; le parement vu en coupe montre alors une ligne brisée (Fig. 8–6). Cette ingénieuse disposition avait l'avantage de ne pas laisser passer l'eau par des interstices et de protéger la maçonnerie. Voilà un nouveau et double perfectionnement, si l'on considère qu'entre ce faux mur

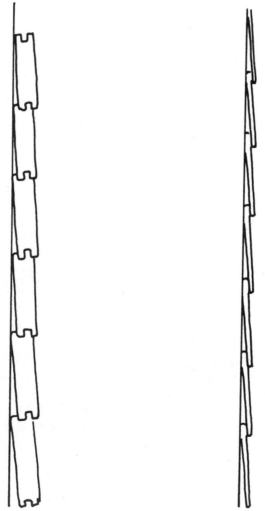

Figure 8–6 **Planches à clin**
Lambris primitif

Figure 8–7 **Planches juxtaposées**
Lambris récent

et le vrai se faisait une autre circulation d'air très efficace contre la température. Par la suite, la juxtaposition des planches dépendra de leur forme ou de l'absence de tringlage (Fig. 8–7). Enfin, les lambris étaient souvent enduits d'une peinture artisanale, rougeâtre, saupoudrée de sable[2].

Le chauffage

Si les progrès de la maçonnerie ne se perçoivent pas facilement, puisqu'il faut étudier les ruines de près, il en va autrement du chauffage. Deux appareils furent utilisés pour la cuisson des aliments et le chauffage de la maison au Canada : le foyer fermé ou le poêle et l'âtre ou le foyer ouvert.

1) Le poêle

Au XVIIe siècle, ceux qui ne pouvaient se payer une cheminée, devaient se contenter « d'une platine avec réchaud[3] » ou, si l'on veut, d'un poêle de brique. Chez Pierre Gagnon, en 1690, « dans une allonge presque neuve, se trouvait un poêle de brique[4] ». L'usage de ce poêle s'est prolongé assez tard au XVIIIe siècle, car Pierre Kalm note en 1749 que le « fourneau de brique est encore d'usage courant et que dans nombre de maisons se trouvent des poêles en brique ou en pierre de la grandeur à peu près des poêles de fonte et recouverts au sommet d'une plaque de fer[5] ». Chez Zacharie Cauchon, en 1764, se trouvaient « un poêle de brique garni d'une vieille plaque de fer, une porte et un cintre de fer et un tuyau de deux feuilles de tolle estimé à vingt livres[6] ».

Comme le note P. Kalm, le poêle de brique a donc les dimensions approximatives suivantes : deux pieds et demi de longueur, un pied et demi de largeur et un pied et demi de hauteur (Fig. 8–8). Son coût modeste explique sa très grande vogue chez les habitants, mais l'on est en droit de se demander s'il était efficace durant les gros mois d'hiver. En tout cas, il servait autant pour la cuisson des aliments que pour le chauffage. Quant aux habitants plus fortunés et aux bourgeois des villes, ils pouvaient se payer le luxe d'acheter des poêles importés de France, d'Allemagne ou de Hollande, et formés de six morceaux

---

[2] Maison Joseph Bilodeau, Saint-Joachim, début XVIIIe siècle.
[3] *Inventaire des biens de Louys Gasnier,* 14 juillet 1661, Claude Auber, ANQ.
[4] *Inventaire des biens de Pierre Gagnon,* 12 avril 1690, E. Jacob père, ANQ.
[5] *Voyage de P. Kalm en Amérique,* t. II, p. 120.
[6] *Inventaire des biens de Zacharie Cauchon,* 4 août 1764, A. Crespin père, ANQ.

assemblables sur place[7]. Cette importation a duré jusqu'à l'installation des Forges de Saint-Maurice en 1733 dont la fabrication débuta lentement : 59 poêles en 1744, plus de 200 en 1747[8]. C'est entre 1793 et 1807 que l'industrie prit de l'essor avec Matthew Bell comme maître de forges, et cette activité a persisté jusqu'au XIXe siècle : 1 000 poêles en 1808, 1 500 de janvier à avril en l'année 1833[9].

Figure 8–8   **Poêle de brique des XVIIe et XVIIIe siècles**
(reconstitution)

Les huit modèles de poêles offerts au consommateur ne servaient cependant que pour le chauffage, non pour la cuisson des aliments[10]. L'importance de cette industrie fut telle qu'il n'est pas étonnant de voir dans plusieurs inventaires, postérieurs à 1765, un poêle de fer dans la maison. Par exemple :

un poel de fer et son tuyau vieux 36 £[11]

un poel de fer et Son tuyau et une casserole 114 £[12].

[7] Robert-Lionel SÉGUIN, « Le poêle en Nouvelle-France », *Les Cahiers des Dix*, n° 33, Montréal, 1969, p. 157.

[8] Correspondance Générale C11A, vol. 88, p. 93.

[9] Michel GAUMOND, *les Forges de Saint-Maurice*, La Société historique de Québec, Québec, 1969, n° 2, p. 7.

[10] *Ibid.*, p. 7.

[11] *Inventaire des biens de J. Fouché et Th. Drouin*, 5 juillet 1809, Ls. Bernier, ANQ.

[12] *Inventaire des biens de P. Vézina et Marie Laberge*, 17 juillet 1809, Ls. Bernier, ANQ.

Puis au début du XIXe siècle, on eut les poêles à deux ponts : David Thoreau en décrit un en 1850 :

> Il y avait comme à l'ordinaire, un gros poële à deux ponts à l'ancienne mode au milieu de la place...

> La partie inférieure contient le feu, la partie supérieure, l'air chaud. Haut de quatre à cinq pieds, il réchauffe tout le corps de celui qui s'y tenait tout près. Le poële était de toute évidence un meuble important au Canada et n'arrêtait pas de servir durant l'été. Sa grosseur et le respect qu'on avait pour lui nous disait les hivers durs qu'il avait vus et contre lesquels il ne s'était pas battu en vain [13].

Au moment où Thoreau faisait son voyage en 1850, d'autres industries situées à Lévis, Montmagny, Trois-Rivières et Rigaud, relayèrent les Forges de Saint-Maurice qui périclitaient [14].

Peu après 1863, date où la fabrication cessa aux Forges, on a construit les poêles à trois ponts (Fig. 8–9) et les poêles à fourneau munis de long tuyau distribuant la chaleur dans les chambres et la cuisine avant d'aller se perdre dans la cheminée. Ces poêles ont duré assez longtemps au XXe siècle dans les banlieues des villes et ils sont encore employés dans les régions rurales reculées.

2) Le foyer ouvert

Avant la cheminée de pierre, il y eut celle de terre glaise ou de bousillage. Un document le précise ainsi :

> Sur laditte habitation, il y a un Maison de pieces sur pieces Couverte de planches Et un chemine de terre avecq un Moste de pierre au Milieu avec planche haut Et bas Sur Quarante pied de Long Et dix huit de large [15].

Comme dans le cas des maisons, les habitants moins avantagés avaient des poêles de briques ou des cheminées de terre, et les plus fortunés, une cheminée de pierre. D'ailleurs, la cheminée de pierre allait plus naturellement avec la maison de pierre — notons qu'il y en avait aussi dans les maisons de bois ; nous l'avons vu chez le sieur Robineau de Bécancourt pour l'an 1654 —

---

[13] *Un yankee au Canada,* traduit par Adrien Thério en 1962, p. 83.
[14] R.-L. SÉGUIN, *op. cit.,* p. 170.
[15] *Inventaire des biens de Marguerite Bergeron,* Vve de feu André Bergeron, 6 juillet 1717, J. De Hornay Laneuville, ANQ.

tandis que la cheminée de terre se rencontrait davantage dans les maisons de bois modestes, comme celles de pièces sur pièces. En dépit des injonctions administratives, les cheminées de terre, nous dit Antoine Roy, ne durent pas disparaître complètement[16]. C'est dire qu'elles étaient assez répandues et justifiaient ces recommandations sévères à cause des dangers qu'elles offraient.

Figure 8–9 Poêle à trois ponts
Modèle dessiné sur la Côte de Beaupré, 1960

[16] Antoine ROY, « Bois et pierre », *loco cit.*, p. 244.

Quant aux cheminées de pierre, elles étaient construites à même le pignon ou au centre de la maison. Dans la maison du sieur de Bécancourt, en 1654 [17], ce monument de pierre de huit pieds de largeur était sûrement contre un mur pignon puisque le plan simple — une seule chambre — le justifiait, et qu'en plus sa construction dans la cave au milieu du carré n'aurait pas été facile.

La cheminée se trouvait aussi au pignon dans les toits à deux versants du début du XVIIIe siècle, puisqu'à ce moment-là, la charpente lourde qui comprenait souvent faîte et sous-faîte ne facilitait pas la construction de la cheminée au centre, bien qu'il ne fût pas impossible de le faire en posant une maître-ferme de chaque côté de la cheminée en aménageant celle-ci dans un mur de refend. Dans les maisons coiffées de pignons rabattus, dans le cas où il y en a deux, on trouve les cheminées aux murs latéraux et elles dépassent le faîte d'un pied ou deux. Lorsqu'il n'y a qu'une cheminée située au centre de certaines maisons à pignons rabattus, il est facile d'imaginer que celles-ci sont le résultat de constructions successives puisque, d'une part, il est impossible de monter une charpente après la construction d'une cheminée et que, d'autre part, il est non moins impossible de monter la cheminée après la pose de la charpente, à moins de lui faire longer le faîte sur un versant ou sur un autre.

De toute façon, comme dans le toit à deux versants, il reste possible de poser une cheminée au centre en construisant une maître-ferme de chaque côté.

a) *la cheminée au centre*

L'exemple qui suit illustre bien la technique du XVIIe siècle [18]. Très massif avec ses six pieds de largeur et trois pieds et demi de profondeur, l'appareil maçonné s'amincit par replats sur les quatre faces, comme si trois cubes de grosseurs décroissantes étaient posés l'un sur l'autre. Le premier replat s'arrête au plafond, et l'autre à mi-hauteur du grenier (Fig. 8–10). La hotte de cette cheminée verticale diminue de largeur et de profondeur jusqu'à la tête, en lui donnant la forme d'un quadrilatère décroissant.

Il ne serait pas étonnant que ce type de cheminée se soit prolongé jusqu'au début du XVIIIe siècle sans subir de variantes, soit à cause du petit nombre de maisons de pierre ou du faible degré d'avancement technique. Un peu plus tard, on est parvenu à ménager une hotte propice à l'évacuation de la fumée, même dans les appareils verticaux (Fig. 8–11), en amenant l'âtre vers l'avant et en étranglant la hotte juste au-dessus de l'âtre, dont le fond même penche très légèrement vers l'avant (Fig. 8–12).

---

[17] Marché de construction étudié au chapitre V.
[18] Maison Francis Huot, Boischatel. Aujourd'hui, cette maison appartient à l'architecte Cantin.

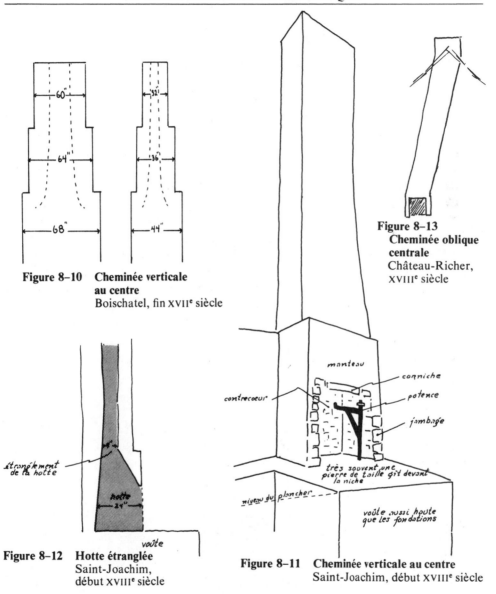

**Figure 8–10 Cheminée verticale
au centre**
Boischatel, fin XVIIᵉ siècle

**Figure 8–13
Cheminée oblique
centrale**
Château-Richer,
XVIIIᵉ siècle

Figure 8–12 Hotte étranglée
Saint-Joachim,
début XVIIIᵉ siècle

Figure 8–11 Cheminée verticale au centre
Saint-Joachim, début XVIIIᵉ siècle

La cheminée verticale du premier type n'a sûrement pas donné satisfaction puisqu'on avait pris la peine d'améliorer la structure de l'âtre et que même, dans certains cas, on avait construit des cheminées obliques (Fig. 8–13) pour permettre une meilleure tire. De toute manière, l'amélioration importante a consisté à « éloigner » le plus possible le dehors ; et c'est bien ce qui s'est produit dans les hottes adossées aux murs pignons (Fig. 8–14).

Figure 8-14   Cheminée au mur pignon
Beauport, début XVIIIe siècle (« La Source »)   Cliché : Florent TREMBLAY

b) *la cheminée au mur pignon*

Avec la cheminée verticale caractérisée par le feu en avant, la voie du perfectionnement était toute tracée. Dans la plupart des cheminées de la deuxième moitié du xviiie siècle et dans celles du xixe siècle, en effet, le plan de l'âtre est non seulement en avant, mais décalé par rapport à l'axe central de la tête (Fig. 8–15). Le périmètre de la hotte diminue alors constamment sur deux plans à la fois. On peut imaginer les difficultés architectoniques de cette construction qui réalisait les desiderata d'un bon feu ouvert tels que proposés par Rumfort [19] :

1° réduire au strict nécessaire le volume d'air brûlé en étranglant la partie inférieure du conduit ;

2° envoyer la plus grande quantité de chaleur rayonnante en ramenant le feu en avant, d'une part, et, d'autre part, en évasant les parois de la niche, ce qui était facile à obtenir en élargissant les pieds-droits jusqu'au contrecœur (Fig. 8–16). Ainsi, vers la fin du xviiie siècle, le feu ouvert était-il aménagé pour que le rayonnement se fasse dans les meilleures conditions possibles. Pour le rendre plus efficace encore, il aurait peut-être été bon d'enduire l'âtre d'un matériel vitreux, mais cette technique n'était pas connue ici.

L'amélioration technique des appareils à chauffage n'est donc pas un vain mot. Sans doute durant les mois les plus froids de l'hiver, le combat entre l'air froid et l'air chaud a été dur, mais la victoire contre le froid s'est produite malgré tout plus rapidement que l'on est porté à le croire. En 1715 déjà, Ruette d'Auteuil dit dans son mémoire « qu'il ne faut pas penser que les Français habitués au Canada souffrent considérablement de ce froid, parce qu'ayant du bois en volonté, ils se chauffent tant qu'il leur plaît [20] ». De plus, il ne faut pas oublier un facteur important, savoir que l'appareil de chauffage était conçu en fonction des dimensions de l'espace habité de la maison ou vice versa. En d'autres termes, l'on n'exigeait pas d'un foyer de produire plus de chaleur qu'il ne pouvait en procurer.

Par exemple, la maison de colombage du sieur Robineau de Bécancourt, en 1654 [21], contenait une très grosse cheminée de pierre de huit pieds de largeur pour un carré de 19 pieds. L'appareil devait être suffisant, à condition, bien sûr, de répondre le mieux possible aux desiderata d'un bon feu ouvert. Or, nous avons vu que ce ne sont pas les cheminées les plus grosses qui sont les

[19] L. Cloquet, *op. cit.*, p. 98ss.

[20] *Mémoire à son Altesse Royale, Monseigneur Le Duc D'orléans, régent de France dans le Conseil de Marine, sur l'état présent du Canada, le 12 décembre 1715.* RAPQ, 1922-1923, p. 61.

[21] *Marché entre Robert Paré et Le Sieur Robineau de Bécancourt,* 26 janvier 1654, G. Audouard, ANQ.

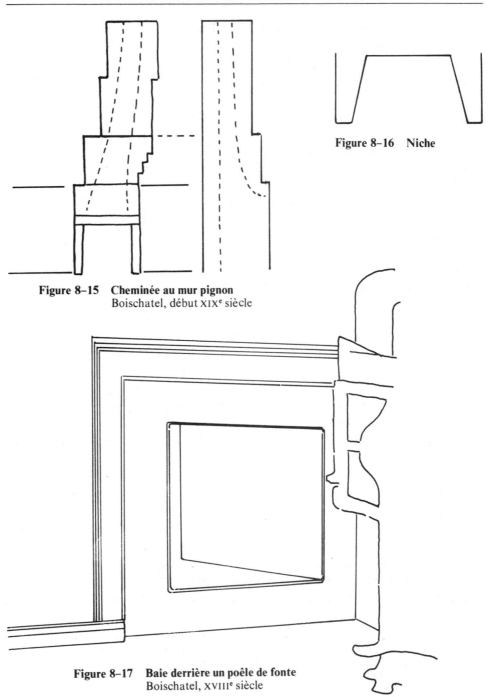

Figure 8–16   Niche

Figure 8–15   Cheminée au mur pignon
Boischatel, début XIXᵉ siècle

Figure 8–17   Baie derrière un poêle de fonte
Boischatel, XVIIIᵉ siècle

meilleures, à cause de la verticalité de la hotte. Le rayonnement se trouvait donc diminué chez le sieur Bécancourt.

Dans la maison de Jean le Picard « contenant vingt huit pieds de Long Vingt de large... cave et grenier estimée à trois cent livres [22] », la cheminée au milieu devait être encore moins efficace que chez Bécancourt, parce que l'espace habité était plus considérable, et le foyer étant simple ne réchauffait qu'un côté.

Le marché de construction du sieur Noël Gagnon, fait en 1703, nous donne un excellent exemple de chauffage, comprenant deux foyers de plain-pied (il y en a aussi un troisième dans la cave), un dans la chambre, l'autre dans la cuisine. Chaque appareil se trouvait alors à chauffer un quadrilatère de vingt-deux pieds par quatorze, un espace moins grand que celui de la maison du sieur Bécancourt [23]. Comme l'un des deux appareils était posé sur une voûte (gros cube de pierre formant un piédestal dans la cave), l'on peut affirmer que le travail du maçon, dans ce cas très précis, était déjà assez perfectionné. Le sieur Gagnon avait résolu le problème du chauffage de cette manière, parce qu'il était à l'aise ; en effet les triples appareils et un four intérieur adjacent à l'un d'eux étaient rares au début du XVIIIe siècle dans le milieu rural.

Les habitants de conditions économiques plus modestes résolvaient le même problème mais avec des appareils moins coûteux. Les plus souvent notés jusqu'à la fin du XVIIIe siècle dans la campagne environnant Québec sont une cheminée dans la cuisine et un poêle de brique dans la chambre [24]. P. Kalm ne le spécifie-t-il pas lui-même ? Chaque chambre, dit-il, a, ou sa cheminée, ou un poêle, ou les deux ensemble [25].

Plus tard, lorsque les poêles des Forges de Saint-Maurice envahiront le marché, le poêle de brique sera remplacé par le poêle de fer dans la grand-chambre [26] ou bien il doublera l'âtre dans la cuisine. Dans ce dernier cas, adossé à une cloison simple percée d'une baie, il diffusera la chaleur à travers elle dans la grand-chambre (le salon) et dans les chambrettes (Fig. 8–17) et, lorsque le grenier sera converti en dortoir au XVIIIe siècle, on percera le plancher et l'on posera une grille pour chauffer le haut.

Les moyens pour résoudre le problème le plus difficile de l'environnement physique ont donc été multipliés et cela dès la fin du XVIIe siècle, tant chez les citadins que chez les habitants fortunés. La recherche d'un micro-climat

[22] *Inventaire de Marie Magdeleine Gagnon et Jean le Picard*, 3 avril 1686, E. Jacob père, ANQ.

[23] *Marché de construction de maçonnerie de Noël Gagnon*, 28 février 1703, Louis Chambalon, ANQ.

[24] *Inventaire des biens de Jeanne Bacon*, Vve Z. Cloutier, 17 juillet 1736, E. Jacob fils, ANQ.
    Inventaire des biens de Jos Gagnon, 16 octobre 1756, A. Crespin père, ANQ.

[25] *Op. cit.*, t. II, p. 150.

[26] *Inventaire des biens de P. Cloutier*, 12 juin 1824, Louis Ranvoysé, ANQ.

intérieur favorable aux activités humaines est alors pure affaire économique. À partir des années 1720–1730, d'après ce que révèlent les inventaires que nous possédons, les paysans moins riches et ne capitalisant pas, parvinrent au même résultat et non moins bien que les citadins. Ils possédaient l'âtre et le poêle de briques, ils avaient appris à construire de bons murs, à calfeutrer ou à lambrisser. Nous n'avons donc plus de raison de croire en la répulsion de l'intérieur de la maison canadienne à partir de ce moment-là.

Les ouvertures

On peut étudier les ouvertures, soit en les confrontant au plan, soit au chauffage. Dans le premier cas, nous nous en tiendrons aux données essentielles relatives à l'expansion du volume architectural, car s'il fallait traiter cette question en profondeur, il faudrait longuement développer l'aspect économique de l'utilisation des pièces. Nous verrions mieux que la maison est un bâtiment agricole, par la variété et la quantité d'outils, de tonneaux, de jarres et de petits instruments aratoires étendus sur le parquet de la cuisine ou dans le grenier. Mais cela déborderait notre sujet. Dans le second cas, l'augmentation des ouvertures s'explique par l'amélioration du chauffage et par l'amélioration de la fenêtre elle-même.

1) Les ouvertures et le plan

Nous avons vu que la maison carrée du sieur Robineau de Bécancourt, en 1654, consistait en une seule pièce comme cela arrive souvent au XVIIᵉ siècle. Chez Louys Gasnier[27], en 1661, entre autres exemples, la description ininterrompue de tous les objets prouve qu'il n'y avait aussi qu'une seule pièce.

Dans la maison du sieur Noël Gagnon, nous connaissons mieux le nombre d'ouvertures. Le plan du rez-de-chaussée se divise en deux parties égales ; à droite la cuisine, à gauche, la chambre, la cave au-dessous et le grenier au-dessus. Voilà un plan modèle de la maison rurale du XVIIIᵉ siècle et d'une bonne partie du XIXᵉ siècle ; les quelques extraits suivants le prouvent abondamment :

> 1747 ... une maison construite de maçonne contenant quarante quatre pieds
> de long sur vingt deux pieds de large deux chambres de plin pieds grenier
> et cave estimé à quatre cent livres[28]

[27] *Inventaire des biens de Louys Gasnier et de Marie Michel*, 14 juillet 1661, Claude Auber, ANQ.
[28] *Inventaire des biens de Joseph Bellanger*, 29 mars 1747, E. Jacob fils, ANQ.

1769 ... une maison construite de colombage de trente huit par vingt dont il n'y a que la chambre qui est achevée la cuisine ne l'étant point. La ditte chambre planchee haut et bas couverte en bardeau garnie de porte feré et de trois chassis vitré [29]

1774 ... une maison construite en pierre de quarante sept sur vingt quatre constituant en une chambre et une cuisine planchée haut et bas garnie de porte feré et vitré couverte en bardeau [30]

1796 ... une maison bâtie en pierre la chambre et la cuisine partie en colombage de quarante trois sur vingt quatre planche haut et bas porte feré et chassis vitré couverte en bardot [31].

Ainsi en est-il de la plupart des inventaires du XVIIIe siècle et de ceux du premier quart du XIXe siècle.

Le marché de 1703 spécifie bien le nombre de fenêtres et de portes : quatre fenêtres à l'étage et deux portes, une à chaque long pan, six fenêtres dans la cave, dont deux petites du côté nord et quatre du côté sud. En tout douze ouvertures dont on ne connaît pas la disposition de six d'entre elles à l'étage. On peut toutefois supposer que les pignons étaient moins pourvus à cause de la présence des cheminées. Cet exemple est important, car il nous permet de supposer que la plupart des maisons en contenaient moins, étant donné que le sieur Gagnon était mieux nanti que les autres habitants.

Avec le temps, on en est venu à découper un premier espace, puis un second à même la grand-chambre, espace que l'on nommait parfois cabinet, ancêtre de notre chambre actuelle.

... une maison en pierre contenant quarante trois pieds sur vingt trois couverte en planche et en bardeaux planché de bas et de haut cinq chassis une chambre une cuisine et cabinet et un mur qui la partage par le milieu en bon état pour memoire [32].

Ces cabinets ont influencé l'enfigurage du mur nord à partir du moment où ils furent incorporés au plan, c'est-à-dire, tard au XVIIIe siècle ; chaque cabinet eut sa fenêtre.

Certaines maisons, enfin, contiennent une laiterie intérieure que l'on distingue par une fenêtre quatre fois plus petite que les autres, généralement percée au nord-est du mur nord. Voilà pour le rez-de-chaussée.

[29] *Inventaire des biens de Angélique Cloutier,* 13 novembre 1769, A. Crespin père, ANQ.
[30] *Inventaire des biens de Michel Bélanger,* 3 janvier 1774, A. Crespin père, ANQ.
[31] *Inventaire des biens de Louise Cloutier,* 29 février 1796, A. Crespin fils, ANQ.
[32] *Inventaire des biens de P. Gagné,* 12 décembre 1810, Louis Bernier, ANQ.

Quant au grenier, il n'avait pas de plan, les objets y étant déposés sans ordre. On a commencé par mettre des lucarnes sur un versant, puis sur un autre et de petites fenêtres disposées en fonction de la cheminée. Dans certains cas, une grosse lucarne permettait à l'habitant d'entrer dans le grenier sans passer par la cuisine [33].

Au milieu du XIXe siècle, enfin, le nombre d'ouvertures dépassait facilement la vingtaine, lucarnes comprises, à cause de l'addition d'un étage sous le rez-de-chaussée ou d'une pièce attenante sur le même plan que le rez-de-chaussée. Le tableau suivant donne un aperçu de la quantité de fenêtres sur les quatre murs pour trois étapes différentes. Le nombre de lucarnes n'est pas compté (voir les figures 8–18, 8–19, 8–20).

	PAN SUD	PAN NORD	MUR EST	MUR OUEST
XVIIIe siècle	2F, IP. IF.	2F, If	1, parfois 2, rarement 3F	2, parfois 3, rarement 4F parfois 1 ou 2f
début XIXe	2F, IP. 2F	3F	souvent 2F	2, souvent 3, parfois 4F.
milieu XIXe s.	2F, IP. 2F. parfois. 2F, IP. IF.	3F. souvent 4.	4, parfois 5F	souvent 5F

F : grande fenêtre
f : petite fenêtre
P : porte

Bien que non exhaustif, ce tableau nous permet quand même de constater que le mur de l'est n'avait souvent qu'une fenêtre au XVIIIe siècle, bien plus à cause de la cheminée qui prenait le centre du mur qu'à cause de l'exposition de ce mur aux vents dominants du nord-est. Peut-être faudrait-il penser aussi à la chèreté et à la rareté des vitres. P. Kalm note en 1749 qu'il y a encore des « chasis de papier ciré qui éclairent la maison [34] ». S'il est vrai de dire qu'au XVIIIe siècle le mur est n'avait souvent qu'une fenêtre, alors que son opposé pouvait en avoir deux et même trois, il vint un moment, au XIXe siècle, où les deux murs eurent le même enfigurage.

H. D. Thoreau ajoute que les fenêtres étaient munies de volets solides (Fig. 8–21) qu'on fermait la nuit et qu'on maintenait en place au moyen de

---

[33] Maison Adélard Bouchard, Sainte-Anne de Beaupré.
[34] *Op. cit.*, p. 195.

Figure 8–18
   **Enfigurage de murs
   pignons ouest**
   Château-Richer,
   XVIIIe siècle
Orienté à l'ouest, chacun
de ces murs compte une,
trois et quatre fenêtres; les
plus anciennes ont des
chambranles simples.

Figure 8–19
Enfigurage de murs pignons est et de pans nord
Château-Richer, début XIXe siècle

Figure 8-20   Enfigurage de murs sud et ouest
Château-Richer, milieu XIXᵉ siècle
Les fenêtres du mur sud sont plus petites que celles de l'étage et moins décorées.

barres [35]. Cette remarque d'un passant corrobore les détails d'inventaires où il est dit que des châssis sont ferrés. Il arrive en effet très souvent que les petites fenêtres de laiterie et certaines grandes soient munies de simples barres de fer ou de lames de fer dentelées, qu'on appelle « herses ». Mais aujourd'hui, ces détails sont rares dans les maisons traditionnelles.

2) Les ouvertures et le chauffage

Nous pouvons considérer le nombre d'ouvertures en fonction de l'amélioration du chauffage et de la technique de construction de la baie de fenêtre et de la double fenêtre.

a) *la baie*

La baie de fenêtre n'était pas un simple rectangle d'égales dimensions dans toute l'épaisseur des murs, comme c'est le cas pour la baie de porte — encore que celle-ci eût le plafond légèrement ébrasé vers l'extérieur pour faciliter l'ouverture d'un ou deux vantaux. Elle n'était pas non plus construite au moyen de quatre dalles monolithiques de l'épaisseur du mur. Ces montages étaient peu pensables à cette époque. Du reste, aucune maison traditionnelle, à ma connaissance, n'a un tel arrangement. Élaboré par la superposition de pierres taillées minces, l'ébrasement avait pour but de faciliter l'ouverture des vantaux intérieurs et de permettre l'ensoleillement de la maison. Il se fait sur les quatre faces à partir du tableau — rectangle extérieur — et s'arrête au parement intérieur sur un rectangle beaucoup plus grand appelé embrasure. Sur les batées (ou feuillures), l'ébrasement est deux fois plus accentué que sur la tablette et le plafond. De plus, il diffère d'une époque à l'autre, d'une maison à l'autre et même d'une fenêtre à l'autre dans une même maison. La preuve en est dans les baies d'inégales dimensions, ce qui n'était pas sans causer quelques ennuis pour la construction des châssis et des moustiquaires. Chaque baie est unique (Fig. 8–22).

Au début du XIXe siècle, l'ébrasement ne se fit plus que sur les deux batées. Le plafond et la tablette étaient devenus horizontaux. Celle-ci s'arrêtait souvent au milieu du mur afin de créer une certaine liberté de manœuvre pour rejoindre la poignée des vantaux ou pour permettre à quelqu'un de s'asseoir confortablement devant. L'allège présentait alors un aspect pratique dont étaient dépourvues les premières baies (Fig. 8–23). L'aspect monumental de ces baies qui font parfois toute la hauteur de l'entre-deux des planchers est incontestable.

---

[35] *Op. cit.*, p. 76.

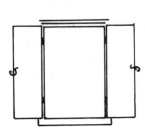

Figure 8–21   Vantaux de fenêtres

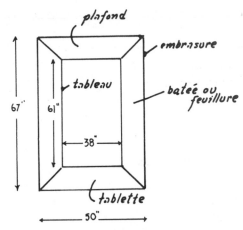

Figure 8–22   Baie de fenêtre vue de l'intérieur

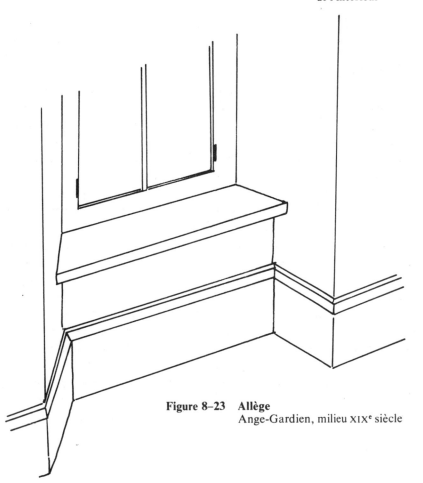

Figure 8–23   Allège
Ange-Gardien, milieu XIXᵉ siècle

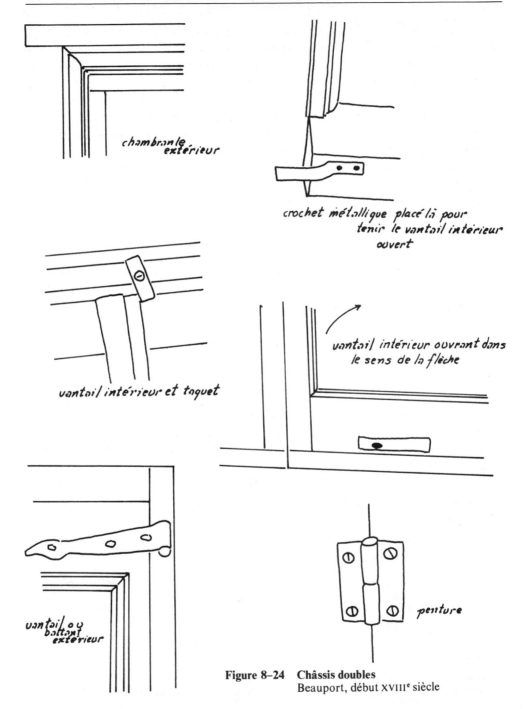

chambranle extérieur

crochet métallique placé là pour tenir le vantail intérieur ouvert

vantail intérieur et taquet

vantail intérieur ouvrant dans le sens de la flèche

vantail ou battant extérieur

penture

Figure 8–24 Châssis doubles
Beauport, début XVIIIe siècle

La liaison du bois à la pierre se faisait de la manière suivante. On découpe une rainure dans le tableau pour permettre le scellage d'un dormant de quatre ou cinq pouces carrés. Ce dormant est le châssis inamovible sur lequel on cloue les chambranles une fois l'ouvrage fini. Les deux pieds-droits sont emmortaisés dans la pièce du haut et du bas. Le plafond et la tablette sont ensuite engagés dans une encoche pratiquée dans les deux batées. Quant au revêtement de ces dernières, il s'agit de sceller deux petites pièces de bois sur chacune d'elles, appelées tasseaux, qui portent le clouage du revêtement. Les interstices sont ensuite bouchés avec du mortier.

Cet assemblage simple s'avérait toutefois nécessaire pour accrocher les châssis intérieurs et extérieurs ainsi que pour apposer les chambranles. Ceux-ci servent parfois d'indice de datation lorsqu'ils sont authentiques. Les plus vieux chambranles sont des planches unies, alors que ceux du XIXe siècle sont de véritables pièces décoratives.

L'appareil irrégulier possède les même combinaisons, mais le travail est plus compliqué à cause de l'émoussé des pierres. Dans ce cas, on camouflait les bosses par une bonne couche de mortier. Souvent, au lieu d'être lambrissées, les fenêtres n'étaient que crépies. Les baies paraissent alors lourdes, un peu comme l'ensemble de la maçonnerie.

b) *les châssis doubles*

À l'origine, le châssis extérieur composé de deux vantaux s'ouvrait par le dehors et s'accrochait à une tigette de fer attachée au seuil de la fenêtre (Fig. 8–24). Par la suite, le châssis extérieur ne sera que d'un seul tenant et s'accrochera par le dedans. En été, le châssis double est remplacé par des moustiquaires. En hiver, les interstices sont calfeutrés avec des bouts de guenilles ou de l'étoupe. Les châssis doubles datent du XVIIe siècle [36], et l'on n'a jamais cessé de les améliorer à cause de leur importance durant la période rigoureuse de l'hiver.

---

[36] *Marché entre Zacharie Cloutier et les Mères hospitalières*, 23 juillet 1641, M. Piraube, ANQ.

TROISIÈME PARTIE
(suite)

LA MAISON
ET LE CONDITIONNEMENT CLIMATIQUE
(le pôle attractif)

CHAPITRE IX

LES CAVES, LES GLACIÈRES, LA LAITERIE
DE LA MAISON DE PIERRE

Jusqu'à maintenant, nous avons considéré l'hiver comme une saison répulsive ou, tout au moins, comme une saison à laquelle il fallait absolument adapter la maison. Nous avons remarqué de plus que les habitants y sont parvenus, mais il importe de noter que cela s'est produit vingt ou trente ans après les gens plus nantis des villes. Bien que répulsif comparé à l'été, l'hiver ne l'est jamais totalement. Il contient, en effet, des côtés positifs qui ont d'ailleurs été utilisés assez rapidement. Le froid est négatif lorsqu'il faut le vaincre par le chauffage, mais il contient un aspect positif lorsqu'on doit s'en servir pour la conservation des aliments. C'est ce que nous allons voir dans ce chapitre, en étudiant tour à tour les caves, les glacières et les laiteries.

Les caves

1) intérieure

Le moyen le plus simple pour conserver les aliments consistait à les laisser au frais, dans un trou creusé dans le sol sous le plancher. On y communiquait par un escalier aménagé dans le plancher[1]. C'est là qu'on

---

[1] *Inventaire des biens de Geneviève Gagnon*, 6 avril 1746, C. Hilarion Dulaurent, ANQ.

rangeait parfois des instruments ou des outils mais aussi et surtout du lard et du beurre.

Chez Suzanne Bélanger, en 1707, il y avait dans la cave :

une tinette neuve
un baril à lard
une charrue garnie d'un méchant soc
une paire de roux garnie [2]

et, dans une autre,

une demi-peau de vache
deux peau de veau
un saloir [3].

En fait, l'utilisation de la cave a dû être généralisée. Au cours de nos enquêtes nous avons même vu, dans la cuisine d'une maison, quatre grandes excavations qui servaient à ranger les légumes et divers objets [4]. Ce moyen de conservation des aliments était toutefois assez rudimentaire et on n'en est pas resté là. Dans plusieurs cas, on a construit à même le sol, à l'extérieur de la maison, ce que les gens de la côte de Beaupré appellent un « cavreau ».

2) extérieure

La cave à légumes extérieure, comme cellule de l'habitation, n'est pas une invention des habitants d'autrefois, contrairement à ce que l'on peut penser. C'était une coutume indigène de creuser des trous dans le sol et d'y déposer les récoltes de maïs, de fruits et de légumes [5]. Cependant, les habitants de la Nouvelle-France ont si bien adopté cet élément culturel des autochtones et ils l'ont si bien fait leur qu'il fut rapidement incorporé à l'économie de l'habitation.

Cette cave est construite à même une pente ou une légère ondulation facile à trouver le long des côtes (Fig. 9–1). Généralement de quatorze pieds carrés de dehors en dehors, l'intérieur n'a pas plus de dix pieds carrés, étant donné que les murs ont vingt-quatre pouces d'épaisseur. Le toit en pente douce est composé d'une grosse poutre servant de panne de faîtage et de deux poutres moyennes au milieu de chaque versant du toit. La façade n'est pas toujours triangulaire ; parfois elle est voûtée ou simplement ondulée. On

[2] *Inventaire des biens de Suzanne Bélanger*, 20 août 1707, Robert Duprac, ANQ.
[3] *Inventaire des biens de François Bélanger*, 28 janvier 1721, Jacques Barbel, ANQ.
[4] Maison Vianney Tremblay, Saint-Joachim.
[5] Voir « Le caveau à légumes » dans *la Civilisation traditionnelle de « l'habitant » aux XVIIe et XVIIIe siècles »*, de Robert-Lionel SÉGUIN, p. 357.

Figure 9–1
Trois caves à légumes
Côte de Beaupré

pénètre dans la cave par une double porte centrale. L'intérieur est divisé en carreaux au sol servant à séparer les sortes de fruits et de légumes.

Lorsque les vieux fermaient les « caveaux », ils y laissaient une poignée de tisons avant de partir pour tempérer la cave... Aujourd'hui, certains cultivateurs déposent une couche de foin d'un pied d'épais sur les légumes et entre les deux portes [6]. La fraîcheur de cette cave, même en été, assurait la conservation des fruits et des légumes ; et lorsque la cave intérieure était trop étroite, on y réservait un coin pour les aliments vitement périssables, comme le lait et le fromage.

À Baie-Saint-Paul et sur la Côte-du-Sud, les caves à légumes sont parfois entièrement creusées à même le sol et on y pénètre au moyen d'une échelle au lieu d'y entrer debout, comme c'est le cas sur la rive nord, à l'est de Québec.

Le premier relevé de cave à légumes qu'il nous ait été donné de lire dans un inventaire remonte à l'année 1811. Cela ne signifie pas cependant que la cave n'existait pas avant cette date : « une cave en pierre de dix pieds quarrés en moyen état [7] ».

Les glacières

Selon Pierre Kalm, les « glacières sont bâties en pierre et situées dans les celliers des maisons. Pour diminuer le pouvoir d'absorption des murs, on les revêt de planches à l'intérieur. Pendant l'hiver, on remplit ces glacières de neige, que l'on durcit en la battant avec les pieds, et ensuite on la couvre d'eau ; puis on ouvre portes et fenêtres pour laisser entrer le froid [8]. »

Dans ce cas-ci, c'est la neige qui est directement utilisée comme congélateur. Selon R.-L. Séguin, on a récolté de la glace après 1750 à même le fleuve et les rivières, afin de s'en servir en été pour la conservation des aliments [9]. Nous n'avons jamais lu quoi que ce soit dans les inventaires se rapportant aux glacières. Apparemment il n'y en avait pas ou peu à la campagne. R.-L. Séguin en relève toutefois deux ou trois à Montréal, à la fin du XVIIe siècle. La laiterie, par contre, était plus répandue.

---

[6] Information orale de Étienne Bourbeau, Boischatel.
[7] *Inventaire des biens de Zacharie Cloutier*, 15 juillet 1811, Ls. Bernier, ANQ.
[8] *Voyages de P. Kalm en Amérique*, t. II, p. 176.
[9] Cette activité a duré jusqu'en 1950 environ dans les localités avoisinant Québec. Un camion empli de morceaux de glace d'environ douze pouces carrés arrêtait à chaque maison dotée d'une glacière : l'eau de fonte était recueillie dans un bassin sous la glacière. Peu après 1950, le réfrigérateur électrique a vite remplacé ce commerce traditionnel.

La laiterie

L'évolution de la laiterie est semblable à celle de la cave à légumes ; au début elle fut intérieure et, plus tard, extérieure.

1) intérieure

La première mention que nous ayons pu trouver d'une laiterie dans une maison paysanne remonte à l'année 1670 [10] : « une armoire propre à mettre du laict valant 8 £ ». À l'origine, donc, la laiterie était une armoire. Parfois les battants étaient criblés de trous d'un demi-pouce pour permettre la circulation d'air [11]. Quand on a commencé à construire la maison de pierres à partir de 1700, on a dû utiliser tout de suite la fraîcheur des murs pour y faire des armoires. Il n'est pas rare en effet de voir une ou deux petites armoires pratiquées sous la tablette d'une fenêtre de cuisine [12], ou dans un trumeau.

La seconde étape de l'évolution de la laiterie consiste à aménager une petite pièce dans le coin nord-est de la maison, laquelle pièce communique avec le dehors au moyen d'une petite fenêtre, garnie de fers ou de herses [13]. La seule amélioration à cette laiterie provient du fait qu'elle était séparée de la chaleur de la cuisine par une double porte.

2) extérieure

La laiterie extérieure qui procure un air si particulier à la maison traditionnelle remonterait au premier tiers du XVIIIᵉ siècle, d'après les inventaires que nous avons consultés :

> 1746 ... une maison de quarante trois sur vingt trois cave et grenier couverte en planches de bardeau consiste en une chambre, cuisine petit cabinet ou laiterie, garnie de croix avec leur vitre en partie cassée [14].

---

[10] *Inventaire des biens meubles de feu Vincent Verdon et Geneviève Peltier*, 30 janvier 1670, Claude Auber, ANQ.

[11] Maison Francis Huot, Boischatel.

[12] Maison Albini Massicotte, Beauport.

[13] Maison Bourbeau et maison Francis Huot, à Boischatel.

[14] *Inventaire des biens de Geneviève Gagnon*, veuve de Charles Bélanger, 6 avril 1746, C. H. Dulaurent, ANQ.

Figure 9–2   Toit d'une laiterie à une pente (mur nord)
Sainte-Anne de Beaupré

Cliché I. O. A

Figure 9–3   Toit d'une laiterie à une pente (coin nord-est)
Maison Émile Grenier
Courville, deuxième moitié du XVIIIᵉ siècle

1754 ... dans la letterie se trouve trois livres de saindoux deux langues de bœuf une langue de cochon une cuve cerclé de bois deux sac de toile un grand panier [15].

1834 ... une maison en pierre de quarante sur vingt, mesure française, couverte en planche et bardeau en très bon etat avec une laiterie aussi en pierres y attenant d'environ huit par cinq en très bon etat [16].

Ce dernier exemple est du XIXe siècle, bien qu'à cette époque l'habitude de construire une laiterie extérieure se soit presque perdue. Un coin aménagé dans la cave avait ramené la laiterie à l'intérieur. En fait, la laiterie extérieure sur les côtes de Beauport et de Beaupré est un élément culturel presque exclusif au XVIIIe siècle.

L'intérêt dans la construction de la laiterie de pierres réside dans le fait que les murs, au lieu d'être de vingt-quatre pouces d'épaisseur sont de dix-huit. Et si l'on se fie à deux laiteries en ruines que nous avons étudiées à Saint-Férréol-les-Neiges, les pierres font parpaing : en d'autres termes, on supprimait la chambre d'air, en vue de faire pénétrer le froid à l'intérieur et de l'y conserver. Voilà une preuve que rien n'était laissé au hasard. De plus, pour que la laiterie soit le plus à la fraîcheur possible, elle est ordinairement adossée au mur nord de la maison, à l'arête nord-est (Fig. 9–2) ; très souvent elle se trouve au mur pignon est au coin nord, plus rarement au coin sud.

Les formes de la laiterie sont simples ; plusieurs n'ont qu'une pente (Fig. 9–3). Quelques-unes en ont deux et, dans ce cas, la courbure du larmier répète celle du toit principal, mais certaines laiteries ont trois pentes (Fig. 9–4). Sur la Côte-du-Sud et parfois à l'île d'Orléans, qu'elles soient de bois ou de pierre, les laiteries ont environ dix pieds carrés et sont surmontées d'un toit à quatre versants très élégants (Fig. 9–5).

[15] *Inventaire des biens de Prisque Gagnon*, 27 avril 1754, A. Crespin père, ANQ.
[16] *Inventaire des biens de P. Trepagny*, 10 novembre 1834, Ls. Bernier, ANQ.

Figure 9–4 Laiterie coiffée d'un toit à trois pentes
Saint-Joachim, fin XVIIIe siècle

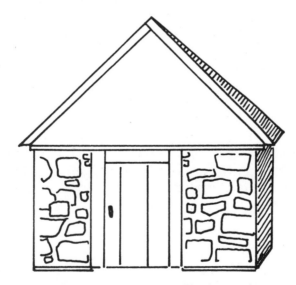

**Figure 9–5 Laiterie coiffée d'un toit
à quatre pentes**
Beaumont

QUATRIÈME PARTIE

L'ÉVOLUTION DE LA FORME

CHAPITRE X

L'ÉVOLUTION DE LA FORME
PROPREMENT DITE
DE LA MAISON DE PIERRE

Si les chapitres précédents nous ont familiarisés avec plusieurs modèles de même forme, il reste que ceux-ci n'ont pas été distribués systématiquement dans un ordre chronologique. C'est ce que nous allons tâcher de faire maintenant en nous arrêtant sur l'angle des pignons, les larmiers, la galerie, la cuisine d'été et parfois sur des détails concernant l'enfigurage, les cheminées, les lucarnes et la couverture. Bref, nous allons aborder le problème évolutionnaire de front afin que les considérations précédentes trouvent leur place respective dans une synthèse.

La maison du XVIIe siècle

La maison du XVIIe siècle nous est déjà connue. Il nous fallait absolument commencer par elle (chapitre premier) afin de nous assurer de la forme originelle. Aussi, nous devions l'avoir sans cesse présente à l'esprit pour montrer l'évolution de la charpente, celle des murs ou de tout autre détail important.

La maison du début du XVIIIᵉ siècle

Prenons comme exemple la maison Gérard Pascal du rang Sainte-Thérèse à Beauport. Cette maison-là, comme toute maison traditionnelle, n'est pas datée (Fig. 10–1). Cependant, nous savons que le rang Sainte-Thérèse était déjà peuplé en 1721 [1]. Le premier rang de la seigneurie de Beauport, prolongé à l'ouest par le Bourg du Fargy, la Commune et le Domaine seigneurial, comptait alors quarante-quatre chefs de famille, y compris ceux du Bourg du Fargy. Au-dessus du premier rang, il y avait le rang Saint-Joseph, profond de vingt-deux arpents et peuplé dans la décennie 1660, qui comptait dix chefs de familles et deux concessionnaires faisant valoir leurs terres sans y résider. Venait ensuite le rang Saint-Michel de vingt-cinq arpents

Figure 10–1   Maison Gérard Pascal : pignon ouest
Beauport, rang Sainte-Thérèse, début XVIIIᵉ siècle
Au moment où fut prise cette photographie la neige était peu abondante. Habituellement la clôture est entièrement camouflée. À remarquer le larmier nord plus court que le larmier sud, les lucarnes, la fausse cheminée ornementée et la fenêtre unique où l'on peut déceler au-dessus l'ancien emplacement d'une petite baie.

---

[1] Mathieu-Benoît COLLET, « Procès-verbaux sur la commodité et incommodité dressés dans chacune des paroisses de la Nouvelle-France », *RAPQ*, 1921–1922, pp. 358–359.

de profondeur et comprenant quatorze chefs de famille et deux concessionnaires non résidants. Le dernier rang habitable était celui de Sainte-Thérèse, de même profondeur que le précédent, où résidaient sept chefs seulement. Deux concessionnaires n'y avaient pas de maisons (Fig. 10-2). Le dernier rang non habité, celui de Saint-Ignace était en bois debout. Il est donc vraisemblable que la maison à l'étude soit antérieure à 1721.

L'angle de quarante-cinq degrés du pignon et les avant-couvertures avancées — celle de la façade sud l'étant plus que sur la façade nord — ne militent toutefois pas en faveur de cette date approximative. L'angle de quarante-cinq degrés est du milieu du XIXᵉ siècle, mais, comme l'on sait, dans une maison d'une tout autre physionomie. Dans ce cas-ci les larmiers de ce type sont ordinairement du XVIIIᵉ siècle avancé. C'est que la modification la

Figure 10–2   Habitation Gérard Pascal : vue de l'ouest
Beauport, rang Sainte-Thérèse, XVIIIᵉ siècle

À trois milles de Québec seulement, cette habitation et le paysage nous plongent en plein XVIIIᵉ siècle à quelques clôtures près.

La maison, la seule à être du côté sud du rang Sainte-Thérèse entre la route seigneuriale et la fin du rang, se trouve à l'extrémité ouest.

Le bâtiment, à côté, est un hangard dont la moitié sert de cuisine d'été.

Ici nous sommes presque à la fin des sols cultivables ; cinq cents pieds plus loin au nord, le relief se met à monter et forme ce que les géomorphologues appellent les contreforts laurentiens.

moins courante qui puisse être faite à une maison s'est produite ici. Non seulement la toiture fut remplacée, mais la maison a véritablement été transformée, l'angle du pignon ayant été surbaissé de cinq pieds. À l'origine, l'angle de ce pignon était de cinquante degrés. À l'extérieur, cela ne paraît pas, mais dans le grenier, l'on peut facilement distinguer l'ancienne pente du pignon par la démarcation entre les premières pierres et les récentes. Une fois ce détail connu, l'on s'explique pourquoi les larmiers ont été prolongés et pourquoi aussi ils sont légers ; leurs coyaux qui forment leur galbe ne sont pas cachés par un plafond. Aux pignons, la toiture fut aussi prolongée de quelques pouces et trois lucarnes furent ajoutées : deux au nord, et une au sud-est.

Cette transformation radicale est survenue en 1911 au moment où, sur le plan économique collectif, nous assistons au développement des manufactures. Mais en 1911, le rang Sainte-Thérèse ne faisait pas partie de la ville sur le plan spatial, et moins encore sur le plan temporel, ce qui explique que la transformation n'a pas été aussi radicale qu'elle aurait pu l'être. Par exemple, il n'est pas venu à l'esprit des ouvriers d'ajouter un toit mansarde sur des murs du XVIIIᵉ siècle, comme il en existe certains cas sur la côte de Beaupré, ou de surélever la maison d'un étage et de poser un toit horizontal comme cela est arrivé à Beauport le long de l'Avenue Royale. Pourtant, ces deux derniers types de toit étaient alors très à la mode.

Cet exemple nous fait voir un principe important. Dans le temps et l'espace, une multitude de petites combinaisons temporelles et spatiales individuelles expliquent la grande diversité facilement remarquable dans l'habitation, dans la maison et dans toute expression culturelle.

Avant 1911, l'angle de cette maison était de cinquante degrés et les avant-couvertures n'excédaient que très légèrement la toiture. Quant à la galerie à rez-de-terre, elle avait la même forme qu'aujourd'hui (Fig. 10–3). Maintenant, en examinant bien la façade sud, on constate que le trumeau qui sépare la porte de la première fenêtre de gauche est plus large que le trumeau à droite de la porte. Or, dans le grenier, presque vis-à-vis le centre du trumeau, les sablières sont rompues et même décalées (Fig. 10–4).

De plus, un mur de refend était déjà presque vis-à-vis la rupture, et la seule lucarne qui garnissait la toiture avant 1911 se trouvait à l'ouest. Nous avons là des indices qui militeraient en faveur d'une maison construite en deux étapes, bien que le mur de refend s'arrête à vingt-quatre pouces au-dessus du plancher et non au faîte, et que ce même mur n'est pas face à la coupure des sablières (Fig. 10–5).

La cheminée qui se trouvait aux deux-tiers de la longueur fut enlevée et une fausse tête fut ajoutée à l'ouest pour rendre le faîte symétrique, pratique

Figure 10-3 Maison Gérard Pascal : façade sur et pignon est

Beauport, rang Sainte-Thérèse, début XVIIIe siècle

Remarquons la petite fenêtre dans une ancienne baie deux fois plus grande qu'aujourd'hui, un enfigurage dissymétrique sur la façade, la cheminée fausse, l'avant-couverture légère et surtout la galerie non conçue en même temps que la maison, mais ajoutée après coup presque rez-terre. L'ondulation au centre en est d'ailleurs une preuve remarquable.

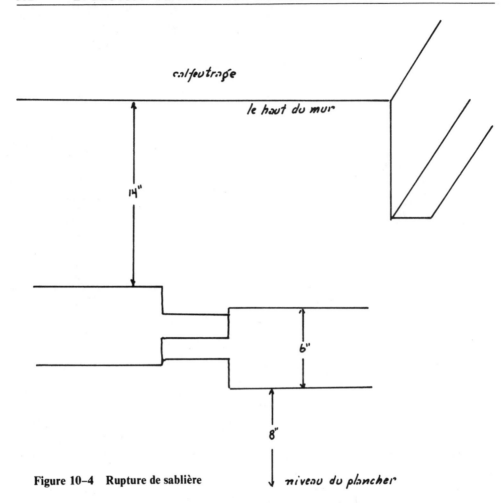

Figure 10–4   Rupture de sablière

courante dans la région de Québec. Enfin, une porte fut percée sur la façade nord (Fig. 10–6), et la fenêtre sud du mur pignon est fut réduite de moitié.

La maison entre 1759 et 1775

C'est en août 1759 que les Anglais ont dévasté et incendié la côte de Beaupré. Le plus parfait dénuement s'ensuivit. Le 12 janvier 1760 l'inventaire des biens laissés par Claire Tardif fut fait par le notaire Nicolas Huot dans un

Figure 10–5 La maison Gérard Pascal avant 1911
Beauport, rand Sainte-Thérèse

désordre qui déconcerte[2]. On y trouve la mention d'un « bastiment qui a esté un peut brulé, adjugé à Nicolas Trudel à 47 livres[3] ». Ces « papiers de 1760 », nous dit R. Gariépy, ne sont qu'un exemple parmi bien d'autres de l'appauvrissement de nos habitants, et il n'est pas nécessaire de chercher plus loin la preuve qu'ils étaient ruinés en 1760[4].

Par la mention des trois inventaires suivants, voici l'aspect de quelques maisons en 1769 et 1774.

1° Une maison construite en colombage de trente huit par vingt dont il n'y a que la chambre qui est achevé la cuisine ne l'étant point. La ditte chambre planchée haut et bas couverte en bardot[5].

2° ... une maison construitte en pierre de quarante pieds de long sur vingt de large constituant en chambre cuisine et cabinet une cheminée dans le

[2] Raymond GARIÉPY, « La terre domaniale du fief de Charleville », *là Revue de l'Université Laval,* vol. XX, nᵒˢ 2, 3, 4, 1965, p. 44.

[3] *Ibid.,* p. 44.

[4] *Ibid.,* p. 45.

[5] *Inventaire des biens de Augustin Cloutier,* 13 novembre 1769, A. Crespin père, ANQ.

Figure 10–6 Maison Gérard Pascal : façade nord et mur pignon ouest
Beauport, rang Sainte-Thérèse, début XVIIIe siècle

Comme sur la façade sud, le larmier de la façade nord est léger. Autrefois une petite fenêtre de laiterie se trouvait à la place de la porte et avec les trois autres fenêtres formaient l'enfigurage habituel d'un mur nord. À remarquer l'échelle sur les deux versants de la toiture ; elle sert à réparer la couverture et demeure là en permanence.

milieu planchée haut et bas couverte en planche et bardot garnie de porte feré chaussis feré et vitré[6].

3° ... une maison construite en pierre de quarante sept sur vingt quatre constituant en une chambre et une cuisine planchée haut et bas garnie de porte chassie feré et vitré couverte en bardot[7].

Ces inventaires suffisent à prouver que le saccage des Anglais n'a fait qu'arrêter momentanément l'évolution de la maison. Comme nous pouvons le constater, les maisons de pierre de 1770 décrivent le même type de maisons que celles d'avant 1759.

La maison de la deuxième moitié du XVIIIe siècle (maison Lachance, Saint-Joachim)

Après la brève étude de l'addition d'un nouveau toit sur des murs anciens et celle de la maison dévastée de la décennie 1760–1770, il est nécessaire de nous arrêter quelque peu sur un spécimen d'une authenticité rarement égalée. Il était situé sur la terre originelle de Julien Fortin, contiguë à celle de Paul Cartier, à Saint-Joachim (Fig. 10–7) et, depuis peu de temps, il fut transformé de telle manière que la forme originelle n'est plus reconnaissable.

La maison Lachance peut servir de point de repère, puisqu'elle se situe à peu près au milieu de la période évolutive. Tous les détails convergent dans une forme et dans un plan qui, jusqu'à ces derniers temps, n'ont presque pas bougé depuis sa construction. Notons-les:
— Un pignon médiéval à deux versants (angle de 55 degrés).
— Deux larmiers symétriques larges de vingt-quatre pouces et longés de gouttières.
— Une « oreille » (huit pouces) très finement décorée en dent de scie.
— Une galerie intégrée au sud (exhaussement: vingt-quatre pouces).
— Un petit perron au nord; par la galerie, les deux façades sont déjà de caractère différent.
— Une cave peu profonde.
— Un enfigurage typique sur la façade sud: une fenêtre et la porte formant le couple de baies de la cuisine; deux fenêtres formant le deuxième couple de baies face à la chambre. Dans le large trumeau central, se trouve la cloison séparatrice, d'ailleurs bien marquée par la cheminée; à droite, la cuisine, à

---

[6] *Inventaire des biens de François Marette,* 22 mars 1774, A. Crespin père, ANQ.
[7] *Inventaire des biens de Michel Bélanger,* 3 janvier 1774, A. Crespin père, ANQ.

Figure 10–7 Maison Lachance
Saint-Joachim, milieu du XVIIIe siècle

Cliché I. O. A.

gauche la grand-chambre. Une fenêtre au rez-de-chaussée sur le mur pignon ouest ainsi que sur le mur pignon est ; deux fenêtres au pan nord vis-à-vis les deux du sud et une porte face à l'autre. Les deux triangles des pignons comprennent un enfigurage identique formé d'une grande fenêtre, de deux moyennes et d'une petite. C'est un des plus subtils et des plus équilibrés qu'il soit possible de voir.

— Trois lucarnes au sud.
— Le lambris ne couvre pas entièrement les murs pignons ; le rez-de-chaussée est alors bien séparé du triangle ; le coup d'œil est saisissant.
— Les couleurs : le blanc et le gris de diverses intensités.
— Ajoutons à cela le plan de l'habitation et les clôtures ; derrière la maison il y avait six bâtiments : la grange-étable, une porcherie, un hangar, une latrine, un puits, une remise. Mais, présentement, il ne reste que la maison.

Ce toit à deux versants est un des plus beaux, des plus simples, des plus importants de la côte de Beaupré, et même de la région de Québec.

1) L'avant-couverture

Avant d'aborder la maison du XIXᵉ siècle, il est essentiel de s'attarder sur deux détails architecturaux importants, le larmier et la galerie, considérés jusqu'à maintenant comme des problèmes parce qu'ils n'ont pas été résolus par nos architectographes. Il est certain que le coyau existait au XVIIᵉ siècle à Québec (*Marché de construction d'un bâtiment entre les Pères Jésuites, Jacques Coquerel et Nicolas Goupil,* 29 septembre 1648, Claude Lecoustre, ANQ), mais rien ne nous révèle son existence à la campagne.

Selon Ramsay Traquair, « it was probably imported from old France as a part of the traditional construction [8] ». Il a raison, puisque le coyau existait au XVIIᵉ siècle. Dans *Principes de l'architecture...* qu'André Félibien a publié à Paris en 1699, il s'y trouve et, par ailleurs, on peut distinguer une petite avant-couverture dans La Mulotière décrite au début de cet ouvrage. Cependant, le coyau de certaines maisons françaises du XVIIᵉ siècle était presque imperceptible et il était droit. L'invention du coyau n'est donc pas canadienne ; est canadienne l'importance qu'on lui a donnée. Sur un versant tout d'abord, puis sur l'autre, et sur les quatre dans le cas des toits en croupe.

Le coyau (aussi appelé acoyau) est cette petite pièce de bois triangulaire posée sur chaque chevron afin de procurer une courbe à l'avant-couverture qu'on appelle larmier. Habituellement, il est caché par un revêtement aux deux extrémités, mais, dans certains cas, il est apparent (Fig. 10–8) et nous

---

[8] *The Old Architecture of the Province of Quebec,* p. 3.

Figure 10–8   Coyau apparent
Maison Isidore Grenier (vue du pignon est)
Courville, milieu XVIIIe siècle

permet de remarquer comment il procure cette forme. D'ailleurs lorsqu'il est apparent, c'est que la toiture a subi des réparations à un certain moment de son évolution; ce qui est le cas pour la toiture représentée à la figure 10–8.

L'allongement du coyau a dû commencer au tournant du XVIIIe siècle pour s'arrêter au milieu du XIXe siècle, ce qui donnerait au plus cent cinquante ans pour l'évolution du pignon de la maison traditionnelle. Dans la région de Québec, cette évolution est précédée d'une période étale où la forme cherche son cheminement. Elle coïncide d'ailleurs avec la maison de bois, l'installation et la stabilisation des deux ou trois générations pionnières.

Mais il a fallu qu'un jour quelqu'un ait eu l'idée de courber le coyau, et que cette innovation ait répondu à un certain besoin pour qu'il se généralise dans la vallée laurentienne. Les premiers coyaux n'avaient que six pouces sur un angle de soixante degrés et les derniers, vers 1850–1860, environ quatre pieds sur un angle de quarante-cinq (Fig. 10–9).

Une innovation corrélative à la première, typiquement québécoise celle-là, consista à procurer un cintre au larmier. Cette caractéristique est presque exclusive à la Côte-du-Sud entre Saint-Michel de Bellechasse et Mont-Joli, mais plus particulièrement dans la région de Kamouraska et de Rivière-Ouelle où les maisons se caractérisent, en plus, par des portes monumentales. Ce revers de larmier est suffisant pour donner une physionomie différente à cette maison de la Côte-du-Sud. Vue de loin, elle ressemble étrangement à la carène d'un navire. Aucune raison n'a été donnée pour expliquer cette forme ; mais on peut tenter un rapprochement avec le fait que la région de Kamouraska est un

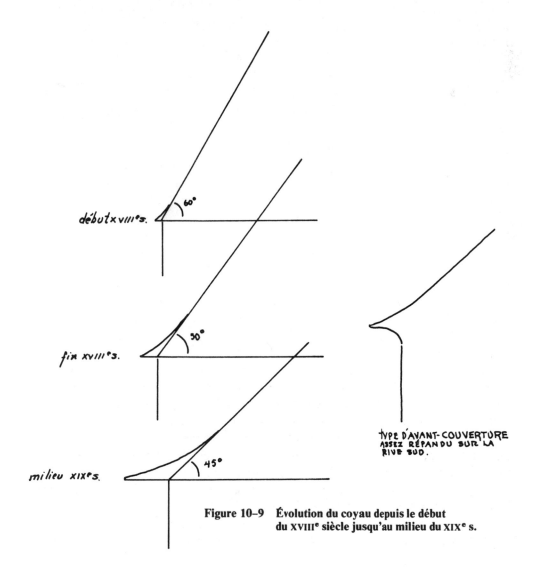

Figure 10–9   Évolution du coyau depuis le début du XVIIIᵉ siècle jusqu'au milieu du XIXᵉ s.

pays de navigateurs. De la forme d'un navire au revers du larmier, il n'y a peut-être pas autant de distance que l'on serait porté à le croire [9].

Mais revenons au simple larmier. Une raison d'utilité l'explique sans aucun doute. Celle que donne Traquair n'est pas exclusive. Il dit : « the bellcast is not really suited to thc climate, as it tends to collect the snow in winter and to form immense icicles [10]. » Après tout, la courbe n'est pas assez prononcée pour accumuler la neige, et les glaçons qui se forment au printemps ne sont pas si gros qu'il le dit (Fig. 10–10). Le larmier était plutôt fait pour éloigner des parements les eaux de pluie et les eaux de fonte du printemps et, en même temps, pour protéger les murs de la saleté dégoulinant de la toiture. Les gouttières de bois originelles (Fig. 10–11) étaient d'ailleurs insuffisantes et non appropriées pour récolter l'eau. Le fait est que certains larmiers n'ont pas de gouttières lorsqu'ils sont le moindrement éloignés des murs comme c'est d'ailleurs le cas à la figure 10–10. Lorsqu'il y en a, ce sont des dalles de tôle épaisse retenues par des crochets.

Nous possédons, en outre, une preuve irréfutable que le larmier fut allongé pour protéger les parements de l'eau de pluie ou de fonte du printemps, dans deux spécimens, certainement pas uniques, situés à l'extrémité est de la paroisse de Beaumont. Tous deux avaient un toit à pavillon lors de leur construction, mais par la suite ils furent remplacés par un toit à deux pentes munies de deux larmiers égaux assez larges. Lors de la restauration d'une de ces maisons, le professeur Lacourcière fit baisser les deux pignons latéraux, d'autant plus facilement que les chevrons de croupe et les chevrons corniers possédaient encore leur ajustage originel.

Chez Wilfrid Turgeon, la charpente originelle reste entièrement intacte sous la charpente qui fut ajoutée pour lui procurer deux avant-couvertures d'au moins vingt-quatre pouces, et cela, précisément, pour éloigner les eaux de pluie et de fonte du printemps.

Aujourd'hui, il faut bien se rendre compte que c'est vers la fin du XVIIIe siècle seulement que les deux versants devinrent symétriques et, à partir de ce moment-là, évoluèrent simultanément. La phase précédente consiste en deux larmiers d'inégale largeur, le plus large étant sur la façade principale (Fig. 10–12). Durant la première moitié du XVIIIe siècle, il arrivait souvent qu'un seul versant avait un larmier, l'autre restant droit jusqu'au parement (Fig. 10–13).

---

[9] Ce caractère maritime a été noté pour la première fois par Maurice HÉBERT dans son article sur « L'habitation canadienne-française », *M.S.R.C.* vol. XXXVIII, 1944, p. 135.

[10] *Op. cit.*, p. 3.

Figure 10–10   Larmier et galerie
        Maison Isidore Grenier
        Courville, milieu XVIIIᵉ siècle
Remarquer les glaçons qui dépassent le larmier et qui tombent sur la galerie.

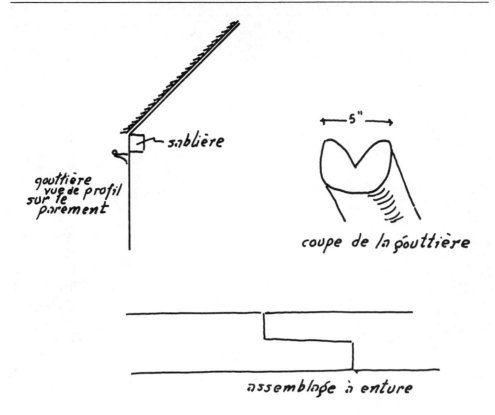

sablière

gouttière
vue de profil
sur le
parement

5"

coupe de la gouttière

assemblage à enture

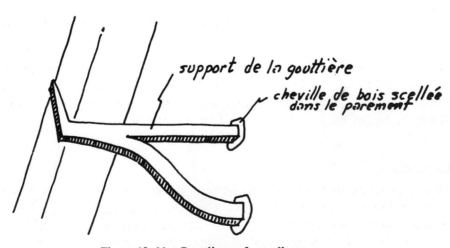

support de la gouttière

cheville de bois scellée
dans le parement

Figure 10–11   Gouttière en forme d'auge
Saint-Joachim, début XVIIIᵉ siècle

Figure 10–12   Toit dissymétrique à deux larmiers inégaux
Maison G. E. Grenier
Courville, fin XVIIIᵉ siècle

Orientée vers l'est et l'ouest, cette maison possède un larmier plus étroit au nord qu'au sud, précisément sur la pan de mur longeant la route.

Remarquer la niche pratiquée au-dessous du larmier servant à enchâsser une image religieuse.

Dans ce cas-là, la façade, dépourvue de larmier, a des chambranles plus simples que sur l'autre façade. Elle donne parfois sur un bout de terre, elle est plus utilisée que l'autre, surtout la semaine, et elle n'a pas de galerie. Celle-ci d'ailleurs, a évolué en sympathie avec l'avant-couverture.

2) La galerie

Par la description d'une maison de Courville (Fig. 10–14) nous allons voir que l'intégration de la galerie ne laisse aucun doute. Selon les calculs effectués en tenant compte des générations, cette maison aurait été construite vers 1780–1800. En 1916, un incendie a détruit les chambres du comble, la charpente et les cloisons, et il a entraîné un changement de plan et une nouvelle construction d'avant-couvertures et une nouvelle toiture (Fig. 10–15).

Figure 10–13   Toit dissymétrique : un versant droit, un versant avec larmier
Saint-Joachim, début XVIIIᵉ siècle

Depuis 1893, la maison n'a pas changé de dimensions ; elle mesure toujours trente-huit par vingt-trois, comme l'indique une police d'assurance feu et dommages achetée par le propriétaire d'alors : « 400 dollars sur une bâtisse à 1 1/2 étage en pierre couverte en bardeaux, y compris galleries (*sic*), portes et chassis doubles appartenant et occupé par l'assuré comme demeure seulement [11]. » La grange de bois de soixante-dix par vingt-six, le seul autre bâtiment de la ferme, était assurée pour deux cents dollars.

Le mot *galleries* au pluriel signifie qu'il y avait une galerie au nord — une espèce de petit perron rez-de-terre. Ce n'est qu'en 1945 qu'il fut enlevé et qu'on a ajouté un « tambour » au nord. Mais c'est au sud que se trouve le détail essentiel, non seulement important pour le cas à l'étude, mais pour comprendre le cheminement architectural de la région de Québec. Remarquons, en

---

[1] *The Lancashire Insurance Company,* Manchester, England, Toronto Office, Yonge and Colborne Street ; Quebec Agency, J. B. Massicotte.

Figure 10–14   Galerie exhaussée de dix-huit pouces
Maison Isidore Grenier
Courville, milieu XVIIIe siècle

Éloignée d'au moins cent pieds du côté nord de la route, cette maison est un des beaux spécimens de l'ancienne seigneurie de Beauport, du moins vue du sud.

L'enfigurage de la façade est une porte centrale flanquée de deux fenêtres de chaque côté.

Le point important à noter ici est la galerie intégrée.

effet, que la galerie est surélevée de vingt pouces (Fig. 10–10), tandis que dans la maison de Gérard Pascal, elle était au sol. Retenons surtout que la galerie n'a pas été ajoutée après la construction de la maison, mais conçue en même temps. C'est ainsi que quelques poutres du plancher inférieur furent prolongées au-delà du mur pour former l'armature de la galerie, les arêtes des murs pignons étant pourvues de poutres de six pouces carrés et scellées dans la pierre. Plus large aujourd'hui qu'il y a vingt-cinq ans, la galerie repose actuellement sur des pilotis. Les soliveaux ont donc été coupés à un certain moment et les supports encore encastrés dans les murs pignons sont les indices qui témoignent de l'armature originale.

Ce détail est la preuve incontestable que la galerie de la région de Québec s'inscrit dans une évolution architecturale autonome. Il est cependant possible que cet élément soit apparu ailleurs en même temps que la nôtre ou même

Figure 10–15   Larmiers dissymétriques
Maison Isidore Grenier
Courville, milieu XVIIIᵉ siècle

À remarquer les chevrons de rampant assemblés à onglet au faîte. Normalement le dessous du larmier est au niveau de l'assiette ce qui n'est pas le cas ici; c'est la preuve que les larmiers ont été refaits en 1916.

avant. Selon Alan Gowans [12] la maison Cass à Détroit, poste de traite français à l'époque, avait une galerie en 1700; mais cela ne prouve pas que notre galerie soit le résultat d'une influence étrangère, d'autant moins qu'elle est déjà mentionnée dès la fin du XVIIᵉ siècle dans la maison urbaine à Montréal et à Québec [13]. Dans notre milieu rural la galerie apparaît au niveau du sol au tournant du XVIIIᵉ siècle, puis s'élève progressivement. C'est vers le milieu de ce siècle qu'on commence à l'intégrer aux murs. Si elle apparaît en Louisiane en même temps qu'au Canada c'est qu'elle correspond à des besoins différents. Nous voyons là qu'un motif architectural commun à des contrées éloignées s'explique de diverses manières [14]. Sous la chaleur des Tropiques la galerie

---

[12] *Images of American Living*, p. 65.

[13] R.-L. SÉGUIN, *la Maison en Nouvelle-France*, p. 43.

[14] Voir au sujet de la galerie, la note écrite par Alan Gowans dans *Images of American living*, p. 65 où il fait, avec raison, beaucoup de réserves sur la théorie qui veut qu'elle soit d'abord apparue en Louisiane puis se voit répandue vers le nord jusqu'au Canada; la maison décrite ici contredit précisément cette hypothèse.

facilite la vie au grand air, mais ici dans un pays nordique elle exprime, à la fois, l'éloignement graduel du plancher inférieur de l'humidité du sol et peut-être aussi son utilisation comme lieu de repos et de conversation durant la canicule.

La maison du début du XIXᵉ siècle

Durant la première moitié du XIXᵉ siècle, la maison de la région de Québec a pris une expansion considérable en hauteur, en longueur et en largeur. La maison Antonius Blouin (Fig. 10–16) possède les caractéristiques principales du modèle des années 1820–1830 : deux avant-couvertures symétriques de trente-six pouces (Fig. 10–17), un angle au pignon de quarante-cinq degrés, deux cheminées, deux portes à l'étage et une dans la cave et, surtout,

Figure 10–16 Maison du début XIXᵉ siècle
Maison Antonius Blouin, Beauport
Par l'enfigurage du premier étage, la façade de cette maison qui donne sur l'Avenue Royale est du XVIIIᵉ siècle. C'est ce qui explique son allure plus traditionnelle que d'autres modèles du même genre.
À remarquer le revêtement en tôle de la couverture, des lucarnes et des cheminées.

Figure 10–17   Larmiers et galeries symétriques
Maison Antonius Blouin (pignon est)
Beauport, début XIXᵉ siècle

deux galeries intégrées (Fig. 10–18). La victoire contre l'humidité est définitive. Cependant, la cave est plutôt utilisée comme hangar que comme logement. Vers 1850, et même après, quand on verra l'utilité de la partie basse on l'utilisera comme logement.

La maison de la fin du régime seigneurial : la cuisine d'été

Cette maison est plus haute que la précédente, de même que la galerie sur les deux murs façades (Fig. 10–19). L'étage et le pignon forment un logement, et le sous-étage sera utilisé comme cuisine d'été, de mai à septembre. Ce sous-étage plus frais, était propice à la vie familiale et au travail agricole durant les chaleurs estivales. Par la suite, la cuisine d'été est devenue un logement, comme c'est le cas à la figure 10–18.

Ainsi la famille des cultivateurs déménage de la cuisine d'hiver à la cuisine d'été, de haut en bas, mais ce qui arrive plus souvent, c'est le

Figure 10–18   Galerie intégrée
Maison Antonius Blouin (pan sud)
Beauport, début XIXe siècle

déménagement horizontal (Fig. 10–20). Si le modèle de la cuisine verticale du milieu du XIXe siècle est plutôt caractéristique de la côte de Beaupré, de Beauport, de Charlesbourg et des Éboulements, par contre la cuisine d'été horizontale est beaucoup plus répandue et exprime l'adaptation étroite à la structure climatique hiver-été dans l'aire seigneuriale.

On peut noter que l'aboutissement du toit à deux versants dans la région de Québec, n'est pas nécessairement la galerie séparant deux étages. Dans certains cas, la galerie n'existe pas, alors que la maison a carrément deux étages habitables. Toutefois les maisons de ce modèle ne sont pas nombreuses et ne font que corroborer la règle.

L'évolution de la forme de la grange-étable

Quant à l'évolution de la forme des bâtiments, surtout de la grange-étable, il importe de noter qu'elle s'est faite en étroite liaison avec la maison. La grange-étable ne semble pas avoir été coiffée d'un toit en croupe durant la période traditionnelle; les rares exemples de ce type, appartiennent au XIXe siècle et parfois certaines croupes sont la réplique des combles anglo-normands [15].

Comme dans le cas de la maison, c'est le toit à deux versants qui a évolué, lui aussi, jusqu'au XIXe siècle, mais un peu en retard sur la maison. Ses larmiers sont parfois dissymétriques, celui du sud étant plus long que celui du nord, mais généralement ils sont symétriques et dépassent rarement dix-huit pouces. À la fin du XIXe siècle, la mode fut aux granges-étables mansardées à deux ou à quatre versants avec brisis concaves, puis à brisis droits au XIXe et finalement en dôme après 1945, dans plusieurs cas [16].

Il serait sans doute intéressant de connaître les dispositions prises pour prémunir les animaux contre le froid et l'humidité. Qu'il suffise de mentionner la double porte, la double fenêtre, le plancher inférieur, ainsi que la couverture de chaume. L'important concerne plutôt l'uniformité des toits de l'habitation durant la période traditionnelle: la maison, la laiterie, la grange, l'étable, la grange-étable vers le milieu du XVIIIe siècle, l'écurie, la porcherie, la bergerie, la remise, le hangar, la cave à légumes, le toit des fours à pain et des puits;

[15] Un des plus beaux exemples se trouve sur la route 2, à Saint-Augustin à l'ouest de Québec; il existe quelques spécimens moins élégants à l'île d'Orléans et sur la côte de Beaupré.

[16] On peut noter aussi la grange-étable de forme octogonale, dont le centre de dispersion se situe sur la rive sud, à La Pocatière. De là elle s'est répandue sur cette même rive en allant vers l'ouest, très peu vers l'est; sur la rive nord elle est presque inexistante. À l'île d'Orléans, il y en a encore une, « tombant en ruines », pour employer l'expression des anciens notaires.

Figure 10-19   Maison des années 1850-1860
Château-Richer
Un appentis est adossé sur le mur pignon est ; à droite se trouve une cave à légumes de forme typique sur les côtes de Beauport et de Beaupré.

Figure 10-20   Cuisine d'été sur plan horizontal
Château-Richer
Cette petite maison de bois bâtie sur solage de pierre comporte une cuisine d'été sur plan horizontal plutôt que vertical. En fait, ce modèle est beaucoup plus répandu que le plan vertical dans la vallée du Saint-Laurent.

tous ont des toits à pignon. Peuvent faire exception, et pas partout, la laiterie, le hangar et la latrine, coiffés d'un toit à une seule pente.

Ajoutons à cette nomenclature, les toits des manoirs seigneuriaux, des moulins hydrauliques, des églises, des chapelles de procession, et le toit conique des moulins à vent — le four à chaux cylindrique non coiffé faisait exception — et l'on verra que nous avons raison de parler d'universalité de la forme médiévale dans l'aire seigneuriale. Les spécimens qui nous restent aujourd'hui côtoient des formes si variées de bâtiments et de maisons que l'uniformité architecturale traditionnelle n'existe plus.

CHAPITRE XI

LA FORME TRADITIONNELLE DEPUIS LA FIN DU RÉGIME SEIGNEURIAL

La fin de la forme traditionnelle

En traitant de la forme architecturale au chapitre x, nous nous sommes rendu compte que la galerie et l'avant-couverture avaient changé simultanément avec la forme générale et qu'elles avaient à peu près cessé d'évoluer en même temps que celle-ci dans les années 1850–1860. Après cette décennie, la maison traditionnelle périclitait parce qu'elle était adaptée aux précipitations pluvieuses et neigeuses, aux vents violents et aux températures froides. Elle l'était d'ailleurs déjà dès le début du XIXe siècle et même avant, chez les habitants à l'aise qui, comme Noël Gagnon, possédaient le triple foyer en 1703. L'hiver avait donc cessé de jouer le rôle de conditionnement répulsif, si important à l'origine de la colonie, pour faire démarrer le processus d'évolution de la forme. En d'autres termes, les attaches qui liaient la maison à l'hiver comme facteur conditionnant étaient maintenant coupées. Cette maison déclinait aussi parce que le mode de vie, calqué sur le rythme climatique, avait fini par imposer aux habitants de changer de cuisine, soit verticalement de haut en bas, soit horizontalement vers l'est ou l'ouest, soit même de la maison à un autre bâtiment.

Ainsi, les seuls liens qui, durant la première moitié du XIXe siècle, retenaient la maison à l'environnement n'étaient plus que d'ordre économique. Les choses se sont d'ailleurs passées comme si la forme, après sa phase évolutive, se fût laissée porter sur son élan jusqu'au déclin final. On voit bien cette période brillante, dans la décoration exagérée des chambranles, des galeries et des portes. Le principal étant gagné depuis longtemps, on s'attardait aux détails. Du reste, la forme n'a rien gagné d'important entre 1815 et 1850 environ, si ce n'est un agrandissement des dimensions et l'ajout des cuisines d'été.

C'est au moment où la maison était alors le plus en accord avec l'hiver et le mode de vie agricole que son déclin, coïncidant avec les dernières années du régime seigneurial, fut assez soudain. Cependant, il importe de noter qu'elle a persisté jusqu'au début du XXe siècle sur la côte de Beaupré (Fig. 11–1). Et, chose fort intéressante, elle fut même apportée par des ruraux dans la paroisse du Sault Montmorency, ouverte à partir de 1890 autour de l'usine de textile.

Les spécimens sont sans doute rares. Et, dans les deux endroits, la forme, loin d'être plus évoluée que celle de la maison de la fin du régime seigneurial, reprend celle des années 1800–1825. Hormis ces exemples, on peut dire, à la suite de Ramsay Traquair, que la forme médiévale traditionnelle déclinait rapidement dans la campagne laurentienne vers les années 1850–1860 [1].

Figure 11–1   Maison Joseph Gagnon (pignon est)
Château-Richer, 1890

The Old Architecture of the Province of Quebec, p. 5.

La colonisation

Une seconde phase agricole a commencé quand l'espace seigneurial devint insuffisant dans la vallée laurentienne[2]. Des agriculteurs émigrèrent aux États-Unis ou vers les cantons (*townships*) à l'intérieur des frontières québécoises ; au Saguenay et au Lac-Saint-Jean tout d'abord, ensuite dans le nord de la Mauricie puis dans les Cantons de l'Est et, plus tard, dans la vallée de la Gatineau, dans le Témiscamingue et l'Abitibi. C'est une assez longue période qui s'étend même jusqu'après la dernière guerre. Tous ces faits sont bien connus[3].

Or, durant cette poussée colonisatrice et agricole, la forme de la maison traditionnelle ne fut pas poursuivie, parce que, ayant atteint sa plénitude, elle ne pouvait plus être continuée. Nous voulons dire que rien de nouveau ne lui fut ajouté pour lui procurer une forme plus évoluée. Mais cela n'a pas empêché son emploi, même dans les cantons ouverts au milieu du XIX\ :sup siècle.

Les figures 11–2 et 11–3 représentent deux bons exemples de constructions d'allure traditionnelle. Elles proviennent de la paroisse de Saint-Victor de Beauce ouverte en 1848 dans le canton de Tring. La figure 11–2 représente l'école du village et la figure 11–3 l'ancien presbytère démoli vers 1911.

Comme nous pouvons le voir, la forme traditionnelle a chevauché sur les cantons situés à la bordure de l'aire seigneuriale, mais en incorporant des éléments architecturaux particuliers et désormais représentatifs d'une région. Notons dans la figure 11–1 les planches à clin très étroites, détail provenant de l'architecture de la Nouvelle-Angleterre et des Maritimes, et, dans les deux figures, les portes monumentales que l'on retrouve sur la Côte-du-Sud et dans la péninsule gaspésienne.

Ce qui se voit dans le canton de Tring se voit aussi dans d'autres cantons de l'est où les éléments incorporés varient localement. Si la forme ne s'est pas poursuivie dans un nouvel accomplissement au-delà du régime seigneurial cela est surtout dû à deux grands ensembles de facteurs importants.

1º Le conditionnement physique des nouvelles étendues colonisées offrait des composantes légèrement différentes de celles de la vallée laurentienne. Il fallait alors que la maison soit adaptée autrement. Bien qu'important, cet ensemble de facteurs n'est pas le plus significatif.

2º Le conditionnement économique l'est davantage. Tout autre que celui de la période traditionnelle, il s'enracine dans une nouvelle tenure de terres et,

---

[2] Noël VALLERAND, « Histoire des faits économiques de la vallée du Saint-Laurent (1760–1866) », *Économie québécoise,* p. 63.

[3] Voir le chapitre intitulé : « La marée du peuplement », dans *le Canada français* de Raoul BLANCHARD, Paris, Arthème Fayard, 1960, pp. 65–115.

Figure 11–2   École de Saint-Victor de Beauce
Canton de Tring, XIXᵉ siècle
Incendiée en 1931

en conséquence, dans un nouveau réseau routier, un nouvel habitat, de nouvelles habitations, c'est-à-dire de nouvelles maisons de colonisateurs exprimant leur modeste situation économique. Pour cette raison, les colonisateurs n'avaient évidemment pas les moyens financiers de construire les grosses maisons de pierres des années 1850.

La colonisation et l'organisation de nouveaux espaces dans la seconde moitié du XIXᵉ siècle et au XXᵉ siècle est une phase pourvue d'un nouveau commencement, analogue à celui qui se produisit au début de la colonie dans la vallée laurentienne.

Bien que l'agriculture se soit prolongée dans la colonisation, au moins jusqu'en 1931 [4], par l'apport d'un surplus d'effectifs humains de la vallée laurentienne, la période de notre histoire rurale qui va de 1634 jusqu'avant la Deuxième Grande Guerre se divise en deux parties : l'une se termine à peu près

[4] Georges LANGLOIS, *Histoire de la population canadienne-française*, p. 182. Notons que le pourcentage de la population rurale est de 51.8% en 1911 et de 44% en 1921, tandis que la population urbaine est de 48.2% en 1911 et de 56% en 1921. C'est seulement entre 1911 et 1921 que les effectifs urbains ont dépassé les effectifs ruraux.

Figure 11–3   Presbytère de Saint-Victor de Beauce
Canton de Tring, XIXᵉ siècle
Démoli vers 1911

en même temps que la fin officielle du régime seigneurial et l'autre la prolonge jusqu'avant la guerre.

Phase de transition dans la vallée laurentienne

Durant la phase de colonisation agricole postérieure à la période traditionnelle, se situe, dans la vallée laurentienne, l'importante transition entre le mode de vie agricole et le mode de vie industriel. Le processus de structuration d'un nouvel espace géographique qui se produit alors, et qui est situé à mi-chemin entre l'habitat rural traditionnel et l'habitat urbain moderne, s'explique ainsi : coupé de son milieu traditionnel, l'agriculteur devenant ouvrier se voit dans la nécessité d'organiser un nouveau fonds qui ne ressemble plus au traditionnel. Sa dissociation d'avec l'ancien milieu, accompagnée de l'incertitude qu'il manifeste dans la structuration d'un nouvel espace géographique expliquent la différence d'habitat et d'architecture que l'on note à partir de la fin du XIXᵉ siècle. L'exemple typique autour de Québec est la paroisse de Saint-Grégoire de Montmorency où l'habitat concentré est ni plus ni moins un quartier constitué de toits horizontaux dans la proportion de 90 p. cent.

On peut exclure de cette phase architecturale le toit mansarde dont la période d'excellence se situe entre 1860 et 1890. L'un d'eux au brisis courbe vient de la mansarde française implantée à Québec au XVIIe siècle, l'autre au brisis droit provenant surtout de la Nouvelle-Angleterre[5]. En fait, la mansarde à deux ou à quatre versants est un type de transition entre la maison traditionnelle et l'architecture qui correspond à l'habitat métissé que nous avons noté un peu plus haut.

Tour à tour l'on aura la maison multifamiliale à toit horizontal, le toit alambiqué d'influence « victorienne », puis le toit pyramidal, tronqué ou non, le pignon sur rue à deux ou à quatre étages, la mansarde au brisis droit et long et d'autres types composites. Bref, entre 1860 et 1945 environ, il n'y a pas moins de six types de toits qui se succèdent à un rythme accéléré[6].

La forme traditionnelle depuis 1942

La croissance de la banlieue québécoise après 1945 a favorisé la prolifération de deux types de maisons : le plain-pied unifamilial, communément appelé *bungalow* et la maison à multiples logements.

Le premier type peut avoir un toit horizontal, même un toit renversé vers le milieu ; mais, dans la majorité des cas, il est formé de deux pentes raides de trente degrés d'angle ou moins. Les caractéristiques principales de cette maison aux sous-types nombreux, sont :

1° l'emplacement affecté à l'automobile, lorsque ce n'est pas à un garage incorporé au logis,

2° un sous-sol habitable, qui rappelle l'ancienne cuisine d'été des années 1850–1860. Ce type qui s'est imposé et largement répandu depuis 1945 n'a pourtant rien perdu de sa vigueur aujourd'hui.

Le deuxième type, la maison à multiples logements, caractérisée par un toit horizontal, est aussi à la mode que le type précédent. On la construit déjà depuis quatre-vingts ans environ, non sans succès.

Or, au sein de cette profusion architecturale suburbaine, nous voyons réapparaître le comble traditionnel. Ce seraient Clarence Gagnon et P. Roy

---

[5] Voir l'ouvrage de Henry-Lionel WILLIAMS, intitulé *A guide to Old American Houses 1700–1900*.

[6] Tous ces types de toit constituent l'ensemble architectural, non seulement de la région de Québec, mais de tout le Québec.

Wilson, l'un peintre de maisons et de paysages ruraux du comté de Charlevoix, l'autre architecte, qui, en 1939, auraient eu l'idée d'un concours architectural ayant comme thème la maison traditionnelle, afin de souligner le tricentenaire de la fondation de Montréal[7]. Ce concours, organisé par le Gouvernement provincial du Québec eut effectivement lieu en 1942[8]. Il était demandé aux participants de dessiner :

1º une maison d'un cultivateur à l'aise ayant une famille nombreuse,

2º une maison d'un fils de cultivateur s'établissant, laquelle pourrait plus tard s'agrandir,

3º une maison de ville ou de village pour une famille moyenne,

4º une maison régionale de colonisation à un étage et demi.

Les architectes canadiens-anglais et canadiens-français qui y participèrent reproduisirent soit la maison médiévale originelle soit celle à larmiers symétriques des années 1780–1800 (Fig. 11–4, 11–5, 11–6, 11–7). Parmi les quatre projets, un seul se rapportait à la maison de ville ou de village pour une famille moyenne, et les trois autres concernaient des maisons d'agriculteurs. Nous ne savons pas ce qui s'est passé dans les paroisses de colonisation éloignées, mais, autour de Québec, nous pouvons dire que c'est la maison de ville ou de village qui s'est imposée.

L'architecte Sylvio Brassard de Québec qui a dessiné nombre d'églises modernes inspirées de la forme traditionnelle a certainement contribué par la suite à ce mouvement. Il a construit particulièrement les bâtisses du Jardin zoologique de Québec et aussi des maisons de forme ancienne, un peu comme celle représentée à la figure 11–8. Certains architectes anglo-saxons, tels Galt Durnford, Roy Wilson, C. Douglas et Ross Wiggs ont importé dans Ville-Mont-Royal, Outremont et Westmount les formes typiques de la région de Québec[9].

Les architectes ne sont donc pas étrangers à la renaissance de la forme traditionnelle ; mais, maintenant, ce sont les entrepreneurs en construction qui font souvent la publicité de leurs modèles dans les journaux.

C'est donc après la Deuxième Guerre que la forme médiévale à deux ou à quatre versants réapparaît ici et là à la périphérie de Québec, un peu à Québec, mais surtout à Sainte-Foy, Sillery, Beauport, Giffard et Charlesbourg. Et, après 1960, la mode s'amplifie. Voici quelques exemples :

---

[7] Léon TRÉPANIER, « Nos vieilles maisons vont renaître », *Revue du Québec industriel,* Québec, 1940, vol. V, nº 2, p. 3.

[8] *Une belle maison pour une belle province,* Québec (s.d.), 40 p.

[9] Sylvio BRASSARD, « L'avenir de notre architecture », *Revue du Québec industriel,* Québec, 1940, vol. V, nº 2, p. 14.

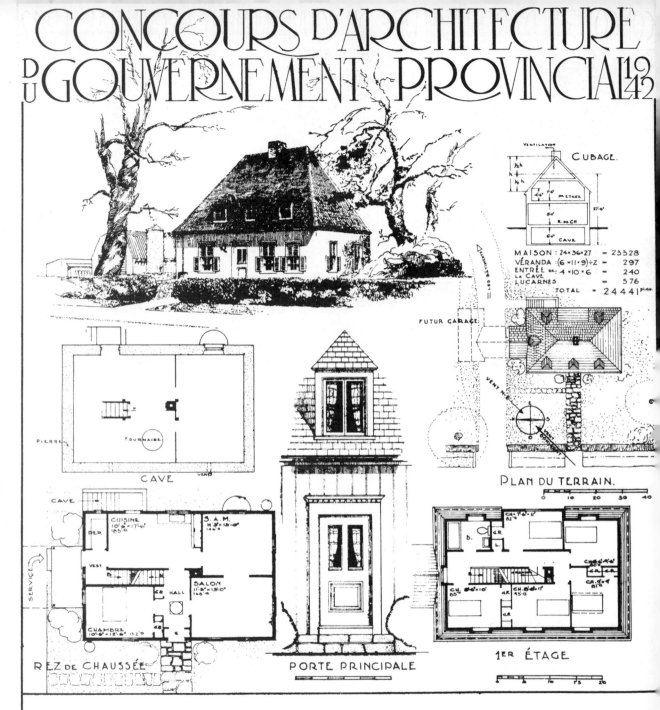

Figure 11–4   Maison d'un cultivateur à l'aise ayant une famille nombreuse

A.H. TREMBLAY,
70-6IEME AVENUE,
QUÉBEC.

SECOND PRIX
PROJET "A"

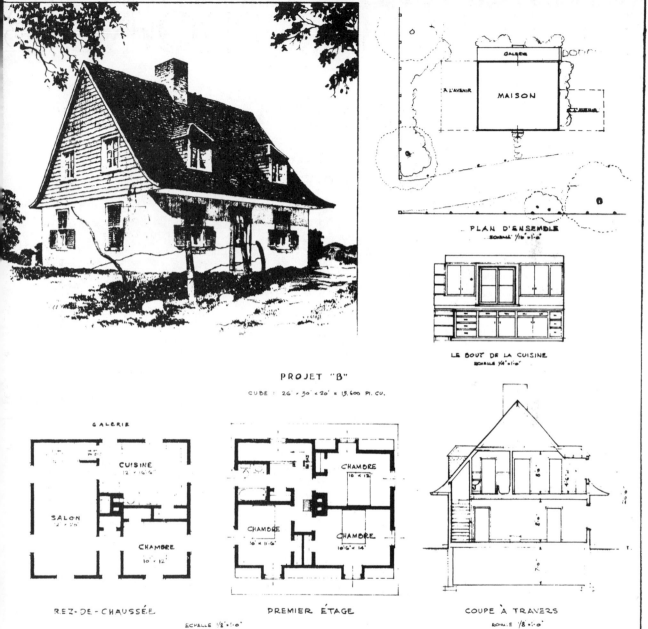

CONCOURS D'ARCHITECTURE DU GOUVERNEMENT PROVINCIAL 1942

PLAN D'ENSEMBLE
ECHELLE 1/16"=1'-0"

LE BOUT DE LA CUISINE
ECHELLE 1/4"=1'-0"

PROJET "B"
CUBE : 26' x 30' x 20' = 15,600 PI. CU.

GALERIE

CUISINE
12' x 16'6"

SALON

CHAMBRE
10' x 12'

CHAMBRE
10' x 12'

CHAMBRE
10' x 11'6"

CHAMBRE
10'6" x 14'

REZ-DE-CHAUSSÉE

PREMIER ÉTAGE

COUPE À TRAVERS
ECHELLE 1/8"=1'-0"

ECHELLE 1/8"=1'-0"

**Figure 11–5 Maison d'un fils de cultivateur s'établissant,
laquelle pourrait plus tard s'agrandir**

H. ROSS WIGGS, A.R.I.B.A.
1221, OSBORNE ST,
MONTREAL

PREMIER PRIX
PROJET "B"

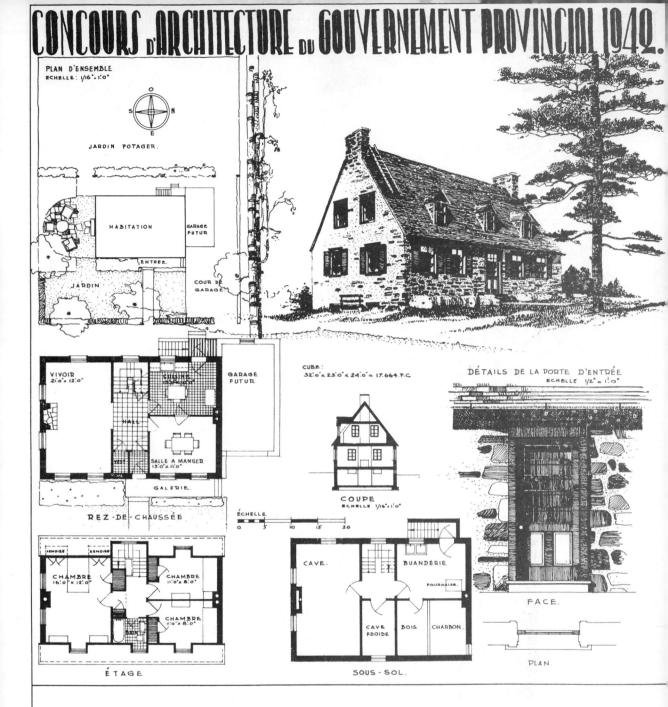

Figure 11-6 Maison de ville ou de village pour une famille moyenne

JACQUES M. MORIN
507 PLACE D'ARMES.
MONTREAL.

SECOND PRIX
PROJET "C"

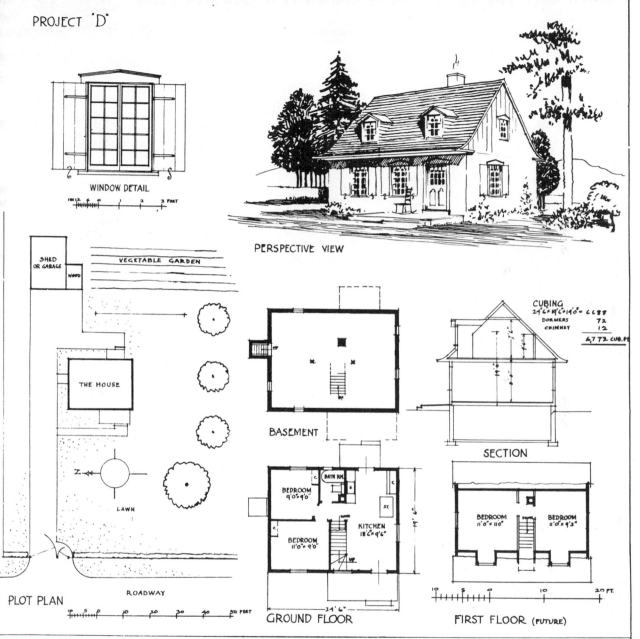

PROVINCIAL·GOVERNMENT·ARCHITECTURAL·COMPETITION·1942

PROJECT "D"

WINDOW DETAIL

PERSPECTIVE VIEW

VEGETABLE GARDEN

SHED OR GARAGE

WOOD

THE HOUSE

LAWN

PLOT PLAN

ROADWAY

BASEMENT

BEDROOM 9'0"x9'0"

BATH RM.

BEDROOM 11'0"x9'0"

KITCHEN 18'6"x9'6"

24'6"

GROUND FLOOR

SECTION

CUBING
24'6"x19'6"x14'0" = 6688
DORMERS   72
CHIMNEY   12
                6772 CUB.FT

BEDROOM 11'0"x11'0"

BEDROOM 11'0"x9'3"

FIRST FLOOR (FUTURE)

Figure 11-7   Maison régionale de colonisation à un étage et demi

DAVID J. MOIR
1240 UNION AVE.
MONTREAL.

SECOND PRIX
PROJET "D"

Figure 11–8   Maison Hermas Breton
Saint-Grégoire de Montmorency, XXᵉ siècle

Le presbytère de la paroisse Saint-Cœur-de-Marie sur la Grande-Allée à Québec qui reproduit un toit à pavillon assez évasé.

Certaines entreprises l'utilisent même dans leurs postes de service. C'est le cas de la compagnie de Téléphone Bell du Canada qui a construit deux postes coiffés d'un toit en croupe à Saint-Jean et à Sainte-Pétronille (île d'Orléans). C'est le cas aussi de l'Hydro-Québec qui possède le poste de service Montcalm coiffé d'un toit coupe-feu sur le boulevard Saint-Sacrement à Québec. C'est aussi le cas de plusieurs édifices du ministère de la Voirie à différents endroits.

En 1967, lors de l'exposition provinciale de Québec, la maison du Club Kinsmen, qui fait l'objet d'une loterie, avait un toit en croupe.

En 1969, la rue Trudelle à Charlesbourg alignait quantité de toits médiévaux à deux ou à quatre pentes, même un toit coupe-feu.

Et, en 1971, de nouveau le Club Kinsmen de Québec fait construire un toit traditionnel. C'est le manoir Dénéchaud de Berthier-en-Bas (Fig. 11–9) qui sert de modèle à une adaptation académique dirigée par l'architecte Jean

Figure 11-9   Le manoir Dénéchaud
Berthier-en-Bas, XVIIIᵉ siècle
(dessin d'après photographie)

Coulombe. En 1972, une autre maison de style traditionnel est montrée à l'exposition provinciale de Québec.

Analyse de la forme traditionnelle contemporaine

Notre recherche s'arrête là. Cependant, nous devons soumettre la nouvelle forme à l'analyse écologique pour mieux comprendre l'ancienne forme et pour aboutir à certaines conclusions qui ouvrent des perspectives sur des études ultérieures. Tout modèle d'après-guerre pourrait faire l'objet de cette analyse. Mais nous allons arrêter notre choix sur la copie du manoir Dénéchaud (Fig. 11-10) parce que l'occasion est belle de la confronter à l'archétype.

L'eau, la faune sauvage et domestique n'ont évidemment plus aucune influence sur cette forme, pas plus, d'ailleurs, que sur la maison traditionnelle. Et la géomorphologie n'offre qu'un conditionnement positif et attractif, analogue à celui d'autrefois.

Quant à l'influence du sous-sol, du sol et de la végétation, elle n'est pas du tout la même que durant le régime seigneurial. Par exemple, l'on n'utilise plus le calcaire ou le granit pour les maçonneries épaisses, et, pourtant, ces matériaux sont toujours disponibles. La pierre taillée ou sciée est toutefois

Figure 11–10   La maison canadienne Kinsmen 1971
(Copie du manoir Dénéchaud)
Exposition provinciale de Québec

employée comme matériau de recouvrement pour procurer un air traditionnel à l'ensemble. Dans le cas de la « maison canadienne Kinsmen » (1971), le bâti est en bois. Et, comme les murs sont recouverts de « stucco », le sable ne joue donc plus le même rôle qu'auparavant quand il était employé pour la fabrication du mortier. De plus, les frontières de la forêt originelle sont maintenant reportées beaucoup plus loin que le milieu habité immédiat. Le bois utilisé dans cette maison de loterie et dans les autres de même genre peut provenir de l'Ontario, du Maine, de Vancouver et même d'Afrique. L'on peut d'ores et déjà affirmer que la maison actuelle de forme médiévale est coupée des six facteurs physiques environnants.

Et qu'en est-il du climat ? Nous avons dit que, vers le début du XIXe siècle, la maison traditionnelle était parfaitement adaptée aux différentes infrastructures climatiques telles la température, les vents, les précipitations et l'humidité. À plus forte raison en est-il de même aujourd'hui où le chauffage est un système central à eau chaude, à air chaud et, même, à chauffage électrique comme c'est le cas dans la maison Kinsmen.

Dégagés de l'emprise hivernale, voilà pourquoi les constructeurs peuvent reproduire à volonté n'importe quel modèle de la période traditionnelle. Il n'est donc pas étonnant que plusieurs toits médiévaux actuels n'aient aucun larmier, particulièrement dans les toits en croupe, puisque des gouttières bien ajustées à la chute du comble récupèrent entièrement les eaux de pluie.

Durant l'époque traditionnelle, surtout au XVIIIe siècle, la maison a répondu au conditionnement climatique. Mais aujourd'hui ce n'est plus le cas, et pourtant le rythme climatique se reproduit sans cesse sous nos yeux. Nous le vivons constamment, mais la réaction qui vient de l'homme-bâtisseur n'est plus comparable à celle d'autrefois ; elle s'exprime ailleurs et elle est d'un tout autre ordre.

En effet, le conditionnement physique (l'action) qui provient du dehors agit instantanément dès qu'une réaction humaine se produit. L'action et la réaction se fondent en une réalité unique qui peut durer un certain laps de temps. Mais si la réaction humaine cesse, l'action, ou le conditionnement, fait de même.

En ce qui concerne la maison médiévale moderne, et à plus forte raison de la maison Kinsmen qui sera transportée à Neuchâtel après l'exposition, il est certain que le milieu physique global ne conditionne plus la forme. Il ne reste plus alors qu'un certain environnement physique qui entoure la maison. Car, il va sans dire que même si le milieu physique ne conditionne plus la forme, il faut néanmoins tenir compte du vent, de la neige et de l'eau d'infiltration qui nécessitent un entretien constant de la maison.

Voici l'important. En se détachant du milieu physique devenu un environnement quelconque pour la maison actuelle, celle-ci se coupe en même temps du milieu économique qui devient, lui aussi, un environnement quelconque sans frontières précises. La maison actuelle, de fait, n'est pas concernée par eux. Alors qu'autrefois les milieux économique et physique formaient un contenant intégré et propre à la maison, aujourd'hui ce contenant n'existe plus, de sorte que les facteurs économiques sont beaucoup plus apparents parce que désintégrés, et ils concernent un milieu physique différent de celui d'autrefois.

L'on peut presque dire que la forme médiévale moderne est « tombée dans le vide ». Elle n'a plus de fondements. Si elle renaît, c'est surtout dû à des facteurs esthétiques et quelque peu nostalgiques : harmonie des formes, fidélité au passé, conscience d'une appartenance à une culture originale dont la maison traditionnelle a été dans le passé l'une des expressions les plus achevées et parfaites.

CONCLUSION

Au terme de notre étude qui résume dix années de recherche et de réflexion, le temps est venu de reprendre, d'un point de vue ethnologique et culturel plus général, les réflexions qu'elle suggère. Au départ, l'absence presque totale d'ouvrages sur l'évolution de la maison rurale traditionnelle n'a pas été pour nous une entrave insurmontable, puisque les spécimens architecturaux contenaient les vraies réponses à nos interrogations. Pour nous essentielles, ces réponses, qui ne couvrent pas tout le champ de l'architecture et tous les aspects de l'économie rurale — nous en sommes conscient —, font cependant le point de la recherche sur l'architecture québécoise, et devraient orienter maintenant d'autres chercheurs vers des voies nouvelles.

Intrigué par les améliorations apportées à l'une des formes architecturales prototypiques et par la réapparition de cette même forme après 1942, ce n'est qu'en 1965 que nous avons pris la décision d'élucider le problème de l'évolution de la maison rurale traditionnelle. Mais ne possédant pas de méthode d'analyse pour y parvenir, nous avons eu l'idée, en 1969, d'appliquer à la maison rurale la méthode que nous élaborions empiriquement dans notre enseignement de la géographie.

Cette méthode est tributaire du principe de relationnalité auquel l'œuvre du musicien-philosophe Ernest Ansermet nous avait habitué depuis quelques années déjà. Définie comme la saisie de rapports entre deux ordres de phénomènes, la relationnalité, dans le cas qui nous intéressait, était, d'une part, la saisie d'un double rapport entre un élément construit par l'homme, la maison, et, d'autre part, les sept facteurs de l'environnement naturel extérieur à l'homme. Ce qui nous préoccupait, ce n'était donc ni la maison ni les sept facteurs naturels pris en eux-mêmes, mais une troisième chose, immatérielle, bien que réelle, à savoir les liens réversibles entre les deux termes envisagés.

L'application de ce principe nous permit d'obtenir des résultats d'une assez grande importance, en ce qui concerne l'évolution de l'architecture traditionnelle, la géographie et l'histoire culturelles du Québec.

À la forme d'architecture originelle localisée dans le nord-ouest de la France du XVIe siècle, nous avons établi un lien de parenté avec la forme la plus élémentaire de la fin du XVIIe siècle dans la région de Québec. Puis, nous avons analysé les rapports d'influence des sept facteurs de l'environnement physique sur la maison québécoise, et nous nous sommes aperçu qu'aucun d'eux, sauf le climat, n'avait profondément marqué l'évolution de sa forme.

Nous avons délibérément écarté l'analyse de l'influence des conditions économiques, tant sur l'évolution du plan de l'habitation que de la maison, bien que ces conditions fussent sans cesse liées aux facteurs physiques durant l'époque traditionnelle.

Comme il nous fut impossible de traiter à la fois de l'évolution de la forme de la maison et de celle de son plan à cause de l'ampleur des deux sujets, et comme, en contrepartie, nous ne devions pas ignorer le plan, nous avons néanmoins apporté, au long des chapitres et dans l'analyse d'inventaires, certaines explications indispensables relatives à l'influence économique sur le nombre et la disposition des pièces de la maison.

Nous avons, en outre, posé la structure binaire climatique comme fondement unitaire et global de l'évolution formelle de l'architecture rurale traditionnelle et nous avons constaté que la maison de bois sans solage, bien que solidement bâtie, n'a pas longtemps résisté à l'humidité et à la rudesse de notre hiver. C'est la maison de pierre qui a retenu surtout notre attention, même si les maisons de bois, de même style que la maison de pierre et inspirées des méthodes en vigueur au XVIIe siècle, furent construites jusqu'au XIXe siècle.

Comme les marchés de construction sont relativement peu nombreux chez les habitants, ce sont les ruines, les démolitions et les restaurations des spécimens eux-mêmes qui nous ont révélé les détails architectoniques de grande valeur ethnographique.

Notre étude nous assure que la charpente a évolué en tendant vers une plus grande simplicité, tout en maintenant une aussi grande solidité qu'à l'origine de la colonie, et ce, faut-il le souligner, sans cesse sous le même climat hivernal. Cette évolution du toit, une affaire purement technique, s'est matérialisée au dehors, dans l'évolution du profil architectural. Voilà pourquoi la charpente a été traitée avant la maçonnerie dont dépend l'ajustement au niveau de la sablière.

Nous avons constaté aussi que ce n'est pas l'épaisseur de l'appareil qui est la garantie de la chaleur domestique, mais l'insertion d'une chambre d'air dans les murs, un bon revêtement et un chauffage satisfaisant. Ces trois facteurs combinés sont parvenus à établir l'équilibre entre le dedans de la maison et le dehors. Cet équilibre s'est concrétisé dans un profil architectural où la galerie et l'avant-couverture ont évolué en sympathie, l'une en fuyant l'humidité, l'autre en protégeant les murs de l'eau de pluie et des glaçons.

Tout répulsif qu'il était, l'hiver avait cependant ses côtés positifs. Or, l'insertion d'éléments positifs dans un conditionnement répulsif comme le froid réduit, d'une certaine manière, l'amplitude qui séparait les deux pôles du cycle climatique, au début de l'évolution, ainsi que la tension énergétique par laquelle elle s'est manifestée au cours de cette même évolution. En d'autres termes, il y a un écart remarquable entre les statistiques et le vécu climatique dont dépend l'adaptation de la maison rurale. Dès lors cette adaptation ne peut être, tout d'abord, qu'individuelle, puis collective, par la somme des expériences particulières.

L'équilibre entre l'intérieur de la maison et l'extérieur s'est réalisé en fonction de l'aisance économique de chaque individu. Ainsi, un habitant à l'aise parviendra à cet équilibre avec le froid plus rapidement et plus parfaitement qu'un autre moins nanti, dans la mesure où le micro-climat intérieur de sa maison répondra positivement à la répulsion extérieure. Nous l'avons d'ailleurs bien vu avec la maison du sieur Noël Gagnon qui contenait déjà trois foyers en 1703.

Bref, l'adaptation particulière de chaque maison peut être obtenue à tout moment de la période évolutive, à la suite d'innovations apportées à d'autres maisons. Mais il faut passer d'un perfectionnement à un autre, pour aboutir, de la sorte, à l'adaptation collective au climat qui se situe vers le début du XIXᵉ siècle.

L'on aura remarqué que ce que nous avons considéré tout au long de notre ouvrage n'est pas la distribution géographique des types et sous-types de maisons rurales traditionnelles, mais l'élucidation du phénomène évolutif, pour nous d'abord essentielle, parce qu'elle nous permet de porter un regard intelligent, non seulement sur l'architecture mais aussi sur des aspects connexes de notre culture. Du reste, c'est moins le nombre de types de maisons qui nous a empêché de faire cette distribution — il y en a certainement deux, peut-être trois — que la diversité des sous-types qui compliquent singulièrement la classification géographico-historique de la maison rurale traditionnelle québécoise.

N'étant pas prêt pour ce travail de longue haleine, nous nous en sommes tenu à montrer quelques linéaments de la géographie culturelle du Québec et à définir ce qui nous semble être ses bases spatiales : les aires seigneuriale et cantonale. À chacune d'elles, en effet, correspondent des populations, un habitat, des habitations, des maisons différentes et, d'une manière générale, une modalité d'être particulière.

Mais cette uniformité originelle propre aux deux aires a été diluée réciproquement à la suite d'un chevauchement d'influences. Ainsi, des éléments architecturaux de l'aire seigneuriale sont passés dans l'aire cantonale à partir du début du XIXe siècle, soit en perdant de manière insensible certaines de leurs caractéristiques, soit en en gagnant d'autres ; et, en sens inverse, des éléments architecturaux de l'aire cantonale, puis certains types d'architecture anglo-saxonne se sont répandus progressivement dans l'aire seigneuriale, surtout à partir de la deuxième moitié du XIXe siècle et au XXe siècle.

La simplicité des frontières de la géographie culturelle, quand elles sont considérées à petite échelle, cache donc une imbrication serrée et compliquée de détails vus à grande échelle. En outre, la complexité du mélange des influences augmente à mesure que nous approchons de l'année en cours, ou de l'année considérée comme point de repère d'étude.

Bien que les influences anglo-saxonnes et étrangères n'aient pas épargné la région de Québec, il est toutefois plus facile là qu'ailleurs de voir les caractéristiques traditionnelles de notre architecture, parce que c'est le noyau le plus ancien de la Nouvelle-France. Voilà pourquoi notre étude de cette région peut orienter de futures recherches analogues, soit dans l'aire seigneuriale, soit dans l'aire cantonale, ou à la jonction des deux aires.

Les dernières conclusions que dégage notre ouvrage se rapportent à la durée des périodes de notre architecture rurale et, corollairement, à celle de notre culture. Nous délimitons trois périodes dont la durée va décroissant jusqu'à nos jours :

1. première période : de 1608 à 1890–1900,
2. deuxième période : de 1890–1900 à 1942,
3. troisième période : de 1942 à nos jours.

La première période, longue de tout près de trois siècles, se subdivise, à son tour, en cinq phases.

1.1. De 1608 à 1634 : phase embryonnaire correspondant aux installations des pionniers à Québec et précédant la concession de la seigneurie de Beauport.

1.2. De 1634 aux environs de 1700 : phase d'apprentissage correspondant surtout à la construction de la maison de bois.

1.3. Aux environs de 1700 vers 1815 : phase évolutive proprement dite de la maison de pierre, se terminant par son adaptation collective aux divers facteurs climatiques.

1.4. Aux environs de 1815 vers 1850–1860 : phase de déclin de la maison de pierre se terminant par son adaptation collective au milieu économique, conjugué au rythme climatique.

1.5. De la décennie 1850–1860 à la décennie 1890–1900 : phase terminale durant laquelle la forme traditionnelle a été quelquefois construite, soit dans certaines localités rurales autour de Québec, soit sur la côte de Beaupré et au Sault Montmorency, cette dernière étant une paroisse non rurale ouverte en 1890.

La deuxième période, plus courte, allant de la fin du XIXe siècle jusque vers 1942, correspond à la structuration d'un nouvel espace géographique autour des manufactures.

Quant à la troisième période, nous pouvons la diviser en trois phases :

3.1. Aux environs de 1942 vers 1950 : phase embryonnaire durant laquelle des architectes académiciens construisent des copies de la forme traditionnelle, à Québec et à Montréal.

3.2. Des environs de 1950 vers 1960 : progression lente de cette forme.

3.3. Des environs de 1960 à nos jours : regain important de la forme traditionnelle moderne.

Ainsi, lorsqu'il était agriculteur, en particulier durant les phases d'apprentissage et évolutive, le Canadien avait organisé un habitat rural et une architecture correspondante. Mais aux environs de 1815 jusque vers 1890, c'est-à-dire durant les phases déclinante et terminale de la période traditionnelle, le commerce du bois n'a pas eu de force attractive suffisante pour que le travailleur puisse organiser un nouvel habitat et une architecture correspondante ; celui-ci demeurait toujours dans sa maison rurale ou dans des constructions de fortune.

Ce n'est qu'en devenant ouvrier dans les premières manufactures (période 1890–1942) que le Québécois a créé un nouvel espace géographique, un habitat de quartier situé à mi-chemin entre le rural et l'urbain se concrétisant dans une architecture, elle aussi située à mi-chemin entre la rurale et l'urbaine. Durant cette période d'un demi-siècle, la forme traditionnelle n'a pas été poursuivie ; n'empêche que quelques pignons ont pris forme, tel le pignon sur rue dont le toit raide à angle faible coiffe une maison ordinairement en brique, à deux étages. Puis, au tournant de la décennie 40 et après, le Québécois restant encore ouvrier, agrandit cette fois-ci son espace géographique à la périphérie des villes, et l'architecture correspondante est surtout la maison multifamiliale et le plain-pied.

Comme en fait foi la succession des phases et des périodes ci-dessus décrites auxquelles correspondent des architectures différentes, le cheminement de la maison rurale traditionnelle, envisagé soit en entier, soit en ses parties, est constamment tendu vers sa fin et ressemble, de ce fait, à la progression biologique d'un être vivant. Il se trouve alors à transcender les rythmes concourants d'autres ordres, tel, en particulier, celui de l'ordre politique.

Ainsi, correspondant au faîte de la phase évolutive (1700–1815), la Conquête, en 1760, n'a pas arrêté notre élan créateur ; elle l'a cependant fait fléchir un certain temps. Du reste, la poursuite de cet élan prouve, hors de tout doute, que notre phase évolutive est un mouvement historique d'une extrême intensité, extériorisant, dirions-nous, la nécessité vitale qu'avait, en dernière instance, le Québécois lui-même, auteur de la maison, de faire parvenir la forme architecturale à son terme. La mise au jour de ce fait capital nous permet de mettre en doute l'interprétation de deux événements capitaux de notre histoire, savoir 1° que la Conquête nous aurait anéantis même au plan culturel et 2° que la Confédération marquerait le début véritable de la culture québécoise.

Par rapport à l'architecture, l'on voit assez bien que la Confédération coïncide avec la phase terminale de notre grande période évolutive. Du reste, l'évolution de la maison rurale traditionnelle, qu'il faut considérer comme une réduction significative de l'évolution économique et culturelle du Québec, nous enseigne que ces événements n'ont pas fait dévier notre cheminement culturel vers une voie sans issue. Il faut désormais attribuer à l'instauration progressive du mode de vie urbain, et à tout son cortège de situations en équilibre instable et précaire, la cause principale des changements profonds qui se produisirent au début du XIXe siècle dans nos milieux urbains, au milieu du XIXe dans les milieux ruraux proches des villes et, plus tard, encore dans les campagnes plus éloignées des villes ; changements qui se seraient produits de la même manière, si la Conquête n'avait pas eu lieu. Aussi, plutôt que chercher exclusivement dans l'ordre politique les raisons de notre évolution culturelle, il faut en trouver de plus profondes ailleurs et comprendre que cette évolution, mue de l'intérieur des auteurs mêmes de cette culture, ne peut que continuer sa course ascendante. Nous voyons en ce phénomène évolutif le double caractère de permanence et de changement qui est, selon nous, l'une des conclusions les plus importantes de notre étude.

Durant la première période, la forme architecturale initiale est l'objet de changements essentiels et matériels parce qu'elle se trouve placée dans un milieu physique et économique avec lequel elle entretient des rapports étroits et incessants; la maison, avons-nous dit, est alors un organisme vivant, tendant vers un état d'équilibre stable avec le milieu. Mais dès l'instant que cet équilibre est réalisé, la maison, adaptée, ne peut plus évoluer; elle a incorporé ou fait siens les éléments physiques naturels et les éléments économiques environnants pour devenir un objet de culture tout autre que le prototype architectural, malgré l'étroite parenté formelle qui les lie.

La permanence de la forme initiale est donc incontestable, puisqu'elle s'inscrit dans des changements architecturaux essentiels tendant vers une plénitude formelle. Ce phénomène acquiert tout son relief lorsqu'on essaie de s'expliquer le retour du prototype architectural après 1942, dans un monde urbain. Sans doute des changements vont-ils se produire dans cette forme moderne, mais ils seront accidentels, capricieux et ne tendant pas à modifier la forme vers un quelconque état d'équilibre avec le milieu puisque la maison en question est un modèle déjà adapté depuis un siècle. La permanence de l'architecture traditionnelle dans cette forme copiée sur l'ancienne s'inscrivant dans des changements accidentels est de type passif, alors que celle qui caractérisait la longue période évolutive était plutôt de type actif.

Sur le plan strictement pratique, la maison dite « canadienne », calquée sur l'ancienne, peut être un milieu de vie aussi agréable que tout autre, mais comme elle est l'expression d'un mode d'être propre à l'urbain, elle est alors dépouillée de toute valeur architecturale et constitue, par là même, un exemple probant d'architecture pure.

Sur un autre plan, comme nous admettons la relation étroite qui existe entre l'éthique et l'esthétique, nous croyons que la culture québécoise fut active jusqu'à la fin du XIXe siècle et que, après une période transitoire d'un demi-siècle, elle a évolué vers un état passif, surtout depuis la Deuxième Grande Guerre, malgré l'importante créativité de plusieurs individus. Bien que le phénomène du « retour aux sources » ne soit pas particulier au Québec, ni propre à l'architecture, il exprime ici la nostalgie de nos racines rurales et la fuite impossible de notre condition urbaine actuelle. Après cette période de piétinement qui peut durer encore un certain laps de temps sur le plan collectif, la culture québécoise devrait redevenir active.

La maison du Sieur Robineau de Bécancourt en 1728

Le sieur de Bécancourt n'a pas longtemps habité sa maison construite en 1654. En effet, le 22 août 1655 il a affermé pour moitié son bien à Jean Doyon jusqu'en 1661, alors qu'il vendit sa terre et habitation à Michel Roullois pour la somme de 2 000 £.

Michel Roullois fils contracta mariage avec Catherine Drouin le 24 novembre 1676 à Château-Richer, et il décéda le 16 février 1686 à l'âge de trente et un ans seulement. Deux ans après, soit le 16 novembre 1688, Catherine Drouin s'est remariée avec Guillaume Simon. Après la mort de celui-ci, le notaire Barbel a fait l'inventaire des biens de Veuve Catherine Drouin.

La question intéressante à se poser est alors la suivante : dans cet inventaire de 1728, est-ce que la maison décrite correspond bien à celle de 1654 ? Voyons tout d'abord les immeubles :

Une terre et habitaon Scize en la coste et Seigneurye de beaupré paroisse du chateau contenant trois arpens de front sur une lieue et demie de profondeur Sur laquelle Il y a de construit

Une maison de colombage de quarante pieds de long Sur vingt pieds de largeur couverte de planche et bardeau

Une grange de soixante pieds de long Sur vingt de large close de planches couverte de paille

Un autre petit Battiment de quinze pieds de long sur dix de large couvert de planche [1].

Soixante-quatorze ans après la construction de la maison de colombage, l'habitation ne comprenait que les deux bâtiments principaux hormis la maison et, en plus, un petit bâtiment probablement utilisé comme hangar remise, ou latrines (Fig. C).

La grange contenait :

cinquante minots de bled	100 £
une charue garnis de son Soc, coutre, chaine, entrepas et chiville de prou	25 £
deux vieux vans a vanner	4 £
deux paires de Roue avec six frette	5 £
deux vieilles charette	4 £
quatre cents de foing	48 £
quatre cents de paille	20 £
	206 £

L'étable pourtant plus petite était utilisée à pleine capacité :

cinq moutone	25 £
deux agneaux	4 £
deux Bœufs sous poil rouge et blanc aages de six ans	70 £
deux autres Bœufs sous mesme poil aages de trois ans	60 £
trois vaches meres aagez de trois et quatre ans	75 £
deux tores aagez dun an	24 £
trois cochons nouritureaux	15 £
vingt poulle et un cocq	10 £ 10 S
sept oye	6 £
quatre dinde	4 £
	293 £ 10 S

Ne rejetons pas l'inventaire sous prétexte que pour la largeur de la maison le notaire donne 20 pieds au lieu de dix-huit. Les dimensions n'étaient pas toujours calculées au pouce près. À ce propos, nous avons apporté une longue preuve quand nous avons étudié un important marché de maçonnerie fait en 1703 [2].

---

[1] *Inventaire des biens de Veuve Catherine Drouin et Guillaume Simon*, 12 mars 1728, Jacques Barbel, ANQ.

[2] *Marché de construction de maçonnerie de Noël Gagnon*, 28 février 1703, Louis Chambalon, ANQ.

Le détail intéressant concerne plutôt la longueur qui est maintenant de quarante pieds au lieu de dix-huit. Si l'on se souvient bien du marché de construction de 1654, il y est dit qu'on « laissera les attentes pour rallonger la maison », ce qui signifie que le charpentier prend les précautions nécessaires pour faciliter l'ajout d'une rallonge. Sans doute la maison décrite en 1728 peut être une construction récente mais il ne répugne pas du tout qu'elle soit formée du bâtiment de 1654 qui aurait alors soixante-quatorze ans et d'une autre partie moins vieille. La preuve est ténue, certes, mais c'est cette preuve qui nous fait croire qu'il est probable que nous avons affaire à la maison du sieur de Bécancourt doublée d'une rallonge.

Comme la cheminée de la maison de 1654 ne pouvait être ailleurs qu'à un mur pignon, en 1728 elle est alors au centre et sépare la maison en deux parties : à droite la cuisine, à gauche la chambre et au-dessus, le grenier.

Dans la cuisine de la maison sest trouvé :

une cramaillère	3 £	
une pelle a feu	4 £	
une marmitte et son couvercle	5 £	
une autre marmitte et son couvercle	3 £	
Une poille a frire	2 £	10 S
un vieux gril		15 S
trois sceaux cerclée de fer	6 £	10 S
une broche de fer	3 £	
un couloir de cuivre jaune	2 £	
Une vieille Lanterne de fer Blanc		30 S
une petite chaudière de cuivre jaune		20 S
une vieille marmitte cassée		10 S
un peigne a filasse	8 £	
un petit poillon de cuivre jaune		30 S
une pleine	3 £	
Trois plats, sept assiettes un ecuelle et neuf cuillière Le tout détain pezant dix neuf livres prisé et estimé trente sols La livre	28 £	10 S
un plat et une assiette de terre		20 S
un chandelier de cuivre		30 S
une Bouteille de verre de pinte et une tasse de grosse porcelaine		30 S
un vieux fer à flasquer		30 S
deux verloppe un feuilleret avec Leurre fers	4 £	
deux tarrières	4 £	
deux moyennes gouges		20 S
une enclume, un marteau a faux et un Siseau a parer	4 £	
une tenaille, une queue de poille et deux fers a cheval	2 £	

une fourche et un crocq de fer	4 £	10 S
une cuiller a pot		10 S
un crocq a pallan		10 S
une Lampe [...]		10 S
quatorze terrine	7 £	
huit autre vieille terrine	2 £	
un pot de terre		8 S
deux vieux Raux		10 S
une peaux de vache	5 £	
deux vieille Beche		30 S
une vielle chaudière de cuivre Rouge	5 £	
deux chaines de traine	5 £	

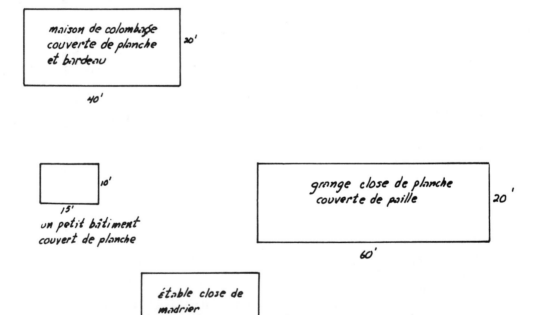

Figure C   Habitation de Guillaume Simon
Château-Richer, 1728 (plan fictif)

SOURCE: *Inventaire des biens de Guillaume Simon*, 1728

quatre courois pour Bœufs	2	£		
une hache	4	£		
une paire de traits de vache marine			30	S
cent vingt Livres de lard	18	£		
seize livres de Saindoux	4	£		
dix livres de suif	2	£		
deux vieille faux a faucher avec leurs aneaux et fers	6	£		
un far a passer			10	S

dans la chambre a costé de la cuisine :

Une armoire de bois de noyer ouvrant a quatre Battant et deux tiroirs fermant a clef	30	£		
dans Laquelle cest trouvé Les Hardes a lusage de la veuve Une petite armoire de bois de pin ouvrant à un Battant fermant a clef prisée et estimée trois Livres dans laquelle sest trouvé deux pots de terre fayencé			20	S
Une huche de bois de pin avec son couvercle	3	£		
Une table de bois de pin avec son pliant	2	£		
cinq vieille chaise de bois de pin et une empaillée	3	£		
Une vieille paillasse et un méchant Lit couvert de toile deux vieilles couvertes de poil de chien le tout	20	£		
Un vieux chaslit de bois de pin, une vieille paillasse de toile un vieux lit de plume en toille un traversain un oreiller deux draps de toile du pays dune lais et demye, une couverte de laine Blanche, deux Rideaux de droguet non estimé du consentement de l'héritière				

dans le grenier cest trouvé :

un canellier et les Chasses	3	£	10	S
Un baratte			20	S
Un minot et demy de graine de lin			40	S
demy minot de Sel			20	S
demy minot de feue	2	£		
dix faucille et un payon	4	£		
huict minots davoine	7	£	4	S
trente un minot de bled	62	£		

Cet inventaire est significatif parce qu'il montre bien l'affectation des pièces de la maison traditionnelle.

La cuisine contient la cheminée et tout l'appareillage nécessaire à la cuisson des aliments. Elle renferme aussi plusieurs outils, des aliments (dans la cave sans doute, comme d'habitude), des instruments aratoires et ménagers, un peu de tonnellerie, un outil d'artisan et quelques objets luminaires. La cuisine, comme on le voit, est un chantier de travail et, chez Guillaume Simon, ce caractère est accusé puisqu'il n'y a pas de table mentionnée. Les objets sont laissés à l'abandon sur le plancher, la corniche de la cheminée ou sur les tablettes de fenêtres.

Par contre, la chambre ne contient aucun outil ou objet usuel, si ce n'est les « deux pots de terre fayencé ». Elle est exclusivement utilisée comme salle à manger et de chambre de repos, et c'est là que se trouve tout le mobilier de la maison qui, en l'occurrence, est fort bien décrit.

Le grenier, enfin, est ordinairement un lieu où l'on range les outils endommagés et à peu près tout ce dont on n'a pas besoin dans la cuisine. Il sert de réserve.

Clef pour déterminer l'âge approximatif d'une maison traditionnelle

En tenant pour acquis que les maisons rurales du XVIIe siècle n'existent plus, même dans les premières seigneuries à l'est de Québec, la marge de datation, d'environ cent cinquante ans se situe à peu près entre 1700 et 1850.

I. LA PREMIERE MÉTHODE DE DATATION CONSISTE À DÉTERMINER L'ÂGE PAR LES CARACTÉRISTIQUES EXTÉRIEURES DE LA MAISON.

1.1. Par la date de concession de la seigneurie et des rangs surtout des rangs autres que le premier. Si un troisième ou quatrième rang n'a pas été concédé avant 1725, toute maison de ce rang est postérieure à cette année-là ; la déduction est banale, mais elle suppose quelque recherche et parfois assez longue.

1.2. Information basée sur les papiers de famille ou les générations.

1.3. L'angle du pignon

1.3.1 S'assurer que le toit est originel ; le meilleur moyen de le savoir est de tenir compte de la charpente et du voligeage (voir charpente et voligeage). Le toit est l'élément le plus permanent de la maison, mais il peut arriver qu'il ait été remplacé. Pour des yeux non avertis, il faut avouer qu'il n'est pas facile de s'assurer que le toit est originel.

1.3.2. *Principe :* plus l'angle est faible, plus la maison est proche de la fin de la période évolutive :

angle du pignon de 60° : XVIIe siècle et début XVIIIe siècle.
angle du pignon de 50° : fin XVIIIe siècle et début XIXe siècle.
angle du pignon de 45° : milieu XIXe siècle.

1.4. Les dimensions : une maison du XIXe siècle est certes plus massive qu'une autre du XVIIIe siècle ; mais il serait prématuré d'employer ce point de repère pour le XVIIIe siècle, ne serait-ce qu'à cause du fait qu'on ajoutait parfois une pièce à la construction originelle. D'une manière générale, la maison du XIXe siècle est plus courte tout en étant plus massive et plus haute que celle du XVIIIe siècle.

1.5. La silhouette : s'assurer que le larmier est lui aussi originel. Pour cela on peut tenir pour acquis qu'une rupture de pente dans le larmier signifie que celui-ci a été ajouté ou transformé. Il faut dire que la rupture de pente n'est pas toujours visible lorsqu'une réparation est parfaite.
Principe : plus le profil est simple, plus la maison est ancienne ou, ce qui revient au même, moins le larmier est long plus la maison est ancienne.

larmier	*époque*
8 pouces :	*circa* 1720
18 pouces :	*circa* 1750
24 à 28 pouces :	*circa* 1800
36 à 40 pouces :	*circa* 1850

1.6. La galerie

Principe : plus la galerie est haute, plus la maison est proche de la fin de la période seigneuriale.

galerie	*époque*
aucune, ou galerie rez-de-terre	XVIIe début XVIIIe s.
exhaussée de trois pieds ou environ	*circa* 1750
exhaussée de cinq pieds ou environ	*circa* 1800
exhaussée de huit pieds ou environ	*circa* 1850

Certaines maisons à deux étages n'ont pas de galeries et elles datent généralement du milieu du XIXe siècle ; dans ce cas, tenir compte davantage des autres éléments.

II. LA SECONDE MÉTHODE DE DATATION CONSISTE À DÉTERMINER L'ÂGE PAR LES CARACTÉRISTIQUES INTÉRIEURES DE LA MAISON.

2.1. Les poutres

Si les poutres sont à peu près de huit pouces, apparentes et basses, la maison peut être de la première moitié du xvɪɪɪᵉ siècle. Toutefois, il faut moins fonder notre investigation sur les poutres que sur la charpente et le voligeage.

2.2. La charpente

Les deux pièces à regarder avant toute autre, sont la panne de faîtage et les poinçons.

2.2.1. La panne de faîtage

Si la panne de faîtage est soutenue par des poinçons, la charpente serait plutôt antérieure à 1750. Si la panne de faîtage n'est qu'embrevée dans un des chevrons, la charpente serait de la seconde moitié du xvɪɪɪᵉ siècle.

2.2.2. Les poinçons

Plus les poinçons sont longs, plus la charpente se rapproche du xvɪᵉ ou xvᵉ siècle français; ainsi, plus la charpente canadienne est ancienne. Les trois niveaux d'arrêt du poinçon sont l'entrait de base, l'entrait retroussé et le faux-entrait.

On comprendra pourquoi l'on prend cette double caractéristique avant toute autre; c'est que la panne de faîtage, soutenue par des poinçons, suppose la présence d'un sous-faîte, de Croix-de-Saint-André et de contrefiches, d'entraits retroussés, de faux entraits et parfois d'entraits de base aux pignons. Au premier coup d'œil, donc, plus la charpente est chargée, plus la maison a de fortes chances d'être antérieure à 1750 et même 1725. Après cette date, mais surtout à partir de la fin du xvɪɪɪᵉ siècle, la charpente est de plus en plus légère et les pièces de plus en plus minces. À la fin de l'évolution, les chevrons n'ont plus que trois pouces de largeur.

2.2.3. Le voligeage

S'il est parallèle aux chevrons (dans ce cas il y a des pannes), la maison est plutôt antérieure à 1750. S'il est perpendiculaire aux chevrons, elle est plutôt postérieure à cette même année.

Remarquer que le voligeage est en rapport direct avec la structure du comble, et c'est pour cette raison qu'il est important. On doit rechercher la date approximative selon les deux processus soit en commençant par le dehors, soit par le dedans mais il faut confronter les résultats des deux.

Inventaire des biens de Noël Giroux les 27 et 28 août 1750, à Beauport

Il serait facile de multiplier les analyses d'inventaires répartis entre 1680 et 1815, les derniers étant trois fois plus longs que celui-ci. Toutefois, il nous semble que l'analyse du présent inventaire de 1750 nous donnera une bonne idée de la valeur économique d'une habitation de moyenne grandeur. Ajouté à quelques autres inventaires que nous avons vus au cours de notre étude, celui-ci nous procurera une connaissance plus étendue de l'aspect économique que nous n'avons pas traité systématiquement.

L'an mil Sept Cens cinquante Le Vingt cept aou vers les Sept heure du matin à La Requeste de françoise Galien Veuve de feu Noel Giroux demeurant en la Seigneurie de beauport tant en son nom que comme mere et tutrice a marie Giroux sa fille Isue de Son mariage aVecque Ledit feu noel giroux vivan Son marie, Ellue Par actte de la Juridiction de notre dame de beauport en datte du Vingt du presant mois Jour et an a Ladite marie Giroux fille mineure, et en La Presance des etRitiers, qui Son noelle giroux Pierre Vinçant thomas et En La présance dudit noel giroux soubroge tuteur et Lue Part Le mesme acte, fesant tams pour lui que pour Le Sr Rene toupin a lavisse de engelique giroux Son epouse demeurant en La ville de quebec, a este par nous notaire des Seigneurie de beauport Sousigné audit beauport et temoins cy bas nomme fait bon Et Loyable Invantaire Et description de tous chacun Les biens meuble Et immeuble papie titre et enSeignement depandan de La Communauté qui a este Entre Ladite francoise Galien et Ledit Sieur noel giroux a este trouve dan une maison, ou Serait decede Ledit feux Giroux depuis environ un moi Sise et Situe en Ladite Seigneurie de beauport au vilage St Michele ou tous Ledit meuble demeuré apres Le deset dedit feux giroux Lesquelles biens meuble on ete tous en evidance La presante Part Ladite Veuve Cans en avoire chache et detourne ni fait detourne aucun — au paire et telle — depuis quile Luis on este Remontre et donne atandue apres sermant part elle lacte devan nous et au paire porte part Lordonance Lesquelle biens on este prise part le Sr Jean noelle Lussier present des bens des Justice, et avoire etgard au espese et calite de chaque chouse Suivan Le pri Courant En La presance des Sudit heretier et dudit noelle girous Soubroge tuteur et de charlle vallée — temoins le Sr René toupin qui ont avec nous notaire Signe et on Ladite veuve giroux tutrise et Ledit noel giroux Soubroge tuteur et autre heritiers Sunomme declare ne Savoire EtCrire nisigne de ce enquis Suivant Lordonnance lecture faite

Dans La cuisine Ces trouve

Item	Une Cramallier prisé a une livre dix sol cy	1 £	10 S
"	Une vieillie pelle de faire	1 £	
"	trois pié		15 S
"	Une moienne Poille a fruire bon	2 £	
"	Une vieillie poille persse très vieillie	1 £	
"	Un vieux grie tres vieux		7 S
"	Une moienne marmite aVecque Son Couvert	5 £	
"	Une autre marmite aVecque Sons couvert une piece dan lence	5 £	
"	Une grande chodierre de faire felé	8 £	
"	Une passoire de faire blant prise avec un chodron	2 £	8 S
"	Trois faire a flasquer prise pied a une livre fon trois livres	3 £	
"	Une vieille poille Raquemode	1 £	
"	Un Saux feré	3 £	
"	Un Sau Cercle de bois		15 S
"	Une Vieillie Cuyer a Pote		10 S
"	Une Vieillie houx torse	1 £	10 S
"	Une autre Vieillie hou très vieillie		10 S
"	Une tille ronde	1 £	10 S
"	Une grande hache a dollé tres vieillie cassé	1 £	
"	Une hache a buché	1 £	10 S
"	Un ou bonne	1 £	10 S
"	Une vieillie arminete	1 £	10 S
"	Un couloire de faire blan		5 S
"	Deux tasse de faire blan prise La piece quatre Sol fon huit Sol		8 S

”	Une painte de faire blan			4	S
”	Vingt livre et demie detain en plate prisé La livre a Vingt Sol prisé	20	£	10	S
”	Quatres assiete de terre aVecque une asiette de laryana			12	S
”	Un chandelie de cuivre jeaune	1	£	10	S
”	Un vieux chandelie de cuivre jaune tres vieux			10	S
”	Un vieux martau avecque une vieillie pere de tenaillie prise ansamble	1	£	10	S
”	Un Sisaux avecque un marto a feaux	3	£		
”	Huite fourchette dassie bonne	4	£	10	S
”	Cinq boulaillie de gros laine prise a dix Sol La piece fon cinquante Sol	2	£	10	S
”	Deux gobelest detin	1	£		
”	Deux vieillie faux			15	S
”	Un baguete pour coule la lessive	1	£	10	S
”	Un vieux entonoie de faire blan			2	S
”	Une pere detres de cordage	1	£	10	S

Dan la chambre Ces trouve

Item	Un Poile de faire tres vieux Ces plaque des Cotté Cassé avecque La plaque de desue prisé avecque Son tuyau de quatre feuillée prisé le tous a Soixante et quinse livres cy	75	£		
”	Le lite de La Communauté garnie dune Couchette un bailliasse un lite de plume couver dun cotie aVecque un pere de drat une Couverte blanche catalogne avecque Son traversin a lict Le tous a ette deslesse part les heritiers a leurs merre pour Cens Cervir Sa vie durant du concentement du Soubroge tuteur	90	£		
”	Une dousaines de chesse de boix de merisié prisé Le tous enCemble a trante cinq Sol la piece fon le tous enCamble Vingt et une Livres	21	£		
”	Une table Caré a tiroir Lespie torne de boix de merisier prisé a Six livres	6	£		
”	Une table ronde aVecque Les plians de boix de pint			15	S
”	Une armoire tres vieillie de boix de pint garnie de sest Souplast San Serure	12	£		
”	Une Lame de Siotte			5	S
”	Un fusilie tute bon	15	£		
”	neuf thairine de terre prisé la piece a cinq sol fon Le tous en Camble Cinquante Sol	2	£	5	S
”	un miroire de — quinse pousse en Care le — comprie	6	£		

Suite Les ardes et linge du defunt

Item	Une pere de Soulie francois tres bon prise avecque Les boucle a cinquante sol	2 £	10 S
”	Un Capotte et Veste de CadieRat a demie usé	12 £	
”	Un autre Capote de Cadie a graind avec La veste Culotte	25 £	
”	Un Gilette de Carisé double detofe en glaise	1 £	10 S
”	Un chapeau demie Castorre	4 £	10 S
”	Une Vieillie culote de cuire	1 £	10 S
”	Un autre chapeau demie castorre	1 £	10 S
”	Un manteau de bouracant tres vieux double de change	6 £	
”	Une Vieillie Cape de tres vieillie double de Carissé	3 £	10·S
”	Une viellee Culotte de CadieRat double de chamoi	2 £	
”	Un vieux Capotte veste de cadie a graint tres vieux	3 £	
”	Une pere de bat du payie tres viellie	1 £	10 S
”	Une autre viellie perre de bat de laine du payie tres vielie		10 S

Suite dant le grenier Ces trouvé

Item	Une cruche de gret a huile	1 £	
”	Une lanpe		7 S
”	Une cinture de laine garnie de Poile de port	2 £	10 S
”	Une arminete a teste bonne	4 £	
”	Une basinoire de laine		15 S
”	Une bayette a bouche		10 S
”	Une vergette de lite		12 S
”	Un fanalle de faire blan		15 S
”	Un Siote monte tres vieux	1 £	5 S
”	Une vielie liste de cariol		10 S
”	Deux Cercle de faire pour un Sio avec quatre autre cercle point noue et lance dusiaux	1 £	10 S
”	Un gros theriere a mortaise	1 £	10 S
”	Un petie therierre Rasserette		10 S
”	Un autre petite therierre a foncé des traines		10 S
”	Un paquete de ferailie avec une vieillie cuyer a pote		15 S
”	deux vieillie cruche		10 S
”	Une pere Detrieux tres vieux		12 S
”	Une Sye de travert aVecque Sa monture	4 £	
”	Une Plaine		15 S
”	Une verlope	1 £	10 S
”	Une Peaux de mouton avecque la laine		15 S
”	Un demie minote avecque le vant	3 £	
”	Un Saloué	2 £	
”	Une grande Cuve d'une barique et demie	1 £	

,,	Une monture de Sast	4	S
,,	Deux tinete	2	£
,,	Un bergere baillie	15	S
,,	Un larderont a menuisier	10	S
,,	Une mechante bride Sans mors	7	S
,,	Une tinette	10	S
,,	Un Canote pour metre de la farine	1	£
,,	Une Pere de trest de cordage	1	£
,,	Deux Pele de boix	10	S
,,	Un Rouette a fille du file	3	£
,,	Une Barique vide	1	£
,,	Une huche de boix de pint	1	£
,,	Un — a vigne Sa monture	1	£
,,	Un Cofre de bois de pint dassamblage fere garnie de Sa ferure	2	£

Suite Pour les bestiaux

Item	Deux Beufe Rouge et blant age de cinq ant	˙120	£	
,,	Deux petic thauraux agé de deux ans prenant trois Sous poile un noire et Lautre Rouge	70	£	
,,	Deux petie thoraux agé dun ans prenant deux Sou poile brun	35	£	
,,	Une Vache age de Six a Sept ans Sous poille brunt et blant	33	£	
,,	Une Vache Sou poile Rouge agé de Six ans	32	£	
,,	Une vache Sou poile Rouge age de quatres a cinq ans	32	£	
,,	Une Vache Sou poile Rouge age de quatres a cinq ans	32	£	
,,	Une vache Sou poile Rouge et Caillie agé de trois ans	26	£	
,,	Une petite torre Sou poile Rouge et blan agé de deux ans et demie	20	£	
,,	Une Jumant Sou poile blant age de douses ans prise tous atellé a	70	£	
,,	Un chavalle Sous poile noire age de Six ans prisé avecque Son arnois tous a telle	60	£	
,,	Six mere moutonne prise estime la piece a Cinq livres La piece fon trante livres	30	£	
,,	huit petie mouton du printant	24	£	
,,	Deux gran chochon un malle et une un truit	48	£	
,,	Sept petie noriturau de lanné	28	£	
,,	quatorse hoy prise a trante Sol le couple	10	£	10 S
,,	Une pere de boiste avecque une garniture De freste	10	£	
,,	Une charue garnie de Son train un lasque vieux un Coudre bon entraupas chenillie du plumat chesne plumas Rouette freste boiste le tous prise a trantes cinq livres	35	£	
,,	Une herse de bois garnie de Vingt cinq dant de faire	11	£	

"	Une autre erse garnie de vingt cinq dan de faire	11 £		
"	Un banau de boix	1 £	10 S	
"	Un chesne de tresne	1 £		
"	deux chesne de tresne	3 £		
"	Une grande charette a beuf garnie de Ses Roux freste boiste	12 £		
"	Une tresne liste de deux bonne lisse de faire	7 £		
"	Une autre vieillie tresne	1 £	5 S	
"	Une grande Cuve dune barique et demie	2 £		
"	Cinquantes Planche de pinct	15 £		
"	Un Vieux Socque qui nes bon qua metre a feraille		15 S	

Suite pour Les depte active que la Communauté doit

Item	Ile es du a Antoine Breton La Somme de quatre livres dix sol pour fourniture de boison pour la maladie dudit giroux	4 £	10 S	
"	Ile est due La Somme de Six livre quinse Sol au Sieure louis Parant	6 £	15 S	
"	Ile es due a parant notaire pour un pote dau de vie	2 £		
"	Ile est due a Thomat giroux La Somme de Cinq livres cinq Sol	5 £	5 S	
"	Ile est due a Louis Rodrigue La Somme de une livre dix Sol	1 £	10 S	
"	Ile es due au Sr Jusanber chirurgien pour medicaman fait audit giroux	15 £		
"	Ile es du a la fabrique de notre dame de beauport et a monsieur chardon curé de ladite paroisse la somme de	6 £		
"	a berlelmice Rodrigue Ile est du la Somme de quinze livre pour fourniture de boison en la maladie dudit giroux	15 £		

Suite Les terre et Baptimant

Item   une terre et Consetion de trois arpans et Sept Perche de fron Sure Cinquantes arpant de profondeur, tenan dun Cotte au nordes a Rene toupin dautre Cotte au Sudoist a Ignace toupin, Et Pardevant au Sinture de St. Jossephe, Et part en an au Sinture de Ste teresse Sure Laquelle lui est une chambre Construit de masonnerie de vingt pié de lon Sure vingt Sept de Large Couverte en Planches, Planche au et bast une chemine dan la Cuisine non Extime Sy pour memoire

Item   Une grange construit Sure Ladite terre en poto de trante pie de lon, Sur vingt cinq de large Couverte en Poilie clause de piece sur piece, un etcurie devant de dix pie encore Couverte en Poillie non estime Sy pour mémoire dans Laquelle dite grange Ces trouvé environt Six Cans de foins qui seront partage a la botte en ladite Veuve giroux et les heritiers, Sy pour memoire

Item   Une autre grange ausie construit Sur la Sudite terre de trante pie de lons Sur vingt deux ou environt dan Laquelle serait un etable et au bout de la dite grange un de dix pies sur la largeur de ladite grange clause en pieux letable et lalonge clause de piece Sure piece couverte en Poilie le tous non estimé, dan Laquelle dite grange Ces trouve environ trois Cans de foins qui Seront entre Ladite Veuve et Les dit Leritiers a la botte Sy pour memoire

Item   Une autre terre dun arpangt de front Sur vingt cincq arpan de profondeur Syse et Situe en ladite Seigneurie dudit Beauport au vilage de St Ignace, tenan du cotté au nordes a noel giroux au Sudoise a noel maillioux et Par devant a la Cinture de pierre de Ste Theresse et Par en an au a dite profondeur, Sur laquelle dite terre Ces trouve environt vingt cinq corde de boix qui serot partagé Comme dite est entre Ladite Veuve et les dit heritiers Sy pour memoire.

Les papiers

Lacte de tutelle Part Laquelle Ile apert que Ladite francoise galien a ettéelu tutrise asson di enfant mineur a date du vingt Six aou mile Sept c...s cinquantes Invantoire et cotte Sous la lettre B

Le Contrat de mariage en Ladite veuve francoise galien et Ledit feu noel giroux passe par devant feu M^{tre} Robert Duprac notaire en date du trois mars 1707 Invantoire et cotte Sous la lettre C

Un contrat daquest qua fait Ledit feux noel giroux et Ladite galien sa famme Passé par devant M^{tre} barbel notaire Royalle en La vile de quebec en beauport en date du vingt et un mars mil sept Cans vingt quatre Invantoire et cotte Sous la lettre D

Un contrat de vante que fait guillaume giroux a noelle giroux et galien sa famme Passé par devant M^{tre} barbel notaire Royalle en La vile de quebec en date du vingt neuf Septanbre mil Sept Can dix Invantoire et cotte Sous la lettre E

Vante que fait pierre galien a noel giroux et a galien sa famme Passe par devant M^{tre} Robert Duprac vivan notaire en date du cinq fevrie mil Sept cans huit Invantoire et cotte sou la lettre F

Vante qua faite Etienne motaber et gennevieve norturo Sa femme a noel giroux et galien Sa famme Passe pardevant M^{tre} Rober duprac vivan notaire en date dix huite mars 1715 Invantoire et cotte sous la lettre G

Vante qua faite bernard philipe et marie galien Sa femme a noel giroux et galien Sa femme passe par devant M^{tre} du brenlie (dubreuil) notaire Royal en date du Sept Juillet mil Sept Cans quatorse Invantoire et Cotte Sous la lettre H

Un contrat de donation qua faite marie charlote galien a noel giroux et galien sa famme Passe Par devant M^{tre} Rober Duprac vivan notaire en date du ving mars mil Sept Cans vingt trois Invantoire et cotte Sous La lettre I

Une quitance a Noel giroux et a galien Sa fame De la — du Six mars mil Sept Cans vingt quatre Invantoire et cotte Sous La lettre J

Une quitance qua faite le S^r gradmimi a noel giroux et galien, Sa famme passe par devan M^tre Duprac vivan notaire en date du vingt de mars mil Sept Cans quarante deux Invantoire et Cotte Sous la lettre M

A faite Ladite francoise galien Veuve de feu ledi noel giroux nous a dit et declaré navoire plus Rient assa conoisance affaire enployer au Present Invantoire que Sile ce trouve quelque chausse domie Les Serat Sy apres ajouter par adision tous les effest mobiliers qui etait assa conoisance, ont été Invantoire et ont ette mis et delessé en maint Et Sous La garde de Ladite Veuve giroux tutrise, Pour Les represanté, et en Randre Compte a qui Ile apartiendrat et a toustefoix quelle leur Cerat demande Ces a quoy elle a consantie du Consantemant des heritier et du Soubroge tuteur, faite et passe en La maison de Ladite veuve giroux apres midi le Vingt huite aou mil Sept Cans Cinquantes en Presance de ladite veuve giroux mere et tutrise et du dit noel giroux heritier et soubroge tuteur et des autre Sudit eritiers et des Sr Charlle St Jean Le Sr René Toupin qui on avec nous notaire temoins signé et ont ladite veuve tutrise et Ledit soubroge tuteur et Les Su dit heritier de clarre ne Savoire etcrire ni signé de Ce Enguie Suivan Lordonance Lecture faite

René Toupin
Charlles vallée
jean Vallée
Parant notaire

Oublions la langue un peu particulière de ce notaire apparemment peu instruit ; il coupe ses mots au gré de sa fantaisie et il écrit au son.

1° La cuisine

La valeur économique totale de la cuisine est de 84 £ 14 S. Elle comprend, comme on peut le voir, des ustensiles de cuisine distribués autour du foyer, des fers, des chandeliers, quelques petits instruments aratoires, plusieurs outils et un peu de tonnellerie et de la laine.

2° La chambre

Sa valeur économique est presque le triple de celle de la cuisine : 228 £ 5 S. L'on remarquera tout de suite que c'est la chambre qui contient le mobilier.

À lui seul, le lit vaut plus que tout ce que la cuisine contient. Il est important de comparer l'affectation des deux pièces. La cuisine est un atelier de travail chauffé par l'âtre. — Ici l'on voit très bien l'appartenance de la maison à l'entreprise agricole —. La chambre, par contre, est chauffée par un poêle de fer ; c'est la pièce où l'on mange et dort.

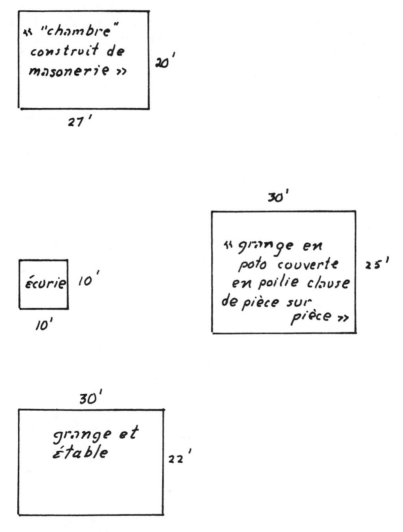

Figure D   Habitation de Noël Giroux
Beauport, rang Saint-Joseph, 1750

3° Les hardes

Si l'on additionne la valeur des hardes et le linge du défunt à celle de la chambre, celle-ci monte à 308 £ 5 S.

4° Le grenier

Le grenier contient une assez grande quantité d'objets, mais des objets de peu de valeur ; l'ensemble s'élève à 40 £ 9 S. On y trouve de tout : des outils, des peaux, de la tonnellerie, des instruments aratoires, des ustensiles, etc.

5° Les animaux

La valeur totale des animaux est de 670 £ 10 S, somme qui se distribue comme suit :

400 £	—	bête à cornes
130 £	—	chevaux
76 £	—	cochons
54 £	—	moutons
10 £ 10 S	—	oies

À noter l'importance économique des animaux dans l'habitation, construite d'ailleurs en fonction d'eux. Ils valent une fois et demie tout ce que contient la maison.

6° À l'extérieur

La liste d'objets qui suit la nomenclature des animaux, signifie qu'ils se trouvent à l'extérieur, près de l'un ou l'autre bâtiment, puisqu'il ne sont pas nommés au moment où le notaire décrit la grange.

la valeur des instruments aratoires s'élève à	63 £ 5 S
la valeur des moyens de transport s'élève à	30 £ 5 S
il y a de la planche pour	15 £
et une cuve valant	2 £

7° Les dettes

Habituellement, un habitant a des dettes passives (ce qui est dû à la communauté) et des dettes actives (ce que la communauté doit). Dans le cas précis de cet inventaire, la communauté n'a pas de dettes passives.

Dette totale: 56 £ dont 21 £ pour la boisson et l'eau-de-vie et 15 £ de médicaments.

8° Les terres et bâtiments

8.1. Une terre située dans le troisième rang habité ; entre Saint-Joseph et Sainte-Thérèse ; comprend une maison de pierre de 27' × 20', appelée chambre par le notaire.

une grange de 30' × 25' contenant 600 bottes de foin

une écurie de 10' × 10'

une grange-étable de 30' × 22' prolongée d'une allonge de 10' sur la largeur de la grange contenant 300 bottes de foin

8.2. Une terre en bois debout, dans le rang Saint-Ignace ; ce rang est le premier situé sur le sol incultivable des contreforts laurentiens.

9° Les papiers

9.1.	Acte de tutelle	26 août 1750	
9.2.	Contrat de mariage	3 mars 1707	(Robert Duprac)

On peut consulter les minutes de R. Duprac pour savoir ce que Noël Giroux et Françoise Galien possédaient et apportaient à leur mariage.

9.3.	Contrat d'acquest	21 mars 1724	(Noël Duprac)
9.4.	Contrat de vente	29 septembre 1710	(Jacques Barbel)
9.5.	Vente	25 février 1708	(Robert Duprac)
9.6.	Vente	18 mars 1715	(Robert Duprac)
9.7.	Vente	7 juillet 1714	(Jean-E. Dubreuil)
9.8.	Contrat de donation	20 mars 1723	(Robert Duprac)
9.9.	Quittance	6 mars 1724	
9.10	Quittance	26 mars 1742	(Mtre Duprac)

Si, à partir de l'inventaire de 1750, un chercheur désire en savoir davantage sur l'histoire de la terre de Noël Giroux, il doit classer les documents ci-haut nommés par ordre chronologique et de fil en aiguille constituer un dossier qui grossit assez rapidement, tout en posant des problèmes de méthodologie de plus en plus compliqués.

10° La famille de Noël Giroux en 1750

À l'aide du dictionnaire généalogique Tanguay[1] l'on peut dénombrer les membres de la famille de Noël Giroux en 1750. Ce type de recherche facile nous permet de cerner un aspect négligé de la vie d'autrefois : la promiscuité familiale.

Noël Giroux et Marie-Françoise Galien eurent 9 garçons et 4 filles.

10.1. Les garçons :		baptême	mariage	sépulture
	Noël-Guillaume	1708	1731	
	Jean-Marie	1710		1715
	Pierre	1712	1° 1738	
			2° 1763	
	Vincent	1716	1742	
	Étienne	1718		1719
	Louis	1722	?	?
	Charles-Thomas	1724	1751	
	Pierre-Michel	1727		1730
	Guillaume	1729	?	?

Sur ces neuf garçons, trois sont morts en bas âge, quatre se sont mariés, dont l'un deux fois[1].

10.2. les filles		baptême	mariage	sépulture
	Marie-Françoise	1714	?	?
	Marie-Angélique	1718	1735	
	Marie-Louise	1720	1738	1770
	Marie-Pélagie	1731	1751	1752

D'après cette recherche généalogique, l'on peut voir qu'en 1750 restaient à la maison Charles-Thomas (27 ans) et Marie-Pélagie (20 ans) ; deux noms sont moins certains : Louis et Guillaume dont on ne connaît pas la date de mariage. La famille n'était donc pas nombreuse en 1750.

---

[1] L'ouvrage de Benoît PONTBRIAND intitulé *les Mariages de Beauport* (1673–1966) corrobore les résultats du dictionnaire généalogique de Cyprien Tanguay. Nous ne savons pas si Louis Guillaume et Marie-Françoise se sont mariés ni la date de leur sépulture. Nous ne pouvons malheureusement pas répondre à la question posée ci-haut concernant la promiscuité familiale.

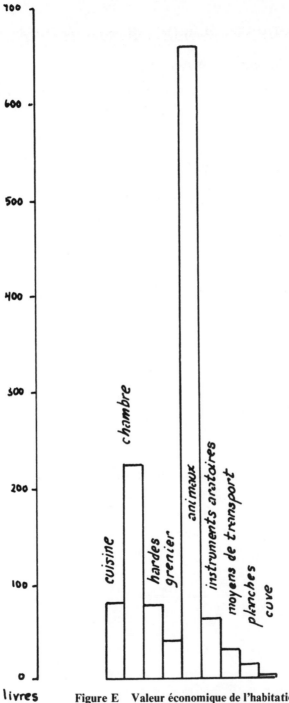

700

600

500

400

300

200

100

0

chambre

cuisine

hardes

grenier

animaux

instruments aratoires

moyens de transport

planches

cuve

livres

Figure E   Valeur économique de l'habitation
de Noël Giroux
Beauport, rang Saint-Joseph, 1750

SOURCE: *Inventaire de 1750*

11° Résumé de la valeur économique

	Livres	Sols
cuisine	84	14
chambre	228	5
hardes du défunt	80	5
grenier	40	9
Total de la valeur des objets dans la maison	433	13
animaux	670	10
instruments aratoires	63	5
moyens de transport	30	5
planches	15	
cuve	2	
Grand total	1 214	
dettes	56	
	1 158	

LEXIQUE

Ce lexique comprend les principaux mots relatifs à l'habitation et à la maison traditionnelle québécoise. Un certain nombre sont présentés dans les termes de l'auteur de cet ouvrage, soit pour adapter la définition de ceux contenus dans les dictionnaires mentionnés, soit pour mieux définir les mots se reportant à notre architecture. Le sigle renvoie au nom de l'auteur de l'ouvrage, ou à l'ouvrage d'où la définition est tirée.

Auteur	Titre abrégé [1]	Sigle
BARBEAU, M.	« Le pays des gourganes », *M.S.R.C.*	MB
BARBEROT, J.-É.	*Traité pratique de charpente*	B
FÉLIBIEN, André	*Des principes de l'architecture*	F
CLAPIN, Sylva	*Dictionnaire canadien-français*	CLAP
CLOQUET, L.	*Traité d'architecture*	CLOQ
Glossaire du parler français au Canada		*GLOS*
JUTRAS, J.-P.	« La Maison de mon grand-père », *B.P.F.C*	J
GAUTHIER-LAROUCHE, Georges	*L'Évolution de la maison rurale laurentienne* et définitions personnelles	GGL
LITTRÉ	*Dictionnaire*	L
SÉGUIN, Robert-Lionel	*La Maison en Nouvelle-France*	RLS
TRÉVOUX,	*Dictionnaire universel français et latin*	T
VIOLET-LE-DUC	*L'Architecture raisonnée*	V

---

[1] Pour une description plus détaillée, voir la bibliographie.

— A —

ABAT-VENT

Étage supérieur d'un bâtiment ou d'une remise construit de manière à se projeter en avant du mur inférieur qui le supporte. C'est dans la façade du bâtiment que se remarque toujours cette partie qui surplombe de un à trois pieds, ordinairement sans le support de piliers (MB).

ABOUT

L'extrémité d'une pièce de charpente ou de menuiserie (CLOQ).

ABOUTER

Mettre deux choses bout à bout (CLAP).

ACOYAU. Voir coyau.

ÂGES

Environs, dépendances (MB).

AIGUILLE. Voir poinçon.

AIRS. Voir être de maison.

AISSELIER. Voir gousset.

ALLÈGE

Mur d'appui d'une fenêtre, moins épais que l'embrasure (L). On dit parfois neiche au Canada (CLAP). Figure 7–9.

ALLONGE

Prolongement, agrandissement d'une maison, d'une dépendance (CLAP).

AMBLETTE

Morceau de bois taillé en forme de fer à cheval pour retenir sur son pivot l'axe d'un vantail d'une porte (J).

AMONT

Monter amont la maison, c'est-à-dire sur la maison (CLAP).

ANCRE

Pièce de fer placée à l'extrémité d'un chaînage pour maintenir l'écartement des murs (L). Cette pièce est surtout employée dans les grosses maisons à pignon coupe-feu, les manoirs, les moulins et les églises. Souvent elle a la forme d'un *S* (GGL).

ANIMAUX

Bestiaux, ou ensemble des animaux domestiques faisant partie d'une exploitation agricole. « Il est temps d'aller soigner les animaux » (CLAP).

ANGLE DU PIGNON

Angle formé par la pente d'un chevron et le niveau des assiettes. De soixante degrés qu'il était au XVIIe siècle, il a diminué de quinze en un siècle et demi du moins dans la région de Québec ; diminution qu'on explique par une simple amélioration technique : l'intégration des poutres supérieures à la charpente au moyen de blochets métalliques (GGL). Figure 5–2.

ANGLO-NORMAND (toit)

Toit à quatre larmiers très larges entourant la maison. Ramsay Traquair suggère que ce type pourrait prolonger nos maisons du XIXe siècle à larges larmiers, mais il n'apporte pas de preuve. D'autre part, il établit un parallèle entre le type anglo-normand et certaines maisons des établissements français de la vallée du Mississipi, ce qui nous paraît plus raisonnable. Cette idée rejoindrait celle de P. Deffontaines qui établit une corrélation entre l'aboutissement de la maison canadienne et celui de la maison tropicale. Néanmoins, comme l'influence américaine sur ce type de maison « anglo-normande » ne se serait pas fait sentir avant 1800, il apparaît improbable que le toit à pavillon médiéval ait eu le temps d'engendrer une galerie si large au début du XIXe siècle pour qu'elle fût confondue au toit « anglo-normand ».

Pour la commodité, on peut encore utiliser ce terme, mais ce petit problème reste entier ; l'on ne peut que conjecturer son arrivée dans le paysage rural et suburbain québécois vers 1800 et sa disparition subite après le régime seigneurial (GGL).

ANGLO-SAXONNE (architecture)

L'architecture anglo-saxonne dont il est question dans cette définition ne concerne que les éléments architecturaux plaqués sur une forme traditionnelle dont le toit est, dans la plupart des cas, raide et penché à 45 degrés. Voici ces éléments :
— l'épaisseur démesurée de la toiture
— le retour vers l'intérieur des avant-couvertures
— des poteaux postiches de tous genres aux arêtes
— une fenêtre dans le pignon
— des lucarnes à la chute du comble
— des planches à clin étroites (GGL).

APLOMB

La surface d'un mur. Se dit aussi d'une pièce posée verticalement (CLOQ).

APPAREIL

Mode d'assemblage des matériaux d'une maçonnerie ou l'ensemble des joints qui déterminent la forme de chaque pierre (CLOQ). Figure 8-2.

APPAREIL RÉGULIER

Mode d'assemblage de roches granitiques de forme et de grosseur variables, enrobées de mortier et disposées sans litage (GGL).

APPAREIL IRRÉGULIER

Maçonnerie dont les murs sont séparés en trois sections de huit pouces d'épaisseur, la section centrale étant de pierrotage (GGL).

APPARTEMENT

Pièce ou chambre quelconque d'un logement, d'une habitation (CLAP).

APPENTIS

Petite construction ajoutée à un corps de logis ou à un corps de bâtiment. Dans la région de Québec, l'appentis n'a qu'une pente, et il se trouve habituellement au bout d'une grange-étable. Parfois il prolonge le larmier de ce bâtiment et forme un abri pour les instruments aratoires, les voitures et autres articles utilisés sur la ferme. L'appentis contigu à un corps de logis porte le nom de laiterie (GGL).

APPLICATION

Se dit d'un revêtement de mortier, de crépi ou de peinture (V).

ARBALÉTRIER

Dans les charpentes médiévales, pièce parallèle au chevron et posée dessous à une distance d'au moins douze pouces. Dans les charpentes canadiennes, au lieu de se rendre jusqu'au poinçon comme dans les charpentes médiévales, il s'arrêtait à l'entrait (GGL). Figures 7–1 et 7–2.

ARCHITECTURE QUÉBÉCOISE

L'architecture québécoise est un sujet très vaste tant au plan spatial que temporel. Avant d'être en mesure de faire une synthèse cartographique de ce sujet, il serait normal d'étudier l'évolution d'une ou plusieurs formes à Montréal, à Trois-Rivières et même à Québec (car nous n'avons vu qu'une forme), puis aborder l'évolution des formes urbaines dans ces mêmes villes (GGL).

ARÊTE

Ligne verticale à la rencontre de deux murs (GGL).

ARETIER

Chevron de coin dans un toit à pavillon (CLOQ). Figure 7–25.

ARMOIRE

Dans les maisons traditionnelles, les armoires étaient très souvent pratiquées dans le mur et, dans certains cas, le plus près possible du plancher, sous les baies de fenêtres. Dans ce dernier cas elles servaient à déposer les aliments frais (GGL).

ARMURE

Toute combinaison de fer ou de bois destinée à renforcer ou à maintenir un ouvrage de maçonnerie ou de charpente (V).

ARONDE (queue d')

Type d'assemblage dont une pièce a la forme d'une queue d'hirondelle (CLOQ). On dit aussi queue d'héronde (CLAP). Figure 5–11.

ARRÊT. Voir paillette.

ASSEMBLAGE

D'une manière générale, on donne le nom d'assemblage à chacun des différents moyens employés pour relier entre elles les pièces composant un ouvrage (B). Durant l'époque traditionnelle, l'assemblage est généralisé dans la charpenterie, la menuiserie et l'ébénisterie.

Fondamentalement, il repose sur le principe mâle, le tenon, et le principe femelle, la mortaise.

Dans la maison de colombage, par exemple, il n'entre aucun clou dans la construction, hormis dans la toiture ; l'ensemble est un jeu de blocs de grande précision.

Aujourd'hui la charpenterie n'existe plus ; ce sont les menuisiers qui font les assemblages. Ces derniers sont plutôt des juxtapositions de pièces que des assemblages. Par exemple, dans les fermes modernes préfabriquées, l'entrait est tenu contre le chevron au moyen de plaques de métal triangulaires vissées sur les pièces (GGL).

ASSIETTE

Le sommet d'un mur de maçonnerie où repose la charpente (CLOQ). Figure 7–1.

ÂTRE

L'ouverture de la cheminée servant à chauffer la maison et à faire la cuisine (GGL). Figure 8–11.

AVANT-COUVERTURE

Avance de la toiture faisant saillie sur le front et l'arrière du carré (J).

— B —

BAIE

Vide pratiqué dans un mur (CLOQ). Figure 8–23.

BARDEAU (ou essente)

Planchette effilée de bois de cèdre, servant de couverture ; ce type de couverture fut généralisé dans l'habitation traditionnelle (GGL).

BARRURE

Compartiment d'écurie où l'on tient un animal attaché (MB).

BAS-CÔTÉ. Voir haut-côté

BÂTIMENTS

Les dépendances (CLAP).

BÂTISSE

Construction, édifice quelconque (CLAP).

BATTANT

Dans la région de Charlevoix, on dit qu'une maison de bois a du battant lorsqu'elle a du fruit (GGL).

BATTÉE

Les faces latérales d'une baie de fenêtre ou de porte (CLOQ). Figure 8–23

BATTERIE

L'aire d'une grange, surface unie et dure où l'on bat les céréales (CLAP).

BAY-WINDOW

Mot anglais d'acception courante pour fenêtre-baie, ou fenêtre en saillie. Le *bay-window* est aussi l'équivalent du terme technique « cul-de-lampe », désignant plus spécialement une fenêtre soutenue par un encorbellement formant cul-de-lampe (CLAP).

BÉCOSSES

Latrines ou commodités extérieures (GLOS). Étym. : *Back House,* canadianisme : bacosses, bécosses.

BLOC

Un pâté de maisons (CLAP).

BLOCAGE

Appareil sans litage formé de pierres faisant parfois parpaing (CLOQ).

BLOCHET

Pièce de bois retenant deux sablières, ou tige de fer annulant la compression des chevrons par la jonction de la sablière externe aux poutres supérieures (GGL). Figures 5–23, 7–10 à 7–15.

BOISURE

Boiserie, ou menuiserie dont on revêt les murs d'un appartement (CLAP).

BOUCHARDE

La taille définitive des faces d'une pierre se fait au ciseau ou à la boucharde (CLOQ).

BOUQUET

Tête d'un jeune sapin ornementé de fleurs artificielles et de brimborions aux couleurs éclatantes que l'on plantait au sommet du comble quand on avait fini de lever la charpente (J).

BOUSILLAGE

Désigne une construction faite avec de la terre et de la boue (Furetière, 1701). En Nouvelle-France, bousiller signifie crépir (RLS).

BOUSILLAGE DES MURS

Calfeutrage fait en torchis de terre forte (argile) à laquelle on mêlait des aigrettes pour remplir les cavités et interstices des murs et leur donner à l'intérieur et à l'extérieur une surface plane (J).

BOUSILLE

C'est un aggloméré de terre détrempée et de chaume. Le procédé est aussi vieux que l'humanité. Les Égyptiens ont dû construire en pisé d'argile leurs huttes primitives, qui ont imprimé leurs formes les plus caractéristiques à leurs temples colossaux, et les Chaldéens ont, de même, construit en terre agglutinée, les murs massifs de leurs palais (CLOQ).

BRETÈCHE

Ouvrage de charpente en saillie sur des faces de maçonnerie (L).

BRIN

Les meilleures planches se font de brin, c'est-à-dire de troncs d'arbres qui ne sont point sciés, mais seulement équarris (T).

BRISIS

Panne (de brisis) séparant la pente forte de la pente faible d'un comble mansardé ; se dit aussi de la pente raide d'un toit à la mansarde, qu'elle soit concave ou rectiligne, et de l'angle qui forme les deux plans d'un comble brisé (L).

— C —

CABANE. Voir chambre.

CABANER (se)

S'enfermer à huis clos. Se claquemurer dans son gîte (CLAP).

CABINET

Petite armoire quelconque et, surtout, petite armoire pratiquée dans le mur (CLAP).

CABINETTE

Une petite chambre (CLAP).

CANT. Voir champ.

CANTON

Territoire nouvellement ouvert à la colonisation. Étendue de pays encore en friche (CLAP).

CARRÉ

Partie des murs située en bas du pignon formant habituellement un rectangle, parfois un carré (GGL).

CASSE-JAMBE

Pièce posée transversalement et reliant les deux murs de bois en vue d'empêcher leur écartement. On l'appelle casse-jambe parce qu'elle se trouve à peu près à la hauteur du genou.

CAVE À LÉGUMES

Construction en pierres de forme quadrangulaire dont l'idée, selon R.-L. Séguin, nous serait venue des Indiens; elle est couverte d'un toit en bois presque complètement enterrée dans un rebord de terrasse et conserve une fraîcheur constante pour les légumes, les fruits et les liqueurs (GGL).

CAVE

Excavation sous les poutres inférieures (GGL).

CAVREAU. Voir cave à légumes.

CHAÎNE

Maçonnerie conçue pour renforcir un mur (CLOQ).

CHAÎNE D'ARÊTE

Assemblage de pierres plus grosses pour donner de la solidité à un appareil (L). Au XIXᵉ siècle, la chaîne d'arête est décorative et apparente dans des types autres que le traditionnel; dans celui-ci, la chaîne d'arête est enduite de mortier (GGL). Figure 8–4.

CHAMBRANLE

Encadrement des portes et des fenêtres. Simples au début de l'évolution, à la fin elles sont décoratives et confèrent à la maison un air parfois alambiqué (GGL).

CHAMBRES D'EN HAUT

Premier étage (CLAP).

CHAMBRE (grand-chambre)

Une des deux pièces principales de la maison traditionnelle, attenante à la cuisine. Elle contient souvent un poêle de brique, un mobilier plus soigné que celui de la cuisine, souvent aussi une cabane, sorte de lit fermée des quatre côtés. On la nomme parfois chambre de compagnie ou salon (CLAP). C'est une salle de réception toujours tenue en état de grande propreté où avaient lieu les actes solennels (J).

CHAMP

La partie la plus étroite d'une pièce de bois ou de brique. De champ, sur le côté étroit (L). On devrait dire *chant* et même *cant*, comme nos ouvriers le disent encore aujourd'hui. Exemple : un madrier « sul' cant » (GLOS).

CHAMPS COMMUNS

Sous la tenure seigneuriale, on entendait, autrefois, par champs communs de grands espaces de terre et de prairie, aménagés autour du manoir et de l'église, et servant à diverses fins communes pour les tenanciers de chaque seigneurie (CLAP). On leur donnait aussi le nom de commune.

CHANDELLES

Poteaux qui soutenaient le sous-faîte, au nombre de quatre : deux aux pignons, deux à chaque côté de la cheminée (J).

CHANTIERS

Pièces de bois posées sous les soles pour soutenir l'édifice en attendant qu'on fasse le solage (J).

CHANTIGNOLLES

Petites pièces triangulaires posées sous les pannes entre les arbalétriers et les chevrons dans les charpentes médiévales françaises. Figure 7-1.

CHAPEAU

Planches bien délignées assemblées l'une à l'autre dans leur longueur et faisant angle pour couvrir au faîte les dernières rangées de bardeau de chaque versant. Se dit aussi d'une grande pierre percée à jour couronnant la tête (J) d'une cheminée.

CHARPENTE

Structure de bois posée sur un carré de bois ou de pierre (GGL). Assemblage de pièces de bois ou de fer servant aux constructions (L).

CHARPENTE À TÊTE

Mode de construction en usage sur « les chantiers », et consistant en troncs d'arbres non équarris, ajustés aux angles au moyen d'entailles. On dit alors, d'un tel édifice, qu'il est fait en charpente à tête (CLAP).

CHARPENTERIE

L'art de travailler les bois pour la charpente ; le travail lui-même (L).

CHÂSSIS

Fenêtre ordinaire, garnie de ses vitres (CLAP). Se dit aussi de l'ensemble des pièces, soles et lambourdes qui forment la base du carré (J).

CHÂTEAU (style)

Genre de maisons de type anglo-saxon assez répandues à la fin du XIXᵉ siècle. La caractéristique principale de cette architecture est l'exagération des détails : tourelles, bretèches, fenêtres de diverses formes, galeries monumentales, multiplicité des matériaux, tels sont les points à remarquer dans ce « style » fort bien représenté à Lévis, Lauzon, Saint-Romuald, Saint-David de l'Auberivière et à peu près partout au Québec (GGL).

CHAUME

Portion de la tige des céréales qui reste sur pied après la récolte (L). La toiture de chaume, ou paille, était une pratique généralisée durant l'époque traditionnelle, non seulement pour couvrir les bâtiments de ferme mais aussi les maisons de bois surtout au XVIIᵉ siècle (GGL).

CHAUX

Oxyde de calcium qu'on produit dans l'industrie par la calcination du carbonate de calcium. Chaque espèce de pierre calcaire produit une chaux différente, quant à sa composition et à ses propriétés (CLOQ).

Un peu partout, mais tout particulièrement sur la côte de Beaupré et de Beauport, il y avait jusqu'à la fin du XIXᵉ siècle des « fourneaux » de quinze à vingt pieds de hauteur et de douze à quinze de diamètre qui cuisaient à longueur d'année. Comme ces fours étaient simplement cylindriques, il fallait, à chaque fournée, reconstruire une demi-sphère en roche calcaire, à l'intérieur pour permettre de brûler le bois en-dessous et d'accumuler le calcaire au-dessus (GGL).

CHAUX VIVE

Lorsqu'elle est fraîchement calcinée, se combine avec l'eau, dégage de la chaleur et accroît de volume ; c'est ce qu'on nomme le foisonnement (CLOQ).

CHENEAU. Voir conduite.

Nom que l'on donne à un conduit de pierre, de terre cuite, de bois ou de métal, qui, recevant les eaux d'un comble, les dirige par des pentes douces, vers des issues ménagées dans la construction des édifices (CLOQ).

CHEVALET (lucarne à)

Lucarne dont le fronton est vertical (CLOQ).

CHEVILLE (clavette)

Tige de bois le plus souvent carré et un peu épointé, tenant un assemblage à tenon et mortaise (CLOQ).

CHEVILLETTES

Pour tenir le mortier sur un pan de bois à l'extérieur ou à l'intérieur, on lardait le mur de petites éclisses de bois dur en forme de chevilles. Ordinairement des chevillettes en chêne plantées dans un mur de pin (GGL).

CHEVRON

Pièce oblique qui détermine la pente d'un toit (GGL). Figures 5–2, 7–3.

CHEVRON-VOLANT. Voir arbalétrier.

CHUTE D'UN COMBLE

L'extrémité d'un comble à la gouttière (V).

CLAVETTE. Voir cheville.

CLEF D'ARRÊT

L'extrémité intérieure d'un poinçon, dépassant l'entrait retroussé. Cette extrémité devient clef en la barrant par une cheville (GGL). Figure 7–25.

CLIN
> Disposition de planches ou de madriers qui se joignent en se recouvrant en partie (GGL).

CLOISONS
> Des murs minces et légers, subdivisant les pièces d'un étage (CLOQ). Dans les maisons traditionnelles elles sont faites de planches de bois de pin, de bois blanc ou de sapin, embouvetées (GGL).

COLLET DE LA CHEMINÉE
> Boiserie de la couverture entourant la cheminée (J).

COLOMBE
> Forme altérée de colonne (voir colombage) (L).
> Une solive qu'on pose à plomb dans une sablière pour faire des cloisons, des maisons et des granges de charpente (GGL).

COLOMBAGE
> Mot qui s'emploie dans la charpente, au lieu de colonnade, pour signifier un rang de colonnes ou de solives, dans une cloison ou une muraille (L). Figure 10–2.

COMBLE
> Construction couronnant le sommet d'un édifice (L).

COMMODITÉS
> Latrines (CLAP).

COMMUNE. Voir champs communs.

CONDUITE. Voir cheneau.
> « Tuyau de métal, de terre cuite ou de pierre, servant à conduire les eaux, soit sur un plan horizontal, soit verticalement, du sommet d'un édifice à sa base » (V).

CONTRE-COEUR
> Le fond de la niche (GGL).

CONTREFICHE
> Pièce posée obliquement vers le haut, entre un poinçon et un chevron ; pièce rare dans nos charpentes ordinaires (GGL).

CONTRE-PORTE
> Porte massive se fermant automatiquement à l'aide d'un poids, et que l'on place à l'extérieur d'une porte principale, en hiver, pour mieux se garantir du vent et des rafales de neige (CLAP).

CONTREVENT
> Volet de bois destiné à boucher une fenêtre et à la préserver des intempéries (GGL).

CORNICHE
> Tablette posée au-dessus de la niche et la séparant du manteau (CLOQ).

CORNIER. Voir poteau de coin.

COULISSE
> Rainure pratiquée dans les sablières hautes et basses en vue de recevoir le colombage ou faite dans des poteaux en vue de recevoir des madriers ou des pièces.

COULOMBE

Grosse pièce de charpente assemblée à tenon entre une sablière haute et une sablière basse sur un mur latéral (GGL). Figure 5-2.

COUPE-FEU

Type de maisons dont les murs pignons excèdent la couverture de huit à vingt pouces ; la prolifération de ce type, tant à la campagne proche de la ville qu'en ville mériterait une étude exhaustive. À noter que plusieurs mansardes du Vieux Québec sont séparées par un coupe-feu ; celui-ci n'est donc pas un détail exclusif à la maison à pignon, et c'est la preuve qu'il eut la vie dure. Certaines maisons de « style traditionnel » reproduisent le coupe-feu depuis 1965, dans les environs de Québec.

COURSE

La course est égale à la demi-portée (CLOQ).

COUVERTURE

Tout ce qui sert à recouvrir une maison, c.-à-d. la charpente, etc. (CLAP).

Dans le texte de l'ouvrage *couverture* signifie le matériau recouvrant le toit (GGL).

COUYAU. Voir coyau.

COYAU

Petite pièce de forme triangulaire, ajoutée à la base des chevrons, destinée à procurer le galbe de la maison rurale traditionnelle (GGL). Figurés 7–15, 10–8.

CROISÉE

Fenêtre en croix comme on en voit dans les vieux châteaux, où l'espace total était divisé en quatre par une croix de pierre. Aujourd'hui, châssis vitré, ordinairement à battant, qui clôt une fenêtre. Fermer, ouvrir la croisée (L).

CROISON. Voir cloison.

CROIX-DE-SAINT-ANDRÉ

Assemblage en forme d'X qu'on trouve entre la panne de faîtage et le sous-faîte, destiné à empêcher le déversement de la charpente vers l'un ou l'autre des pignons (GGL). Figure 7–25.

CROUPE

Maison traditionnelle coiffée d'un toit à quatre versants. Ce type de toit nécessite la pose de quatre chevrons de coin (aretiers) plus ou moins penchés vers l'intérieur. Nom donné aussi à une lucarne dont le fronton est rabattu (GGL).

CUISINE

Une des deux pièces principales de la maison traditionnelle employée pour la cuisson des aliments, le travail domestique, l'artisanat et même comme dortoir lorsque l'espace manque dans les autres pièces. Certains notaires lui donnent le nom de chambre.

CUISINE D'ÉTÉ

Appentis, hangar où l'on fait la cuisine et où l'on mange l'été. Synonyme de bas-côté (GLOS).

— D —

DALLE

Espèce de grand morceau de schiste étendu devant l'âtre (GGL).

DALLE À VANNER

Petit canal d'environ quatre pouces sur six pratiqué obliquement entre le plancher du grenier et le niveau des corniches des fenêtres à l'extérieur. L'on envoyait le grain par ce canal et on le vannait sur la galerie (GGL).

DÉBARRAS

Chambre de débarras (CLAP).

DÉGOUTTIÈRE

Gouttière (CLAP).

DÉPENSE

Petite construction servant à conserver les aliments et ordinairement ajoutée à une maison à toit horizontal ou à une mansarde (GGL).

DEVANTURE

Le devant, la partie antérieure. La devanture d'une maison (CLAP).

DÉVERSEMENT

Action d'un mur qui s'incline, qui penche (L).

DORMANTS

Nom qu'on donne au châssis fixe, en menuiserie, sur lequel est ferrée une porte ou une croisée (V). Dans nos maisons traditionnelles, ils étaient assemblés à tenon et mortaise (GGL).

DOS. Voir contrecœur.

— E —

ÉBRASEMENT

Élargissement d'une baie de fenêtre du dehors au dedans afin de faciliter l'introduction des rayons lumineux et l'ouverture des vantaux (GGL). Figure 8–23.

ÉBRASSEMENT

Ébrasement (CLAP).

ÉCHAFAUD

Assemblage de pièces de bois formant une plate-forme élevée sur laquelle travaillent les ouvriers en bâtiment (L).

Les inventaires nous prouvent que l'échafaud existait dès le début de la colonie.

ÉCOUILLAU

Saillie prolongeant le faîte d'une maison, d'une grange ou de tout autre bâtiment rural (RLS).

ÉCURIE

Petit bâtiment pour les chevaux, construit habituellement de pièces sur pièces et couvert de paille (GGL).

ÉLÉGIR
Diminution de l'épaisseur d'une pièce (CLOQ).

EMBOUVETAGE
Compénétration de deux planches ou de deux madriers. Au début, un madrier a deux flancs, féminins ou masculins; par après, un madrier comporte un flanc féminin et un masculin (GGL).

EMBRASURE
Le cadre intérieur d'une baie de fenêtre (CLOQ). Figure 8–23.

EMPANON
Chevron de croupe, qui tient aux aretiers par le haut, et par le bas aux plates-formes ou sablières (L).

EMPÂTEMENT
Élargissement des murs entre le plancher inférieur et l'assise (CLOQ). Figure 7–17.

ENDUIT
Couche de chaux, de plâtre, de mortier, etc., qu'on applique sur les murailles (L). L'enduit de mortier est d'un demi-pouce ou d'un pouce dans notre maison traditionnelle et, partout, il semble avoir été indestructible. Il est composé de chaume, de sable et d'eau et maintenu à l'aide de poils de vache ou d'autres liens efficaces.

ENFIGURAGE
Répartition des baies de portes et de fenêtres dans un mur (GGL).

ENTOURAGE
Boiserie encadrant la porte, les fenêtres (J).

ENTRAIT (de base)
Pièce horizontale joignant deux chevrons à la base; il y a aussi l'entrait retroussé et le faux-entrait qui se situent l'un et l'autre au-dessus de l'entrait de base (GGL). Figures 5–5, 7–4, 7–20.

ENTRÉE
C'est le nom que l'on donne au passage de la clef dans une boîte de serrure (V).

ENTRE-DEUX
Séparation érigée dans une écurie, une étable, entre deux stalles (CLAP).

ENTRETOISE
Petite pièce posée d'aplomb entre la panne de faîtage et le sous-faîte (CLOQ).

ENTURE
Entaille pratiquée dans une pièce en vue d'en recevoir une autre (GGL). Figure 10–11.

ÉPÉE. Voir épi.

ÉPI
Potelet couronnant les deux extrémités d'un faîte, ordinairement sur un toit à pavillon. On dit aussi épée. Effilé vers le haut, il établit le contact entre la terre et le ciel (GGL).

ERMISE

Pour remise (CLAP).

ÉRONDE. Voir aronde.

ESCALIER

L'escalier de la maison est situé soit au centre du carré, soit à l'extrémité de la cuisine. Dans le premier cas, il est en quart de cercle, dans le second il est construit en une ou deux parties. Le dessous servait à aménager des armoires où l'on rangeait divers objets, surtout des souliers, des bottes et du bois de poêle (GGL).

ESSENTE. Voir bardeau.

ESTRADE

Genre de petite galerie légèrement surélevée posée à un pignon ou sur le mur façade (GGL).

ÊTRE DE MAISON

Au XVIIe siècle, les notaires ne se contentaient pas de dire « une maison » mais un « être de maison ». Ce mot doit signifier « existence de ».

— F —

FAÎTAGE

Extrémité supérieure d'un toit à pignon ; lorsqu'il y a une pièce formant faîte, il faut la nommer panne de faîtage ou panne faîtière (CLOQ).

FAÎTE. Voir faîtage.

FANIL

Pour fenil (CLAP).

FAUBOURG

Dans certaines parties du pays, notamment en bas de Québec, on appelle *faubourgs* les villages situés le long du fleuve, et l'on réserve le mot *villages* pour les concessions sises en arrière du rang du bord de l'eau (CLAP).

FAUX-ENTRAIT. Voir entrait. Figure 7–27.

FOUR À PAIN

Petite construction en brique réfractaire de forme ovoïde (en plan) et en anse de panier (en coupe). Elle est jointe latéralement à l'âtre ou perpendiculairement ; mais, dans ce dernier cas, le four est apparent à l'extérieur. Parfois il est détaché de l'âtre tout en étant très près et, dans quelques cas, il est placé dans un coin de la cave (GGL). On en voit aussi à l'extérieur de la maison. « Envoyer sus le four, sous le four » signifie : envoyer promener (GLOS).

FOURNEAU

Construction en maçonnerie de forme cylindrique utilisée pour cuire le calcaire (GGL).

FOURNIL

Petit bâtiment attenant au corps principal de la maison. C'est là que s'accomplissent plusieurs besognes domestiques comme la panification, le **cardage** et la lessive (RLS).

FRUIT (étym.: frit, fricarer, user)

Inclinaison donnée à la face antérieure d'un mur, qui, à mesure qu'il s'élève, et pour en diminuer l'épaisseur, s'éloigne constamment du plan vertical mené par sa base. C'est pour une plus grande solidité qu'on donne du fruit aux murs (L). Ce ne sont pas toutes nos maisons rurales qui ont du fruit, habituellement on le trouve surtout dans les toits à pavillon du xviie siècle, et du début du xviiie siècle. Dans certains cas, on trouve du fruit dans les maisons de colombages et en pièces sur pièces (GGL).

— G —

GABLE

Réunion, à leur sommet, de deux pièces de bois inclinées (V). On dira par exemple, le gable d'une ferme ou d'une lucarne.

GALBE

Le profil constitué par les deux courbes d'une toiture (à un moindre degré, le toit à pavillon) se nomme galbe. On peut dire de certaines maisons qu'elles ont un galbe proportionné, symétrique ou non, alors que certaines autres présentent une rupture de pente assez perceptible au niveau du larmier pour que les courbes manquent d'élégance (GGL).

GALERIE

Promenade ajoutée ou intégrée au parement d'un mur et s'élevant à partir du sol en même temps que s'alllonge l'avant-couverture (GGL).

GALETAS

Étage d'une maison, sous le comble, destiné à garder des provisions, à tendre le linge (V). Ici, le galetas appelé grenier (voir grignier, guernier, solier) servait à ranger toutes sortes d'instruments et outils brisés et il a même servi de chambre à coucher surtout au xixe siècle (GGL).

GASPARDE (à la)

Canadianisme désignant des ouvrages de torchis (RLS).

GIRON

Le dessus d'une marche (V).

GOND

Morceau de fer coudé, rond par la partie d'en haut, sur lequel tournent les pentures d'une porte (L).

GOUJON

Petite pièce de bois ou de métal qui en réunit deux autres en s'engageant dans les deux (L). Cette pièce était employée dans les maisons de bois au xviie siècle.

GRANGE

Bâtiment servant à ranger les récoltes; habituellement construit de planches, parfois de pièces sur pièces. Au XVIIᵉ siècle et durant une bonne partie du XVIIIᵉ siècle, elle est une des trois plus importantes cellules de l'habitation avec la maison et l'étable, et sa longueur dépasse rarement cinquante pieds et sa largeur trente (GGL). En général, le mot *grange* désigne les dépendances d'une ferme. « Aller à la grange » (CLAP).

GRANGE-ÉTABLE

Grand bâtiment composé d'une grange et d'une étable atteignant parfois quatre-vingt-dix pieds de longueur (GGL).

GRENIER. Voir galetas.

GRIGNIER. Voir galetas.

GRILLE

Petite ouverture trouée placée dans la cuisine afin de permettre à la chaleur de monter dans les chambres du haut (GGL).

GOUSSET

Lien posé de biais vers le bas, entre un entrait — ordinairement l'entrait retroussé — et un chevron; plus employé dans les charpentes de maisons urbaines que rurales (GGL). Se dit aussi d'une pièce de bois posée diagonalement pour maintenir des pièces assemblées d'équerre (V).

GUETTE

Demi-croix-de-Saint-André posée en contrefiche dans les pans de bois de charpente. Poteau de pan de bois qui est incliné de deux ou trois fois son épaisseur (L).

GUEULE

Synonyme de tête de cheminée (L).

GUEULE-DE-LOUP

Terme populaire employé dans le comté de Charlevoix pour désigner un assemblage à queue d'aronde. Pour certains, la gueule-de-loup est la partie entourée d'une pièce dont l'about de forme concave s'ajuste sur une autre de forme convexe.

GUERNIER. Voir galetas.

— H —

HABITAT RURAL

Répartition des habitations, corrélative à l'agriculture sédentaire; il comprend l'ensemble des habitations composées à leur tour d'un nombre variable de bâtiments (GGL).

HABITANT

Celui qui cultive la terre, qui fait de l'élevage et, d'une manière générale, toute personne dirigeant ou exploitant un établissement agricole ou horticole quelconque (CLAP).

HABITATION

Une concession de terre habitée. Pour les anciens notaires, probablement aussi pour les habitants eux-mêmes, une habitation comprenait l'espace dévolu à un censitaire. Ils disaient : « une habitation de trois arpents de front par une lieue de profondeur ». Une concession non habitée ne portait pas ce nom. Cette définition ancienne est excellente car, l'espace d'une terre pouvait contenir une cabane à sucre, loin dans la forêt, et ce bâtiment était une cellule de l'habitation, même s'il était éloigné des autres.

À propos de son évolution, voici les données principales. Si le moteur de l'évolution des logis des hommes est la structure climatique, celui de l'habitation en est l'économie.

Au xviie siècle, l'habitation comprenait la maison, la grange et l'étable, les trois bâtiments essentiels que la plupart des paysans possédaient en 1720-1725.

Vers le milieu du xviiie siècle, non seulement la grange et l'étable devinrent plus longues, mais l'on commença lentement à les juxtaposer pour ensuite les concevoir comme une seule unité durant la seconde moitié du xviiie siècle. À ce moment, les petits bâtiments qu'on avait construits autour, tels l'écurie et la porcherie furent eux aussi incorporés à la grange-étable qui contenait alors presque toutes les espèces d'animaux domestiques, même les volailles.

Au siècle suivant, comme le gros de l'évolution était fait, l'on a continué l'intégration des bâtiments dans les cas où les petites cellules se détérioraient, de sorte qu'à la fin du régime seigneurial l'habitation était revenue à la simplicité, après avoir passé par une longue période d'expansion.

La cave à légumes, le hangar, le four à pain et parfois un puits s'ajoutaient aux autres bâtiments.

HANGAR

Petite construction utilisée pour corder le bois (GGL).

HAUT-CÔTÉ

Par opposition au bas-côté (synonyme de cuisine d'été dans certaines localités), le haut-côté s'applique aux chambres dont le plancher est surélevé par rapport à celui de la cuisine. Cette précaution était prise pour l'éloigner le plus possible de l'humidité du sol et elle annonce, en fait, le surélèvement général du plancher inférieur (GGL). Voir plancher de la laiterie.

HERSE

Pièce de métal souvent décorative posée dans les fenêtres, surtout dans celles de la laiterie et servant à empêcher les animaux de briser les vitres (GGL).

HEURTOIR

Marteau pour frapper aux portes (V).

HORIZONTAL (toit)

Vers 1890, c'est le début de l'ère du toit horizontal dans la vallée laurentienne. La mentalité des gens qui habitaient ce type de maisons était celle de la paysannerie analphabète coupée de son milieu traditionnel. L'affluence des contingents ruraux dans un nouveau milieu physique conçu en fonction des manufactures explique d'une certaine manière la construction verticale des premières maisons multifamiliales non traditionnelles de même que l'habitat désordonné qui lui correspond. L'exemple type dans la région de Québec est la paroisse de Saint-Grégoire de Montmorency (autrefois le Sault Montmorency) qui s'est formée de l'est vers l'ouest entre 1890 et 1945. On y compte des toits horizontaux dans la proportion de 90%.

Le même type d'habitat et d'architecture se retrouve dans la plupart des villes moyennes du Québec et à Limoilou, Trois-Rivières et dans l'est de Montréal. Dans ces villes il y a deux sous-types : le toit penché et le toit en gradins.

Aujourd'hui le toit horizontal est très répandu dans l'habitat suburbain constitué en majeure partie de « blocs à appartements » de deux à trente logements. Chose remarquable, il n'est pas particulier au Québec. En un sens, le toit horizontal de l'architecture domestique est proche parent du gratte-ciel de l'architecture académique (GGL).

HOTTE

Partie centrale de la cheminée par où s'évacue la fumée ; la base de la hotte s'appelle âtre ou foyer, l'extrémité à la tête s'appelle gueule (GGL). Figure 8–12.

— J —

JAMBE DE FORCE

Lien posé obliquement entre un entrait et la sablière haute ou plate-forme. Bien distinguer la jambe de force, plus longue que le gousset (GGL).

JAMBAGE

Rebord vertical d'une baie de porte ou de fenêtre ; terme utilisé aussi pour définir les supports d'un manteau de cheminée. Lorsqu'un jambage est monolithique on le nomme pied-droit (GGL). Figure 8–11.

JAMBETTE

Lien vertical reposant par un bout sur un entrait et soutenant un chevron. Dans les maisons rurales aux dimensions modestes, la jambette est rare ; on la trouve surtout dans les grands combles, tels ceux de maisons urbaines, de manoirs, de presbytères ou de moulins (GGL).

JUILLE, J'VILLE

Se dit pour cheville (CLAP).

— L —

LAITERIE

Petite construction en pierres généralement attenante au coin est du mur nord. Dans le cheminement de la forme, la laiterie extérieure s'est développée surtout au XVIIIe siècle ; elle est combinée avec la maison basse. Fait rare, on la trouve attenante même à des mansardes (GGL). Figure 9–2.

LAMBOURDES

Grosses pièces supportant le plancher inférieur des maisons traditionnelles, moulins ou églises. Les poutres inférieures sont un peu moins grosses que les lambourdes (GGL). Figure 7–17.

LAMBRISSAGE

Ouvrage en lambris ; action de lambrisser (L).

LAMBRIS

Revêtement extérieur en planches embouvetées des murs et des pignons (J).

LARMIER

Courbe d'un toit s'avançant au-delà de l'aplomb d'un mur. Dans la région de Québec, plus particulièrement de Beauport à Saint-Joachim, il arrive souvent que la façade principale de la maison ait un larmier et que son opposé n'en ait pas. Sur la Côte-du-Sud, par contre, la courbe du larmier est souvent doublée par le dessous ; cet agencement confère à la maison un caractère maritime qu'elle n'a pas sur la rive nord (GGL). Figure 10–9.

LATTES

Planches d'orme minces et très fendillées qu'on élargissait en les clouant sur le colombage de manière à former des interstices par où le mortier du crépi pût entrer et se fixer (J).

LAYÉE

On dit qu'une face est layée quand elle est complètement aplanie (CLOQ).

LIEN ANGULAIRE

Pièce de charpente unissant deux sablières en un coin. Les bouts du lien sont plus larges qu'au centre et ils sont embrevés de telle manière qu'ils empêchent l'écartement des sablières (GGL).

LIERNE

Pièce de bois posée entre deux chevrons dans un toit conique (V). Cette pièce se trouvait donc dans les charpentes de moulin à vent. En d'autres mots, c'est une panne d'un toit conique (GGL).

LIEU. Voir commodités (CLAP).

LINTEAU

Ligne supérieure d'une baie de porte ou de fenêtre (CLOQ). Se dit aussi de la pierre reposant horizontalement sur les jambages avec lesquels elle encadrait l'ouverture de l'âtre (J). Figure 8–11.

LIT

Surface horizontale de pose d'une pierre de taille (CLOQ).

LUCARNE

Construction ajoutée à la pente d'un toit ayant la même forme que le pignon d'une maison traditionnelle, ou de forme variable plus ou moins ornementée dans le toit mansarde. La lucarne étant une fenêtre, elle a donc une relation directe avec l'utilisation du grenier dans la maison à pignon ancienne ou de celle du second étage de la mansarde (GGL).

— M —

MAÇONNAGE

Le travail de maçon (L).

MAÇONNE

Les fondations d'une maison (CLAP).

MAÇONNERIE

Combinaison de pierres naturelles ou artificielles, constituées sous une forme voulue et s'y maintenant d'une manière stable, soit par la combinaison des joints, soit par l'adhérence d'un mortier (CLOQ). La construction elle-même. Durant l'époque traditionnelle, on disait : une maison de « massonne ».

MADRIER

Poutre plate, ou grosse planche, et épaisse de cinq ou six pouces (T). Figure 5–8.

MAISON

La maison paternelle, chez-soi (GLOS).

MAISON-BLOC

Maison contenant les hommes, les animaux, les récoltes et les outils ; c'est une maison globale qui s'oppose à la maison-cour (GGL).

MAISON « canadienne »

Dans le langage courant, la maison « canadienne » désigne notre maison rurale traditionnelle. Sans s'en rendre compte, l'âme populaire a vu une correspondance intime entre la maison rurale et le milieu environnant. La géographie nous apprend, d'ailleurs, que le conditionnement physique et l'unicité de la fonction économique de la maison rurale se conjuguent intimement tout au long de son évolution. Aujourd'hui dans le langage populaire, on parle, à tort, de « style canadien » pour définir les maisons à pignon moderne alors que le style authentique est celui de la forme traditionnelle qui a évolué en sympathie avec son milieu physique et économique (GGL).

MAISON-COUR

La maison-cour (française) est formée de deux ou plusieurs bâtiments groupés autour d'un espace libre, plus ou moins grand, qu'on peut appeler la cour. Les deux grands types de maisons-cour sont *a*) à cour fermée *b*) à cour ouverte. Ici, en Nouvelle France, c'est l'impératif économique qui explique la maison-cour ouverte ; les liens tissés entre ses diverses cellules sont très lâches, variables d'une habitation à l'autre, et d'un siècle à l'autre (GGL).

MANSARDE

Maison dont le pignon, brisé au milieu de chaque versant, se termine par une concavité plus ou moins marquée ; parfois cette concavité n'existe pas du tout et est remplacée par un brisis droit d'inspiration de Nouvelle-Angleterre. Le type à brisis concave fut importé en Nouvelle-France au XVIIe siècle, en ville, non à la campagne, bien qu'en 1732, on notât la présence d'une mansarde à Château-Richer. (L. LABERGE, *Histoire du fief de Lotinville,* p. 18.) Ce type fut délaissé vers 1930 en ville, et il fut repris vers 1870 autant à la campagne qu'en ville pour décliner au début du xxe siècle. Plusieurs maisons ont une concavité sur les quatre faces ; dans ce cas, le toit forme une espèce de capuchon et écrase la construction. C'est la mansarde à quatre versants concaves. Les deux types et les sous-types reprennent à partir des années 50 et ils sont très à la mode depuis 1960 (GGL).

MANTEAU

La partie de la cheminée qui fait saillie au-dessus du foyer (L). Figure 8–11.

MATÉREAUX

Matériaux (CLAP).

MEMBRON

Pente faible d'un toit mansarde (CLOQ).

MENEAU

Espace compris entre deux baies (CLOQ). Figure 5–21.

MENUISERIE

Art dérivé de la charpenterie ; les moyens d'exécution sont les mêmes (V). On dit *menuserie* chez les ouvriers pour désigner les boiseries (CLAP).

MESURE

Le pied français valait au xviie siècle 1/15 de plus que le pied anglais. Pour obtenir notre pied actuel, il faut multiplier les dimensions données dans un marché par 1/15.

MOELLON

Pierre blanche assez tendre, qui se tire des carrières en moindres morceaux que les pierres de taille, et qu'on recouvre ordinairement de plâtre ou de mortier (L).

MOISE

Pièces de bois plates assemblées deux à deux par des boulons et servant à maintenir la charpente (L).

Lorsqu'un entrait est élégi à son extrémité pour serrer un chevron, on dit que c'est un assemblage de moise, ou que le chevron est moisé. Assemblage courant dans la maison traditionnelle (GGL). Figure 5–5.

MORTAISE

Élégissement dans une pièce de charpente de dimensions égales à celle du tenon. Au Canada, on dit souvent *mortoise* (GLOS). Figure 7–21.

MORTIER. Voir enduit.

— N —

NEICHE. Voir allège.
NICHE. Voir âtre.

« OREILLE »

Terme populaire pour désigner la partie d'un toit excédant les murs pignons. Elle a pris de l'expansion en même temps que le larmier (GGL).

ORIENTATION

Disposition de la maison traditionnelle de telle manière que les murs pignons font face à l'est et à l'ouest. À la campagne, l'orientation d'une maison allait de soi comme d'ailleurs l'orientation des lots dont elle dépendait en partie, et il fallait une raison exceptionnelle pour l'orienter nord-sud. En ville, certains axes routiers ayant plus d'attraction que le soleil, plusieurs maisons du XVIIe siècle suivaient la route plutôt que l'astre. Par l'orientation, la maison rurale traditionnelle fait partie de l'environnement solaire (GGL).

— P —

PAILLETTE

Petit morceau de fer retenant les contrevents d'une fenêtre. On dit aussi des *S* (GGL).

PANNE

Pièce de grosseur moyenne (environ 4 pouces par 3) embrevée dans les chevrons et allant d'un mur pignon à l'autre. Leurs extrémités sont parfois visibles lorsque le mortier est décapé (GGL). Figure 7–2.

PANNE DE FAÎTAGE

Pièce formant faîte, soutenue par des poinçons ou entourée dans un des deux chevrons (GGL). Figures 5–5, 7–20, 7–30.

PARCHAUDE

Perche chaude. Longue perche qui traversait en diagonale un versant du toit, s'encastrant à demi-bois à tous les chevrons pour les tenir en place et affermir leur ensemble (J).

PAREMENT

La surface d'un mur (CLOQ).

PARPAING

Pierre faisant parpaing, c'est-à-dire toute l'épaisseur du mur (V).

PAS

Marche de perron (CLAP).

PAVILLON

Toit à pavillon (se dit aussi à pignons rabattus, ou toit en croupe). C'est le toit à quatre versants à courts larmiers recourbés, dont l'évolution plutôt syncopée est moins apparente que le toit à deux versants. Par exemple, sur un tronçon de l'Avenue Royale à Beauport, construit en août 1785, se trouve un toit à pavillon dépourvu de larmier, à côté d'un autre à longs larmiers, alors qu'ils ont été construits à peu près en même temps. Or, à la fin du XVIIIe siècle, les larmiers des toits à deux versants étaient déjà avancés. L'évolution du toit à pavillon ne semble pas synchrone à celle du toit à deux versants, et est plus difficile à étudier (GGL).

PENTE. Voir versant.

PERCHAUDE. Voir parchaude.

PERLASSERIE

Lieu où l'on fait la potasse (CLAP).

PIÈCES SUR PIÈCES

Les murs de pièces sur pièces sont formés de billots équarris et assemblés à chaque arête, le plus souvent à queue d'aronde (GGL). Figure 5-11.

PIED-DROIT. Voir jambage.

PIEU

Grosse pièce de bois pointue pour ficher en terre en vue de construire des pans de maisons ou des palissades. Dans certains cas, les pieux étaient retenus par une sablière haute et une sablière basse (GGL).

PIGNON

La partie des murs qui s'élève en triangle et sur laquelle porte l'extrémité de la couverture (L). Au Canada, mur latéral non mitoyen et non terminé en pointe (GLOS). Noter que le sens utilisé dans notre ouvrage est le sens français.

PIGNON SUR RUE

Un type de maisons de brique des années 1930-1945 caractérisé par un toit raide penché à trente degrés surmontant deux ou trois étages.

PIGUERIE. Voir soue.

PIQUER (une pierre)

Tailler sans aplanir (L).

PISE

Genre de construction économique qui s'exécute avec des espèces de grandes briques faites de terre fraîche plus ou moins argileuse, bien corroyée et refoulée dans des moules de bois, où elles prennent la forme convenable pour la place qu'elles doivent occuper (L). En Nouvelle-France, il ne semble pas qu'il y eût de mur de la sorte; toutefois l'on construisait des cheminées et des fours à pain en terre (GGL).

PLAIN-PIED

Cette maison unifamiliale d'inspiration américaine a proliféré depuis 1945 et s'identifie avec l'habitat suburbain des principales villes et villes moyennes du Québec.

La variété des sous-types est considérable: toit horizontal, à une pente, à deux pentes symétriques ou dissymétriques, pentes renversées vers l'intérieur, toits avec écouillau au faîte, etc.

Les principales caractéristiques de cette maison sont l'incorporation d'un garage pour l'automobile et la « finition » d'un sous-sol (GGL).

PLANCHE DE RELÈVE

Planche posée en contrefort sous l'oreille de la couverture (J).

PLANCHER

Les planchers de la maison traditionnelle sont faits de planches épaisses de deux pouces, longues d'environ six pieds et souvent posées sans joint. Elles ont des extrémités inégales à cause du sciage en long (GGL).

PLANCHER DE LA LAITERIE

Contrairement au plancher du haut-côté, le plancher de la laiterie est surbaissé par rapport à celui de la cuisine afin d'y emmagasiner le plus de fraîcheur possible. Dans plusieurs laiteries anciennes, le plancher de bois, élémentaire, est posé à même le sol (GGL).

PLATE-BANDE. Voir linteau.

PLATE-FORME

Terme que l'on devrait employer pour désigner les sablières hautes, surtout lorsqu'il y a un couple de sablières sur l'assiette ; à remarquer, d'ailleurs, que le terme *sablière* définit aussi la sole pour désigner la sablière basse (GGL).

PLINTHE

Planche faisant saillie au pied des murs crépis dans les différentes pièces de la maison (J). De deux pouces d'épaisseur, elles sont diversement et abondamment cannelées (GGL).

POINÇON

Pièce verticale soutenant la panne de faîtage, assemblée à l'entrait retroussé ou au faux-entrait par une cheville, plus rarement par une clef d'arrêt sous l'entrait (GGL). Figure 7-1, 7-20.

PORTÉE

Distance entre deux murs au niveau des assiettes ; la portée d'un comble (voir course) (CLOQ).

POTEAU DE COIFFE

Grosse pièce de charpente posée entre la sablière haute et la sablière basse sur les deux murs frontaux, et destinée à recevoir les extrémités des poutres (GGL). Figure 5-2.

POTEAU DE COIN OU CORNIER

Grosse pièce de bois posée d'aplomb aux quatre coins d'une maison de colombage pour en former l'armature avec les soles et les sablières (GGL).

POTEAU D'HUISSERIE

Pièce formant les rebords d'une baie dans un pan de bois (L).

POUDRE. Voir poutre.

POUTRE

Grosse pièce posée sur le « cant » destinée à supporter le plancher supérieur. Les poutres inférieures sont parfois nommées lambourdes par les notaires du XVIIe siècle. Il peut arriver que la poutre soit carrée. Figures 5-5, 7-17, 5-11.

PROPORTION

Le rapport entre deux parties d'un tout. Ce qui procure le beau coup d'œil de la maison traditionnelle du XVIIe siècle, c'est la proportion 1 à 2 entre la hauteur de l'étage et celle du toit. Au fur et à mesure de l'évolution de la forme, cette proportion a diminué tant et si bien qu'au milieu du XIXe siècle la hauteur de l'étage et du sous-sol en est venue à dépasser celle du comble (GGL).

— Q —

QUEUE
Dans un appareil, face d'une pierre opposée à la face de parement (CLOQ).
QUEUE D'ARONDE (ou d'hironde)
Pièce de charpente dont l'about encoché sur deux faces opposées rappelle la queue d'une hirondelle (CLOQ).

— R —

RABAT
Auvent (CLAP).
RAMBRIS. Voir lambris.
RAMPANT
L'extrémité d'un versant aux murs pignons; il y a quatre rampants dans un comble à deux versants (GGL).
RANCE
Longue et forte pièce de bois dont on se servait comme d'un levier pour soulever une partie de la charpente et la bloquer (J).
RANG
Ordre, disposition, réunion de plusieurs terres, à la campagne, sous une même appellation, ou un même numéro, afin de faciliter les locations de domiciles, et pour la plus grande commodité du cadastre, des transactions. Désigne aussi le chemin pratiqué dans l'intérieur des terres et auquel viennent aboutir les prés, les champs des cultivateurs (CLAP).
RAVALEMENT
Espace laissé vide par l'ouverture de l'angle formé, au larmier, par la couverture et ses appuis sur la sablière (J). Cet espace pouvait être récupéré en le fermant et en y pratiquant des ouvertures. Sur la Côte-du-Sud, cet espace est appelé « tabernacle ».
REDENT
Dans un pignon coupe-feu, murs latéraux en forme d'escalier. Ce type a été proposé par l'intendant Dupuy, mais il ne semble pas avoir eu d'emprise ici (GGL).
REFEND (mur de)
Mur de pierre séparant la maison au milieu.
REMPLAGE (remplissage)
Chevrons, poteaux et autres pièces semblables utilisées pour remplir les vides ou intervalles qui se trouvent entre les poteaux corniers ou les maîtresses-fermes (T).
RENARD. Voir casse-jambe.

— S —

SABLIÈRE

Lourde pièce étendue sur l'assiette des murs pour recevoir les chevrons. La sablière basse dans les maisons de colombage s'appelle sole.

Lorsqu'il y a deux sablières, l'une est dite interne, l'autre externe et elles constituent ce que l'on peut appeler une plate-forme (GGL). Figures 5–1, 7–4.

SOLAGE

Le fondement en pierre d'une maison à armature de bois; ou fondations (en maçonnerie ou de pièces de bois posées sur le sol) d'un édifice (GLOS).

SOLE

Toutes les pièces de bois posées de plat, qui servent à faire les empâtements des machines, comme des grues, engins, constructions (T).

SOLIER. Voir galetas.

SOLIVE

Pièce de bois de brin, ou de sciage, dont on fait les planches et qu'on pose sur les poutres (T).

SOLIVEAU

C'est la même chose que solive, sauf qu'il signifie quelquefois une solive plus courte ou plus faible. C'est une moyenne pièce de bois d'environ 5 à 6 pouces plus courte qu'une solive ordinaire (T).

SOUBASSEMENT

Sous-sol (CLAP).

SOUCHE. Voir tête de cheminée et gueule.

SOUE

Une étable à porcs (CLAP).

SOUILLE. Voir soue.

SOUPIREAU

Soupirail, ouverture pratiquée dans le solage (J).

SOUS-FAÎTE

Pièce posée dessous et parallèlement à la panne de faîtage à laquelle elle est liée avec des Croix-de-Saint-André (GGL). Figure 7–25.

SOUS-CHEVRON. Voir arbalétrier.

SOUTE. Voir soue.

STRUCTURE GÉOGRAPHIQUE HUMAINE

Le « paysage » rural est une structure ou un ensemble qui comprend trois sous-ensembles inséparables; le mode de répartition des terres, le réseau routier et l'habitat. Chacun de ces sous-ensembles se divise ensuite en un certain nombre d'éléments.

— T —

TABERNACLE. Voir ravalement.

TABLEAU

Le cadre extérieur d'une baie de fenêtre. Figure 8–23.

TABLETTE

Le bas d'une fenêtre. Figure 8–23.

TAILLER LA MAISON

En exécuter le devis, préparer toutes les pièces de la charpente, les mesurer, les couper d'une manière propre aux différentes fonctions auxquelles elles sont destinées, tailler les mortaises, les tenons, les onglets de telle sorte que, ce travail minutieux fini, il n'y a plus que le clouage (J).

TAMBOUR

Espèce d'appentis attenant à la maison où l'on dépose divers objets et des produits alimentaires; on le nomme parfois « dépense ». Le tambour d'hiver est une annexe plus ou moins grande posée devant la porte principale en hiver ou derrière la maison (GGL).

TASSEAU

Planchette d'environ deux pouces carrés scellée dans les battées afin de permettre le clouage d'un revêtement de bois (CLOQ). Figure 7–16.

TASSERIE

Partie d'une grange où l'on entasse les récoltes, et surtout le foin (CLAP).

TENON

Extrémité de l'about d'une pièce, destinée à former un assemblage en pénétrant dans une mortaise de même dimension que le tenon (GGL). Figure 7–22.

TÊTE DE CHEMINÉE

Partie visible au-dessus du toit (L).

TIRANT. Voir casse-jambe.

TIRE

Dispositif placé sous le manteau de la cheminée et destiné à réduire ou augmenter les dimensions de la hotte (GGL).

TOIT

Structure supérieure d'un édifice. En définitive, c'est le toit qui procure la forme d'une maison, l'angle du pignon n'étant qu'un élément du toit s'il y a pignon. Le toit est si important dans l'architecture qu'il permet de classifier les maisons et les édifices publics. Nous disons toit à pignon, toit à la mansarde, toit horizontal; d'autres éléments interviennent dans la classification, mais le toit prime tout.

TOITURE

Matériaux servant à couvrir la maison (L).

TORCHIS

Mortier composé de terre grasse et de paille hachée (RLS).

TRAIT DE JUPITER

Assemblage de charpente assez rare mais que l'on retrouve surtout dans les sablières hautes de longue portée; construit obliquement, il a la forme d'un *S* au milieu duquel une clé est calée afin de conserver intacts les flancs de l'assemblage (GGL).

TRAVÉES
Assemblage de madriers, de planches, également longs et épais, couvrant plusieurs chevrons, poutres ou lambourdes (J).

TRÉMEAU. Voir trumeau.

TROU DE LA CHEMINÉE. Voir hotte.

TRUMEAU
Distance entre deux baies (L).

— V —

VANTAIL
Battant d'une porte ou d'une fenêtre (CLOQ). Figure 8–21.

VENTRE
Gonflement d'un parement extérieur (CLOQ).

VÉRANDA
Habituellement, structure ajoutée ou intégrée au-dessus d'une galerie (GGL).

VERSANT
Surface penchée d'un toit (GGL).

VOLIGEAGE
Revêtement de bois immédiatement posé sur les chevrons; très souvent on ajoute un rang d'écorce de bouleau entre ce revêtement et le second, perpendiculaire au premier. On termine la toiture par le bardeau (GGL).

VOÛTE
Fondations d'une cheminée de pierre construites sous le plancher inférieur (GGL).

BIBLIOGRAPHIE

SOURCES IMPRIMÉES

ADAIR, E. R. *French Canadian Art*. The Canadian Historical Association, Ottawa, Department of Public Archives, 1929, pp. 91–102.

ADAMSON, Anthony, et Marion MACRAE. *The Ancestral Roof. Domestic Architecture of Upper Canada*. Toronto, Clarke, 1963. VI–258 p. ill., glossaire, index.

ALEXANDRIN, Barbara, et R. BOTHWELL. *Bibliography of the Material Culture of New France*. Ottawa, National Museum of Canada, 1970. 32 p. (Publications in History nº 4.)

ANDERSON, C. Ross. « The Architecture of Quebec City », *The Canadian Architect*, vol. XI, nº 9 (mai 1966), pp. 63–70.

ANDERSON, C. Ross, *et al. La Côte de Beaupré. The Beaupré Shore*. Québec, Université Laval, École d'architecture (s.d.), 2 vol. ill.

ANONYME. *Tableau de l'ordre des notaires de la province de Québec* (s.l.), 1967, 230 p.

ANSERMET, Ernest. « L'idée de logarithme », *les Fondements de la musique dans la conscience humaine*. Neuchatel, À la Baconnière, t. II, 1961, pp. 7–15.

ARÈS, Richard (s.j.). « Les relations des Jésuites et le climat de la Nouvelle-France », *Mémoires de la Société royale du Canada*, série IV, vol. VIII, 1970, pp. 75–93.

BARBEAU, Marius. « La géographie de notre folklore », *Mélanges géographiques canadiens offerts à Raoul Blanchard*, Québec, Les Presses de l'université Laval, 1959, pp. 115–122.

———. *Québec où survit l'ancienne France*. Québec, Garneau, 1937. 175 p. ill.

———. « Le pays des gourganes », *Mémoires de la Société royale du Canada*, série III, vol. XI, section 1, 1917, pp. 193–225, ill.

———. « Les Baillargé. École de Québec en sculpture et en architecture », *le Canada français*, vol. XXIII, nº 4 (déc. 1945), pp. 243–255.

———. « Types de maisons canadiennes », *Folklore, Cahiers de l'Académie canadienne-française*, nº 9, pp. 55–64.

———. « Nos arts populaires », *Revue du Québec industriel*, vol. IV, nº 3, 1940, pp. 3–7.

———. *En quête de connaissances anthropologiques et folkloriques dans l'Amérique du Nord*. (Résumé d'un cours donné à la faculté des Lettres de l'université Laval), 1945. 82 p.

———. « Art in French Canada », *French Canadian Backgrounds*, Toronto, The Ryerson Press, 1940, pp. 64–82.

———. « Nos bâtisseurs », *le Canada français*, vol. XXIX (nov. 1941), pp. 169–174.

———. *Maîtres Artisans de chez nous*. Montréal, Éditions du Zodiaque, 1942. 230 p. ill.

———. *Trésor des anciens Jésuites*. Ottawa, Imprimerie de la Reine, 1957. 242 p. ill.

BARBEAU, Marius. « Backgrounds in Canadian Art », *Mémoires de la Société royale du Canada*, série III, vol. XXXV, section 2, 1941, pp. 29–39.

——. « Déclin de la culture canadienne », *l'Action nationale*, vol. XVII, n° 2 (févr. 1941), pp. 125–134.

——. « Notre ancienne architecture », *Revue du Québec industriel*, vol. V, n° 2, 1940, pp. 4–9.

——. *Au cœur de Québec*, Montréal, Éditions du Zodiaque, 1934. 200 p

BARBEROT, Jean-Étienne-Casimir. *Traité pratique de charpente*. 2e éd., augmentée par L. Gribeaud. Paris, Béranger, 1952. 647 p. ill.

BEAULIEU, Claude. *Architecture contemporaine au Canada français*. Québec, ministère des Affaires culturelles, 1969. 95 p. ill. (coll. Art, Vie et Sciences au Canada français).

——. « La restauration des maisons anciennes », *Culture vivante*, n° 19 (nov. 1970), pp. 14–22.

BÉDARD, Hélène. *Maisons et églises du Québec XVIIe, XVIIIe, XIXe siècles*, Québec, ministère des Affaires culturelles, 1971. 50 p. (coll. Civilisation du Québec).

BELL, Walter. « An Introduction to Canadian Architecture », *A Pocketful of Canada*, Toronto, Collins (s.d.), pp. 316–323.

BELLES-ISLE, J. G. *Dictionnaire technique général anglais-français*, Québec, Bélisle, 1965. 519 p.

BLANCHET, Jules, *et al. Concept général de réaménagement du Vieux Québec*, (Le comité de rénovation et de mise en valeur du Vieux Québec (s.1), 1970, 201 p. ill.

BLAND, John. « The Old Forms », *Journal Royal Architectural Institute of Canada*, vol. XXXIX, n° 10 (oct. 1962), pp. 45–50.

——. « Domestic Architecture in Montréal », *Culture*, vol. IX, n° 4 (déc. 1948), pp. 399–407.

BOISMENU, Léo (s.s.s.). *Nos vieux manoirs*. Montréal, 1936. 26 p. ill.

BORCELO, Michel. « Habitat collectif », *Architecture, Bâtiment, Construction*, vol. XXI, n° 240 (avril 1966), pp. 39–42.

BOUCAULT, Nicolas-Gaspard. « État présent du Canada, dressé sur nombre de mémoires et connaissances acquises sur les lieux. 1754 », *Rapport de l'archiviste de la province de Québec*, 1920–1921, pp. 1–50.

BOUCHER, Pierre. *Histoire véritable et naturelle des mœurs et productions du pays de la Nouvelle-France vulgairement dite le Canada*. Boucherville, Société historique de Boucherville, 1964. 415 p. (fac. sim.)

BOURQUE, Rodolphe-J. *Social and Architectural Aspects of the Acadians in New-Brunswick*. Government of the Province of New-Brunswick, 1971. 203 p. ill.

BOVEY, Wilfrid. « L'art et l'architecture », *Étude sur les Canadiens français*, Montréal, Albert Levesque, 1935, pp. 279–291.

——. « Regards sur les arts », *les Canadiens français d'aujourd'hui*, 1940, pp. 313–327.

BRASSARD, Sylvio. « L'avenir de notre architecture », *Revue du Québec industriel*, Québec, 1940, vol. V, n° 2, pp. 12–14.

——. « L'architecture canadienne-française », *l'Alma Mater*, série III, vol. II, n°s 1 et 2 (sept.-oct. 1944), pp. 17–18.

BROUILLETTE, Benoît. « Quelques observations climatiques en Nouvelle-France au dix-septième siècle », *Mémoires de la Société royale du Canada*, série IV, vol. VIII, 1970, pp. 93–103.

BRUCHÉSI, Jean. « De la maison Soulard à l'Hôtel Chevalier », *les Cahiers des Dix*, n° 20, 1935, pp. 91–105.

CAMBRAY, Alfred. *Robert Giffard premier seigneur de Beauport et les origines de la Nouvelle-France*. Cap-de-la-Madeleine, 1932. 370 p. ill.

CANADA. *Catalogue de la bibliothèque du Parlement*. Toronto, John Lovell, 1857. 1074 p. Les titres relatifs à l'architecture canadienne, pp. 698–711.

——. *Commission royale d'enquête sur l'avancement des arts, lettres et sciences au Canada. 1949–1951. Études*. Ottawa, Imprimeur du Roi, 1951. 430 p.

CARLESS, William. *The Architecture of French Canada*. Montréal, Journal Royal Architectural Institute of Canada, vol. II, n° 2 (mars-avril 1925). 5 p. ill.

CATALOGNE, Gédéon DE. « Mémoire sur les plans des seigneuries et habitations des gouvernements de Montréal, Trois-Rivières et Québec », *Bulletin de recherches historiques*, Beauceville (Québec), vol. XXI, n° 9 (sept. 1915), pp. 257–269 ; n° 10 (oct. 1915), pp. 289–302 ; n° 11 (nov. 1915), pp. 321–335.

CHARNEY, Melvin, et M. BÉLANGER. *Architecture et Urbanisme au Québec.* Montréal, Les Presses de l'Université de Montréal, 1971. Conférences J. A. de Sève, n°s 13–14. 63 p.

CHARBONNEAU, Jacques. *La Stéréogrammétrie: une méthode précise, rapide et peu coûteuse d'effectuer des relevés de l'architecture domestique au Québec et en Amérique du Nord.* Montréal, Université du Québec, 1971. 27 p.

CHARTIER, Émile. *Au Canada français. La vie de l'esprit (1760–1925),* Montréal, Valiquette, 1941. 335 p.

CHRISTOFLOUR, Raymond. *Maisons et Villages de France.* Paris, Robert Laffont, 1945. 8e éd., 2 séries ill.: série I, 220 p., série II, 291 p.

CLAPIN, Sylva. *Dictionnaire canadien-français ou lexique-glossaire des mots, expressions et locutions ne se trouvant pas dans les dictionnaires courants et dont l'usage appartient surtout aux Canadiens français.* Montréal, Beauchemin, 1894. XLVI–338 p.

CLOQUET, L. *Traité d'architecture.* Paris et Liège, Librairie Polytechnique, 1911, 2 tomes ill.: tome I, 406 p., t. II, 582 p.

COLLABORATION. *Esquisses du Canada français.* Montréal, Fides, 1967. 450 p., cartes.

——. *Formulaire des actes des notaires avec annotations, suivi du texte du Code Napoléon.* Paris, À l'administration du journal des notaires et des avocats, 1870. 1430 p.

COLLET, Mathieu-Benoît. « Procès-verbaux sur la commodité et incommodité dressés dans chacune des paroisses de la Nouvelle-France », *Rapport de l'archiviste de la province de Québec,* Québec, 1921–1922, pp. 262–380.

COMEAU, Robert, *et al. Économie québécoise.* Montréal, Les Presses de l'Université du Québec, 1969. 495 p.

CÔTÉ, abbé Georges. *La Vieille église de Saint-Charles Borromée sur la rivière Boyer, à l'occasion de son centenaire, son histoire, ses sculptures, son trésor* (s.l.), 1928, pp. 11–17.

COUTURIER, M.-A. *Marcel Parizeau architecte.* Montréal, Éditions de l'Arbre, 1945. 40 p. ill. (coll. Art vivant).

DAWSON, Nora. *La Vie traditionnelle à Saint-Pierre (île d'Orléans).* Les Presses de l'université Laval, 1960. 190 p. ill. (coll. Les Archives de Folklore, n° 8).

DEFFONTAINES, Pierre. *L'Homme et l'Hiver au Canada.* Paris, Gallimard, 1957. 293 p. (coll. Géographie humaine).

——. *L'homme et sa maison.* Paris, Gallimard, 1972. 254 p. ill.

——. « Évolution du type d'habitation rurale au Canada français », *Cahiers de géographie de Québec,* Québec, Les Presses de l'université Laval, n° 24 (déc. 1967), pp. 497–521.

DEVISME, sieur F. B. *La Science parfaite des notaires, ou le parfait notaire.* À Paris, chez Cellot, nouvelle édition, MDCCLXXI. tome Ier, 784 p., tome II, 866 p.

DEMANGEON, Albert. « Essai d'une classification des maisons rurales », *Problèmes de géographie humaine.* Paris, Colin, 1952, pp. 230–235.

DIDEROT, M., et d'ALAMBERT. *Encyclopédie ou dictionnaire raisonné des sciences, des arts et des métiers, par une société de gens de lettres.* À Lausanne et à Berne, 1781. 36 tomes.

DOUVILLE, Raymond. « Notes sur deux problèmes d'histoire », *les Cahiers des Dix,* n° 31, 1966, pp. 97–107.

——. « La maison de Gannes », *les Cahiers des Dix,* n° 21, 1956, pp. 105–135.

DOUVILLE, Raymond, et J. D. CASANOVA. *La Vie quotidienne en Nouvelle-France. Le Canada de Champlain à Montcalm.* Montréal et Paris, Hachette, 1964. 268 p.

DUMONT, Fernand, et Yves MARTIN. *Situation de la recherche sur le Canada français.* Québec, Les Presses de l'université Laval, 1962. 296 p.

ELIADE, Mircéa. *La Nostalgie des origines. Méthodologie et histoire des religions.* Paris, Gallimard, 1971. 336 p.

ERIC, Arthur, et Dudley WITNEY. *The Barn. A Vanishing Landmark in North America.* Toronto, McClelland, 1972. 256 p.

FÉLIBIEN, André. *Des principes de l'architecture, de la sculpture, de la peinture, et des autres arts qui en dépendent. Avec un dictionnaire des termes propres à chacun de ces arts.* À Paris, chez La Veuve et

Jean-Baptiste Coignard, fils, 1699. Republished in 1966 by Gregg Press Limited, Farnborough Hants, England. xx–542 p. ill.

FERRIÈRE, Claude DE. *Commentaires sur la coutume de la prévoté et vicomté de Paris.* À Paris, chez les libraires associés, MDCCLXXXVIII, 2 tomes: t. I, 480 p., t. II, 598 p.

FISET, Édouard. « Un cas de conscience pour l'architecte », *Journal Royal Architectural Institute of Canada,* avril 1961, pp. 37–43.

FRÉGAULT, Guy. *La Civilisation de la Nouvelle-France (1713–1744).* Montréal, Fides, 1969. 242 p. (coll. Nénuphar).

GAGNON, Ernest. *Le Fort et le Château St-Louis. Étude archéologique et historique.* Montréal, Beauchemin, 1918. 236 p. ill.

GARDINER, J. R. « Early Architecture of Quebec », *The Journal Royal Architectural Institute of Canada,* vol. II, n° 6 (nov.-déc. 1925), pp. 228–234.

GARIÉPY, Raymond. « La terre domaniale du fief de Charleville », *la Revue de l'Université Laval.* Québec. Les Presses de l'université Laval, vol. XX, nᵒˢ 2, 3, 4 (oct., nov., déc. 1965), pp. 1–75.

——. *Le Village du Château-Richer (1640–1870).* Québec, La Société historique de Québec, 1969. 167 p. (coll. Cahiers d'histoire, n° 21).

GAUTHIER, Joseph-Stany. *Vieilles Maisons des provinces françaises.* Paris, Masson et Cie, 1944. 246 p. ill.

GAUTHIER-LAROUCHE, Georges. « La maison Bourbeau », *la Revue de l'École Normale.* Québec, nov. 1966, vol. II, n° 2, pp. 78–84.

——. *L'Évolution de la maison rurale laurentienne.* Québec, Les Presses de l'université Laval, 1967. 54 p. ill.

GAUMOND, Michel. *La Maison Fornel.* Québec, ministère des Affaires culturelles, 1965. 30 p. ill.

——. *La Première Église de Saint-Joachim, 1685–1759.* Québec, ministère des Affaires culturelles, 1966. 36 p. ill.

——. *La Place Royale. Ses maisons, ses habitants.* Québec, ministère des Affaires culturelles, 1971. 53 p. (coll. Civilisation du Québec).

Glossaire du parler français au Canada. (Préparé par la Société du parler français au Canada), Québec, L'Action sociale, 1930. 709 p. (Réimpression: Les Presses de l'université Laval, 1968.)

GODBOUT, Archange. « Nos hérédités provinciales françaises », *les Archives de folklore.* Montréal, Fides, 1946, vol. I, pp. 26–40 (coll. *Les Archives de Folklore).*

GOTTMAN, Jean. « French Geography in War Time », *The Geographical Review* (janv. 1946), pp. 5–15.

GOUIN, Paul. « Notre héritage architectural », *Architecture, Bâtiment, Construction,* vol. XIX, n° 216 (avril 1964), pp. 45–50.

——. « Nos monuments historiques », *Vie des Arts,* n° 1 (janv. 1956), pp. 8–13.

GOWANS, Alan. « Clapboarding and Whitewash in the Church of New France », *Bulletin des recherches historiques,* vol. LVIII, n° 1 (mars 1952), pp. 50–54

——. « The Canadian National Style », *le Bouclier d'Achille. Regards sur le Canada de l'ère victorienne.* Toronto, Montréal, McClelland and Stewart Ltd. W. L. Morton, 1968. pp. 208–218.

——. *Building Canada. An Architectural History of Canadian Life.* Toronto, Oxford University Press, 1966. xx–412 p. ill., index.

——. *Images of American Living. Four centuries of architecture and furniture as cultural expression.* New-York, J.-B. Lippincott Co., 1964. 3ᵉ éd., XVIII–498 p. ill., index.

——. *Looking at Architecture in Canada.* Toronto, Oxford University Press, 1958. 231 p. ill., index.

——. *Church Architecture in New France.* Toronto, University of Toronto Press, 1955. 162 p. ill., index.

——. « Architecture in New France », *The Tamarack Review,* n° 16, 1960. pp. 21–35.

——. « The Baroque Revival in Quebec », *Vie des Arts* (mai–juin 1956), pp. 24–30.

——. « Quebec's Great Baroque Churches », *Architecture,* n° 8, 1947, pp. 6–12.

——. « From Baroque to Neo-Baroque in the Church of Quebec », *Architecture, Culture, n°* 10, 1949. pp. 40–150.

GUERIN, Marc-André. « Une classification des maisons rurales du comté Napierville–Laprairie », *Mélanges canadiens offerts à Raoul Blanchard,* Québec. Les Presses de l'université Laval, 1959, pp. 203–207.

HALE, Katherine, *Historic Houses of Canada, with Drawings by Dorothy Stevens*. Toronto, Ryerson Press, 1952. 152 p. ill.

HAMELIN, Jean. *Économie et Société en Nouvelle-France*. Québec, Les Presses de l'université Laval, 2ᵉ éd., 1970. 137 p.

HARRIS, Richard Colebrook. *The Seigneurial System in Early Canada. A geographical study*. Milwaukee, The University of Wisconsin Press, Les Presses de l'université Laval, 1968. XVI–247 p., cartes.

HÉBERT, Maurice. « L'habitation canadienne-française : une véritable expression de civilisation distincte et personnelle », *Mémoires de la Société royale du Canada*, série III, vol. XXXVIII, section 1, 1944, pp. 129–141.

——. « L'architecture canadienne-française », *Almanach Beauchemin*, 1944, pp. 427–433.

HUBBARD, R. H. *L'Évolution de l'art au Canada*. Ottawa, Galerie nationale, 1963. 137 p.

——. *An Anthology of Canadian Art*. Toronto, Oxford University Press, 1960. 187 p.

——. « An Architecture for all Seasons », *Mémoires de la Société royale du Canada*, série IV, vol. VIII, 1970, pp. 41–59.

——. « The European Backgrounds of Early Canadian art », *The Art Quarterly*, vol. XXVII, nº 3, 1964, pp. 297–323.

JUTRAS, abbé J.-P. « La vieille grange », *Bulletin du parler français au Canada*, vol. V, nº 5 (janv. 1907), pp. 211–217 ; nº 7 (mars 1907), pp. 265–269.

——. « La maison de mon grand-père », *Bulletin du parler français au Canada*, vol. X, nº 5 (janv. 1912), pp. 183–185.

KALM, Pierre (Peter). *Voyage de P. Kalm en Amérique*. Analysé et traduit par L.-W. Marchand. Montréal, T. Berthiaume, 1880. (Mémoires de la Société historique de Montréal, nᵒˢ 7–8). 170 p.

LABERGE, Lionel. *Histoire du fief de Lotinville*. L'Ange Gardin (s. édit.), 1964. 345 p. dactylographiées.

LABRIE, Arthur. *Le Moulin de Beaumont*. Québec (s. édit.), 1970. 51 p. ill.

LACOURCIÈRE, Luc, et F.-A. SAVARD. « L'histoire et le folklore », *Centenaire de l'histoire du Canada de François-Xavier Garneau*, Montréal, Société historique de Montréal, 1945, pp. 423–437.

LAFRENIÈRE, Michel, et François GAGNON. *À la découverte du passé. Fouilles à la Place Royale*. Québec, ministère des Affaires culturelles, 1971. 91 p. (coll. Civilisation du Québec).

LAMONTAGNE, Léopold, et al. *Rapport du comité d'étude sur l'enseignement dans les écoles d'architecture de Montréal et de Québec*. (Publication du Gouvernement du Québec), 1964. 184 p. ill.

LANGLOIS, Georges. *Histoire de la population canadienne-française*. Montréal, Albert Levesque, 1934. 309 p.

LAVALLÉE, Gérard. *Anciens Ornemanistes et Imagiers du Canada français*. Québec, ministère des Affaires culturelles, 1968. 96 p.

LEFÈVRE, Marcel. *Dictionnaire du bâtiment*. Ottawa, Leméac, 1965. 353 p.

LEONIDOFF, Georges, et al. *Comment restaurer une maison traditionnelle. Une prise de conscience*. Québec, ministère des Affaires culturelles, 1973. 144 p.

LESSARD, Michel, et Huguette MARQUIS. « La maison québécoise, une maison qui se souvient », *Forces*, nº 17, 1971, pp. 5–23, ill.

LESSARD, Michel, et al. *Encyclopédie de la maison québécoise — 3 siècles d'habitations*. Montréal, Les Éditions de l'Homme, 1972. 727 p. ill.

LESSARD, Michel, et Gilles VILANDRÉ. *La Maison traditionnelle au Québec. Construction, inventaire, restauration*. Montréal, Les Éditions de l'homme, 1974. 493 p. ill.

LÉTOURNEAU, Firmin. *Histoire de l'agriculture* (Canada français) (s.l., s. édit.), 1959. 399 p.

MACRAE, Marion, *The Ancestral Roof; Domestic Architecture of Upper Canada*. Toronto, Clarke, Irvin & Co., 1963. VI–258 p. ill., glossaire, index.

MARIE-URSULE (c.s.j.). *Civilisation traditionnelle des Lavalois*. Québec, Les Presses de l'université Laval, 1951. 398 p. (coll. Les Archives de Folklore, nᵒˢ 5–6).

MARIE DE L'INCARNATION. *Écrits spirituels et historiques publiés par Dom Albert Jamet de la Congrégation de France avec des annotations critiques, des pièces documentaires et une biographie nouvelle*. Paris, Desclée de Brouwer ; Québec, L'Action sociale, 1929–1939. 4 vol.

——. *Lettres historiques de la Vénérable Mère Marie de l'Incarnation sur le Canada*, Québec, L'Action sociale, 1927. 197 p.

MASSICOTTE, E.-Z. « Quelques maisons du vieux Montréal », *les Cahiers des Dix*. n° 10, 1945, pp. 231–262.

——. « Des vitres aux fenêtres », *Bulletin des recherches historiques*, vol. XXXVIII, 1932, p. 56.

——. « Les maisons de l'île de Montréal », *la Patrie*, 25 déc. 1949, pp. 14–16.

——. « Maçons, entrepreneurs, architectes », *Bulletin des recherches historiques*, vol. XXXV, n° 3 (mars 1929), pp. 132–142.

MAURAULT, Mgr Olivier. « Menaces sur les vieux quartiers », *Architecture, Bâtiment, Construction*, Montréal, (févr. 1947), pp. 18–21.

MAYRAND, Pierre et John BLAND. *Trois siècles d'architecture au Canada*. Ottawa, Federal Publications Service, 1971, 123 p. ill.

MOLES, André. *Histoire des charpentiers. Leurs travaux*. Paris, Librairie Gründ, 1949. 404 p.

MONGE, J. *Éléments de dessin d'architecture et de construction architecturale. Tracé des ombres*. Paris, Eyrolles, 1966. 128 p.

MONTAGNE, Madame Pierre. *Tourouvre et les Juchereau. Un chapitre de l'immigration percheronne au Canada*. Québec, Société canadienne de généalogie, 1965, n° 13, 191 p., cartes ill.

MONTMINY, J.-Paul, *et al. L'Urbanisation de la société canadienne-française*. Québec, Les Presses de l'université Laval, 1967. 209 p. (Quatrième colloque de la revue *Recherches sociographiques* du département de sociologie et d'anthropologie de l'université Laval.)

MORISSET, Gérard. « Les premiers bâtisseurs », *la Patrie*, 8 octobre 1950. pp. 26–27.

——. *Coup d'œil sur les arts en Nouvelle-France*. Québec. 1941. 170 p. ill.

——. « Québec. The Country House — La maison rurale », *Canadian Geographical Journal*, vol. LVII, n° 6 (déc. 1958), 19 p. ill.

——. *L'Architecture en Nouvelle-France*. Québec, 1949. 150 p. ill. (coll. Champlain).

——. *Mémoire sur l'Hôtel Chevalier, à Québec* (s.l.), 1955. 63 p. ill.

——. *Les Arts au Canada sous le régime français* (s.l.), 1948. 6 p.

MORISSETTE, Hugues. *Géographie comparée de quelques paroisses de colonisation de la province de Québec*. Ministère de l'Agriculture et de la Colonisation de la province de Québec, 1963. 170 p., cartes, photos.

MURRAY, James. *The Architecture of Housing*. Ottawa, National Gallery of Canada, 1962. 23 p. ill.

NOBBS, Percy. « Canadian Architecture », *Canada and its Provinces*, vol. XII, 1913, pp. 665–675.

——. « Architecture in Canada », London, *The Royal Institute of British Architects*, 1924. 89 p. ill.

NOPPEN, Luc. *Notre-Dame de Québec, son architecture et son rayonnement 1647–1922*. Québec, Editions du Pélican, 1974. 283 p. ill.

NOPPEN, Luc, *et al. La Fin d'une époque, Joseph-Pierre Ouellet, architecte*. Québec, ministère des Affaires culturelles, 1971. 138 p. (coll. Civilisation du Québec).

NOPPEN, Luc, et J.-R. PORTER. *Les Églises de Charlesbourg et l'architecture du Québec*, Québec, ministère des Affaires culturelles, 1972, 129 p. (coll. Civilisation du Québec).

O'BRIEN, L. R. *Artistic Quebec Historic and Descriptive*. Artistic Quebec described by Pen and Pencil, edited by George Munro Grant D. D. of Queens University. Illustrated under the supervision of L. R. O'Brien. Toronto, Brother, 1888. 280 p.

OTTAWA. « Recensement du Canada », *la Maison canadienne*, Ottawa, 1930–1931, vol. I, p. 433.

OUELLET, Fernand. *Histoire économique et sociale du Québec 1760–1860; structures et conjonctures*. Montréal, Fides, 1966. 639 p. ill., cartes.

PALARDY, Jean. *Les Meubles anciens du Canada français*. Paris, Arts et Métiers graphiques, 1965. 192 p. ill., pl.

PARIZEAU, Marcel. « Tableau résumé de l'architecture du Québec », *Culture*, t. III, 1942, pp. 317–327.

PEMBERTON, Smith. *A Research into Early Canadian Masonry 1759–1869*. Montréal, Quality Press, 1939. 135 p. ill.

POIRIER, Jean, *et al. Ethnologie générale*. Paris, Gallimard, 1968. 1907 p. (Encyclopédie de la Pléiade).

PONTBRIAND, Benoît. *Mariages de Beauport 1673–1966* (s.l.), 1967, 388 p.

POULIN, Jean-Luc. « L'habitat. Retour aux sources », *Architecture*, vol. XXI, n° 240 (avril 1966), pp. 43–45.

POULIOT, Adrien (s.j.). « La plus vieille maison du Canada », *Canadian Historical Association*, 28ᵉ Rapport, 1949, pp. 22–31.

PRÉFONTAINE, Raymond. « L'architecture canadienne », *Le Nigog*, vol. I, n° 7 (juil. 1918), pp. 209–212.

PROVOST, Honorius. *Vieilles Maisons de Québec*. Québec, Société d'histoire régionale de Québec, 1947. 47 p. ill. (coll. Cahiers d'histoire, n° 1).

QUÉBEC (province). *L'État général des Archives publiques et privées du Québec* (s.l.), ministère des Affaires culturelles, 1968. 312 p.

——. *Édits, Ordonnances royaux, Déclarations et Arrêts du Conseil d'État concernant le Canada*. Québec, E. R. Fréchette, 1854–1856. 3 vol.

——. *Inventaire des greffes des notaires du régime français*. Québec, 1942–1964. 25 vol.

——. *Commission des monuments historiques de la province de Québec*. Québec, Imprimeur du Roi, rapports 1922–1925. 2 vol.

——. *The Arts of French Canada, 1613–1870*. Québec (Musée de la province de Québec, 1946). 52 p.

——. *Une belle maison dans une belle province*. Québec (s.d.). 40 p. ill.

RAVENEAU, Jean. « Éléments d'une cartographie globale de l'habitat rural. Quelques exemples appliqués au comté de Bellechasse, Québec », *La Revue de géographie de Montréal*, vol. XXVI, n° 1, 1972, pp. 35–51.

RICHARDSON, A. J. H. « Guide to the Architecturally and Historically Most Significant Buildings in the Old City of Quebec », *Bulletin de l'Association pour l'avancement des méthodes de préservation*, vol. II, nᵒˢ 3–4, 1970.

RITCHIE, Thomas, *et al. Canada Builds 1867–1967*. Toronto, University of Toronto Press, 1967. 406 p. ill.

ROBITAILLE, André. « Évolution de l'habitat au Canada français », *Architecture*, vol. XXI, n° 240 (avril 1966), pp. 32–38.

ROY, Antoine. « L'architecture du Canada autrefois », *Architecture, Bâtiment, Construction*, vol. II, n° 11 (févr. 1947), pp. 23–29.

——. « Bois et pierre », *les Cahiers des Dix*, n° 25, 1960, pp. 237–248.

——. *Les Lettres, les Sciences et les Arts au Canada, sous le régime français. Essai de contribution à l'histoire de la civilisation canadienne*. Paris, Jouve, 1930. XVI–292 p.

ROY, Pierre-Georges. *Vieux Manoirs, Vieilles Maisons*. Québec, Commission des monuments historiques de la province de Québec, 1927. 376 p. ill.

——. *Les Vieilles Églises de la province de Québec 1647–1800*. Québec, Commission des monuments historiques, 1925. 323 p. ill.

RUETTE D'AUTEUIL. *Mémoire à son Altesse royale, Monseigneur Le Duc d'Orléans, régent de France dans le Conseil de Marine, sur l'état présent du Canada*. Rapport de l'archiviste de la province de Québec, 1922–1923. pp. 58–69.

SÉGUIN, Maurice. *La « Nation canadienne » et l'Agriculture (1760–1850). Essai d'histoire économique*. Trois-Rivières, Le Boréal Express, 1970. 284 p., cartes.

SÉGUIN, Robert-Lionel. « Le poêle en Nouvelle-France », *les Cahiers des Dix*, n° 33, 1968, pp. 156–170.

——. *La Maison en Nouvelle-France*, Ottawa, Musée national du Canada, 1968. Bulletin n° 226 (n° 5 de la série des bulletins de folklore), 92 p. ill.

——. *Ethnographie et Folklore matériel canadien-français aux XVIIIᵉ et XIXᵉ siècles*. Stratford, 1961. 28 p. (texte bilingue).

——. *Les Granges du Québec du XVIIᵉ au XIXᵉ siècle*. Ottawa, ministère du Nord canadien et des Ressources nationales, 1963. 128 p. ill. (coll. Bulletins d'Histoire, n° 2).

——. *La Civilisation traditionnelle de « l'habitant » aux XVIIᵉ et XVIIIᵉ siècles. Fonds matériel*. Montréal et Paris, Fides, 1967. 701 p. ill.

——. *L'Équipement de la ferme canadienne aux XVIIᵉ et XVIIIᵉ siècles*. Montréal, Ducharme, 1959. 126 p.

——. « L'équipement aratoire de l'habitant du XVIIᵉ au XIXᵉ siècle », *les Cahiers des Dix*, n° 29, 1964, pp. 115–142.

——. « L'habitation traditionnelle au Québec », *les Cahiers des Dix*, n° 37, Québec, 1972, pp. 191–222.

SOUCY, Jean. *L'Église de la Sainte Famille*. Québec, ministère des Affaires culturelles, Bulletin du Musée de Québec, n° 13, décembre 1969. 4 p.

TANGUAY, Cyprien. *Dictionnaire généalogique des familles canadiennes-françaises depuis la fondation de la colonie jusqu'à nos jours*. Québec, Eusèbe Sénéchal, 1871–1890. 7 vol.

THOREAU, H. D. *A Yankee in Canada*. Montréal, Harvest House, 1961. 126 p. Traduit de l'américain par Adrien Thério, Montréal, Éditions de l'Homme, 1962. 143 p.

TRAQUAIR, Ramsay. *The Cottages of Quebec*. Montréal, McGill University publications, série XIII. (Art and Architecture), n° 5, 1926. 13 p. ill.

——. *The Old Architecture of the Province of Quebec*. Montréal, reprinted from the *Journal Royal Architectural Institute of Canada*, 1925. 7 p. ill. McGill University Publications, série XIII (Art and Architecture), n° 1. ·

——. *The Old Architecture of French Canada*. Montréal, McGill University, 1932. 18 p.

——. *The Old Architecture of Quebec. A Study of the buildings erected in New France from the earliest explorers to the middle of the nineteenth century*. Toronto, Macmillan, 1947. 324 p., 129 pl.

——. *The Presbytery of the Basilica at Quebec*. Montréal, McGill University Publications, série XIII (Art and Architecture), n° 26. 3 p. ill.

——. *The Huron Mission and Treasure of Notre-Dame de la Jeune Lorette, Quebec*. Montréal, McGill University Publications, série XIII (Art and Architecture), 1930, n° 28. 15 p. ill.

——. *The Chapel of Mgr. Olivier Briand in the Seminary of Quebec*. Montréal, McGill University Publications, série XIII (Art and Architecture), 1929, n° 25. 7 p. ill.

——. *The Architectural History of the Ursuline Monastery, Québec*. Journal of the Royal Institute of British Architects, 1937, vol. XLIV, série III, n° 5. 15 p.

——. *Old Churches and Church Carving in the Province of Quebec*. McGill University Publications, série XIII (Art and Architecture), 1928, n° 19. 16 p. ill.

——. *The Church of St. John the Baptist St-Jean-Port-Joli. Que*. Montréal, McGill University Publications, série XIII (Art and Architecture), 1939, n° 41. 11 p. ill.

——. *No. 92 St. Peter Street. Quebec. A Quebec Merchant's House of the XVIIIth century*. Montréal, McGill University Publications, série XIII (Art and Architecture), 1930, n° 27. 15 p. ill.

TRAQUAIR, Ramsay, et E. R. ADAIR. *The Church of Ste. Jeanne Françoise de Chantal on the Ile Perrot. Quebec*. Montréal, McGill University Publications, série XIII (Art and Architecture), 1932, n° 35. 14 p. ill.

——. *The Church of the Visitation Sault-au-Recollet, Quebec*. Montréal, McGill University Publications, série XIII (Art and Architecture), 1927, n° 18. 15 p. ill.

TRAQUAIR, Ramsay, et M. BARBEAU. *The Church of Saint Famille Island of Orleans, Que*. Montréal, McGill University Publications, série XIII (Art and Architecture), 1926. 13 p. ill.

——. *The Church of Saint Jean Island of Orleans, Quebec*. Montréal, McGill University Publications, série XIII (Art and Architecture), 1929, n° 23. 10 p. ill.

——. *The Church of Saint Pierre Island of Orleans, Quebec*. Montréal, McGill University Publications, série XIII (Art and Architecture), 1929, n° 22. 13 p. ill.

—— *The Church of Saint François Island of Orleans, Quebec*. Montréal, McGill University Publications, série XIII (Art and Architecture), 1926, n° 14. 12 p. ill.

TRAQUAIR, Ramsay et G. A. NEILSON. *The House of Simon McTavish*. n° 27 St. Jean Baptiste Street, Montréal. Repointed from the Journal of the Royal Architectural Institute of Canada, n° 1, 1933. 2 p. ill.

——. *The Architecture of the Hôpital General, Quebec*. Montréal, McGill University Publications, série XIII (Art and Architecture), 1931, n° 31, 33 p. ill.

——. *The Old Church of St. Etienne de Beaumont*. Montréal, McGill University Publications, série XIII (Art and Architecture), 1937, n° 39. 8 p. ill.

——. *The Old Presbytery at Batiscan*. Montréal, Journal Royal Architectural Institute of Canada, 1933. 12 p. ill.

——. *The Old Church of St-Charles de Lachenaie.* Montréal, McGill University Publications, 1934, série XIII (Art and Architecture), n° 38, 6 p. ill.

TRÉVOUX. *Dictionnaire universel français et latin, vulgairement appelé Dictionnaire de Trévoux...* (Nouvelle édition), Paris, La Compagnie des Libraires associés, 1771. 8 vol.

TRUDEL, Marcel. *Initiation à la Nouvelle-France, histoire et institutions.* Montréal et Toronto, Holt Rinehart and Winston, 1968. 323 p.

TURNER, Philip J. *The Development of Architecture in the Province of Quebec, since Confederation.* Montréal (s. édit.), 1927. 9 p. ill.

VALLERAND, Noël. « Histoire des faits économiques de la vallée du Saint-Laurent (1760–1866) », *Économie québécoise.* Montréal, Les Presses de l'Université du Québec, 1969.

VENNE, Émile. « Des livres sur l'architecture », *Culture,* vol. XI, n° 2 (juin 1950), pp. 143–151 ; n° 3 (sept. 1950), pp. 262–271.

VIOLLET-LE-DUC, E. Emmanuel. *Comment on construit une maison (histoire d'une maison).* Ouvrage orné de 62 dessins par l'auteur. Paris, 6ᵉ éd., J. Hetzel (s.d.). 63 p. (Bibliothèque des professions industrielles et commerciales), série C, n° 5.

——. *L'Architecture raisonnée ; extraits du dictionnaire de l'architecture française, réunis et présentés par Hubert Damisch.* Paris, Hermann, 1964. 178 p. ill.

——. *Dictionnaire raisonné de l'architecture française du XIᵉ au XVIᵉ siècle.* Paris, Morel, 1875. 10 vol. ill.

WILLIAMS, Henry-Lionel. *A Guide to Old American Houses 1700–1900.* New-York, A. S. Barnes and Company, Inc. London, Thomas Yoseluff Ltd. 1959. 167 p.

WRIGHT, F. L. *L'Avenir de l'architecture.* (Traduit de l'américain par Marie-Françoise Bonardi.) Paris, Société Nouvelle des Éditions Gonthier, 1966. 252 p. (coll. Grand Format Médiations).

SOURCES FIGURÉES

Liste des maisons qui nous ont servi à l'étude de la charpente et de la maçonnerie :

maison Odilon Bourbeau	Boischatel	habitée
maison Étienne Bourbeau	Boischatel	habitée
maison Joseph Bilodeau	Saint-Joachim	habitée et ruines
maison Antonius Blouin	Beauport	habitée
maison Julien Dupont	Charlesbourg	habitée
maison Arthur Dussault	Les Écureuils	habitée
maison Edmond Gauthier	Château-Richer	ruines
maison G.-E. Grenier	Courville	habitée
maison Isidore Grenier	Courville	habitée
maison Guillot	Beauport	habitée
maison Edmond Hébert	Boischatel	ruines
maison Maurice Hébert	Ange-Gardien	habitée
maison Francis Huot	Boischatel	habitée
maison Lachance	Saint-Joachim	habitée
maison Luc Lacourcière	Beaumont	habitée
maison Joseph Latouche	Villeneuve	ruines
maison « La Source »	Beauport	ruines
maison Clément Légaré	Château-Richer	habitée
maison Thomas Marcoux	Villeneuve	ruines
maison Pageau	Bourg-Royal	ruines
maison Gérard Pascal	Beauport	habitée
musée Pelletier	Sainte-Anne de Beaupré	

maison pièces sur pièces	Château-Richer	ruines
maison Joseph Racine	Saint-Joachim	habitée
maison Adélard Simard	Sainte-Anne	habitée
maison des Sœurs de la Congrégation	Beauport	inhabitée
maison Vianney Tremblay	Saint-Joachim	habitée
ruines	Saint-Ferréol-les-Neiges	

Diapositives et photographies

ANDERSON, Ross, et Henri DURAND. *L'Architecture québécoise.* Québec, Cinémathèque de l'université Laval, 1968.

DUPONT, J.-Claude. *L'Art populaire au Canada français.* (Première série), Québec, Cinémathèque, université Laval, 1971. (Travaux des Archives de Folklore de l'université Laval).

MORISSET, Gérard. *Inventaire des œuvres d'art* (10A). Cet inventaire comprend 20 000 photographies relatives au mobilier, à la sculpture, à l'orfèvrerie et à l'architecture traditionnelle et moderne du Québec. Il compte aussi 200 000 fiches décrivant des objets anciens et des métiers pré-industriels.

SOURCES MANUSCRITES

Archives nationales du Québec : greffes notariaux

Noms	Dernier domicile	Date de la commission	Dernière année d'exercice
Auber, Claude	Québec	1664	1692
Audouart, Guillaume	Québec	1648	1663
Barbel, J.	Québec	1703	1740
Bernier, Louis	Château-Richer	1807	1838
Chambalon, Louis	Québec	1691	1716
Crespin, Antoine (père)	Château-Richer	1751	1782
Crespin, Antoine (fils)	Château-Richer	1781	1798
Jacob, Étienne	Château-Richer	1680	1726
Dulaurent, C. Hilarion	Québec	1734	1759
Duprac, Robert	Beauport	1693	1723
Hornay, LaNeuville J. de	Saint-Antoine	1701	1730
Moreau, F. Emmanuel	Québec	1750	1765
Parent, Pierre	Beauport	1748	1776
Peuvret de Mesnu, J.-B.	Québec	1653	1659
Piraube, Martial	Québec	1626	1645
Lecoustre, Claude	Québec	1647	1648
Ranvoyse, Louis	Château-Richer	1816	1863
Vachon, Paul	Beauport	1644	1693
Verreau, Bartélémy	Côte de Beaupré	1710	1718

Archives du Séminaire de Québec

DEMERS, Jérôme. *Précis d'architecture pour servir de suite au traité élémentaire de physique à l'usage du Séminaire de Québec.* 1828, 318 p.

INDEX

TABLE DES ILLUSTRATIONS

TABLE DES MATIÈRES

PREMIÈRE PARTIE

L'origine de la forme architecturale

DEUXIÈME PARTIE

La maison et le conditionnement physique
(à l'exception du climat)

TROISIÈME PARTIE

La maison et le conditionnement climatique
(le pôle répulsif)

TROISIÈME PARTIE (SUITE)

**La maison et le conditionnement climatique
(le pôle attractif)**

QUATRIÈME PARTIE

L'évolution de la forme

ACHEVÉ D'IMPRIMER
LE TRENTE OCTOBRE MIL NEUF CENT SOIXANTE-QUATORZE
AUX ATELIERS DE L'ÉCLAIREUR LTÉE
BEAUCEVILLE
POUR LE COMPTE DES
PRESSES DE L'UNIVERSITÉ LAVAL
QUÉBEC (10e)

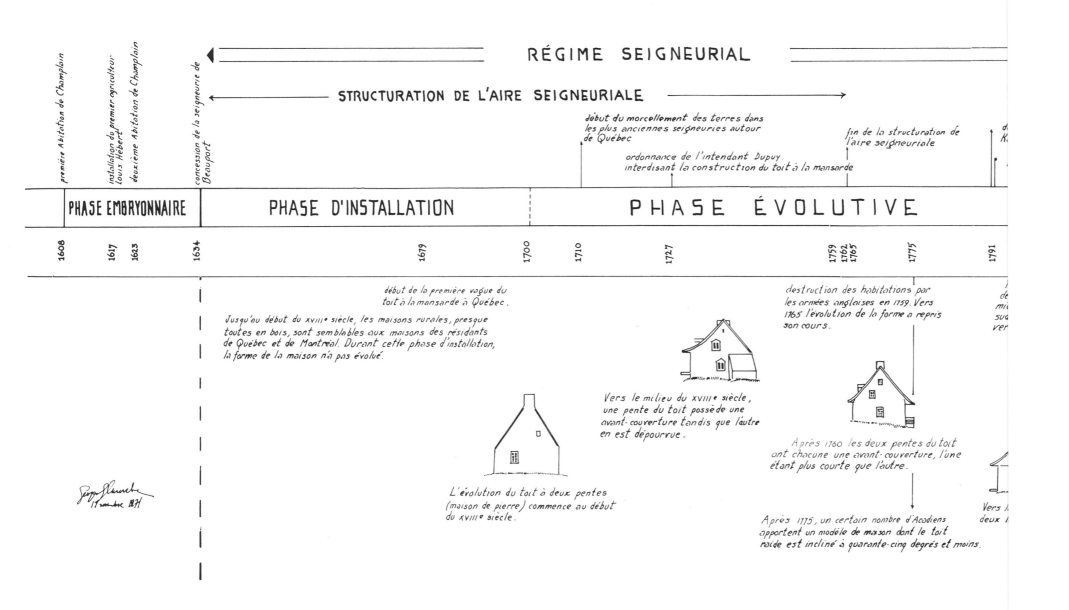

RÉGIME SEIGNEURIAL

STRUCTURATION DE L'AIRE SEIGNEURIALE

début du morcellement des terres dans
les plus anciennes seigneuries autour
de Québec

fin de la structuration de
l'aire seigneuriale

ordonnance de l'intendant Dupuy
interdisant la construction du toit à la mansarde

première Abitation de Champlain

installation du premier agriculteur
Louis Hébert

deuxième Abitation de Champlain

concession de la seigneurie de
Beauport

PHASE EMBRYONNAIRE	PHASE D'INSTALLATION	PHASE ÉVOLUTIVE

1608   1617 1623   1634   1679   1700 1710   1727   1759 1775   1791
                                                                              1762
                                                                              1765

début de la première vague du
toit à la mansarde à Québec.

Jusqu'au début du XVIIIe siècle, les maisons rurales, presque
toutes en bois, sont semblables aux maisons des résidants
de Québec et de Montréal. Durant cette phase d'installation,
la forme de la maison n'a pas évolué.

destruction des habitations par
les armées anglaises en 1759. Vers
1765 l'évolution de la forme a repris
son cours.

Vers le milieu du XVIIIe siècle,
une pente du toit possède une
avant-couverture tandis que l'autre
en est dépourvue.

Après 1760 les deux pentes du toit
ont chacune une avant-couverture, l'une
étant plus courte que l'autre.

L'évolution du toit à deux pentes
(maison de pierre) commence au début
du XVIIIe siècle.

Après 1775, un certain nombre d'Acadiens
apportent un modèle de maison dont le toit
raide est incliné à quarante-cinq degrés et moins.